Verstehen und Sprechen

Helmut Rehder
Ursula Thomas
Freeman Twaddell
Patricia O'Connor

DEUTSCH:

HOLT, RINEHART AND WINSTON, NEW YORK

Verstehen und Sprechen

Front cover: Top—München (Photo by FPG). Bottom—Markgröningen (PIP Photo by Agfa Color)
Back cover: Rothenburg (Photo by Tom Hollyman from Photo Researchers)

JANUARY, 1968

PRINTED AND BOUND IN THE UNITED STATES OF AMERICA
03-017000-1
90123-41-1514131211109

About the authors

Helmut Rehder, a native of Hamburg, Germany, is Professor of German at the University of Texas, and a specialist in German literature and thought. He has also taught at the Universities of Missouri, Wisconsin, and Illinois, where for nine years he directed the German Department, and has served as visiting professor at the University of Colorado, and at Northwestern University. In 1960 and again in 1961 he taught at the NDEA Institute at Boulder, Colorado, being in charge of instruction in German Culture. Dr. Rehder has had extensive experience as editor of a philological journal and of professional books. He has published many literary and critical studies and is the author and co-author of textbooks — ranging from elementary texts to Goethe's *Faust* — which are widely used at all levels of instruction.

Ursula Thomas is Assistant Professor in the Department of German at the University of Wisconsin and at Wisconsin High School. At the University of Wisconsin she was a member of the staff of a summer workshop for the teaching of languages in elementary schools in 1954 and 1955, and she taught German to children at the Summer Laboratory School of the University of Wisconsin from 1954 to 1958. Miss Thomas has been an advisor for the Modern Language Association FLES Program for the preparation of German teaching materials.

Freeman Twaddell is Chairman of the Department of German at Brown University and has also taught at the University of Wisconsin, Stanford University, and the Universities of Michigan, Indiana and Texas, and was visiting professor at the University of Hamburg. He has been a Fulbright lecturer in Egypt (1954-55), consultant for a teacher-training program in Japan for three summers, and a United States delegate to the NATO conference on language teaching (1959). Professor Twaddell is a member and past president of the Linguistic Society of America and past vice president of the American Academy of Arts and Sciences. In 1959 he was evaluator of the first experimental NDEA Institutes and in 1943 was Director of the Army language program at the

University of Wisconsin. He is co-author with Helmut Rehder of first and second year German textbooks, and with Patricia O'Connor of a monograph on in-service teacher-training. He is also the author of articles on linguistic history and analysis, and on language teaching.

Patricia O'Connor is Associate Professor of Linguistics and Education at Brown University, where she is in charge of the language laboratory and is Language Consultant for the State of Rhode Island. Miss O'Connor has also taught at Stanford University (where she worked with the Stanford Program for Language Teaching in the Elementary schools), at Teacher's College of Columbia University (where she was visiting professor of Linguistics and Education) and in the National Education University and Keio University in Japan. Miss O'Connor is the author of *Modern Foreign Languages in High School* (*U.S. Office of Education Bulletin No. OE*-27000). She is also co-author, with Gregory LaGrone and Andrea Sendón McHenry, of *Español: Entender y Hablar* and *Español: Hablar y Leer* of this series, and with E. F. Haden of *Oral Drills in Spanish.* She has been serving as a Consultant to the U.S. Office of Education on problems of language teaching, and is presently on the Committee for the Testing Program of the MLA.

Contents

Verstehen und Sprechen

Greetings

1 Hello (Good morning), Mrs. Lübke.
2 Hello (Good evening), Mr. Schröder.
3 Hello (Good day), Miss Bieber.

4 How are you, Fritz?
5 How are you, Mrs. Lübke?
6 I'm fine, thank you.

7 And you—how are you?
8 And you—how are you?
9 I'm fine too, thank you.

10 "How are things at home?"

11 "We're fine, thank you."
12 "Best wishes to the family."
13 "Thank you, Mr. Schröder."

14 "Not so good."
15 "That's too bad. How so?"
16 "Werner's sick today."
17 "Oh, I'm sorry.
18 (I wish him) a speedy recovery!"

19 "Good-bye, see you tomorrow."
20 "Good-bye, see you tonight."

Grüße

1 Guten Morgen, Frau Lübke.
2 Guten Abend, Herr Schröder.
3 Guten Tag, Fräulein Bieber.

4 Fritz, wie geht es dir?
5 Frau Lübke, wie geht es Ihnen?
6 Danke, es geht mir gut.

7 Und dir—wie geht es dir?
8 Und Ihnen—wie geht es Ihnen?
9 Danke sehr, es geht mir auch gut.

10 „Wie geht es zu Hause?"

11 „Danke, es geht uns gut."
12 „Schönen Gruß zu Hause."
13 „Danke schön, Herr Schröder."

14 „Nicht so gut!"
15 „Das ist schade! Wieso denn?"
16 „Werner ist heute krank."
17 „O, das tut mir leid.
18 Gute Besserung!"

19 „Auf Wiedersehen, bis morgen."
20 „Auf Wiedersehen, bis heute abend."

QUESTION-ANSWER PRACTICE

1
WERNER Guten Morgen, Fritz. Wie geht es dir?
FRITZ Danke, es geht mir gut.

2
HELENE Guten Abend, Liese. Wie geht es dir?
LIESE Danke sehr, es geht mir gut.

3
HERR MÜLLER Guten Tag, Frau Lübke. Wie geht es Ihnen?
FRAU LÜBKE Danke schön, es geht mir gut.

4
FRAU LÜBKE Und Ihnen—wie geht es Ihnen?
HERR MÜLLER Danke, es geht mir auch gut.

5
HERR MÜLLER Wie geht es zu Hause, Frau Lübke?
FRAU LÜBKE Nicht so gut.

6
HERR MÜLLER Wieso denn?
FRAU LÜBKE Anna ist heute krank.

7
KARL Geht es dir gut, Fritz?
FRITZ Ja, es geht mir gut.

8
DOKTOR FISCHER Geht es Ihnen nicht gut, Herr Schröder?
HERR SCHRÖDER Nein, es geht mir heute nicht gut.

9
WERNER Ist Fräulein Bieber krank?
LIESE Ja, Fräulein Bieber ist heute krank.

10
WERNER Ist das nicht schade?
LIESE Ja, es tut mir leid.

PATTERN PRACTICE

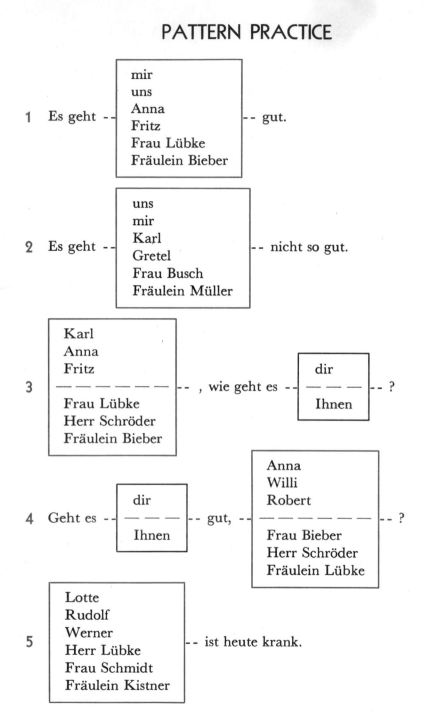

1 Es geht -- [mir / uns / Anna / Fritz / Frau Lübke / Fräulein Bieber] -- gut.

1	Es geht	mir uns Anna Fritz Frau Lübke Fräulein Bieber	gut.

2 Es geht -- [uns / mir / Karl / Gretel / Frau Busch / Fräulein Müller] -- nicht so gut.

2	Es geht	uns mir Karl Gretel Frau Busch Fräulein Müller	nicht so gut.

3 [Karl / Anna / Fritz — Frau Lübke / Herr Schröder / Fräulein Bieber] -- , wie geht es -- [dir — Ihnen] -- ?

3	Karl Anna Fritz — — — — — — Frau Lübke Herr Schröder Fräulein Bieber	, wie geht es	dir — — — Ihnen	?

4 Geht es -- [dir — Ihnen] -- gut, -- [Anna / Willi / Robert — Frau Bieber / Herr Schröder / Fräulein Lübke] -- ?

4	Geht es	dir — — — Ihnen	gut,	Anna Willi Robert — — — — — — — Frau Bieber Herr Schröder Fräulein Lübke	?

5 [Lotte / Rudolf / Werner / Herr Lübke / Frau Schmidt / Fräulein Kistner] -- ist heute krank.

5	Lotte Rudolf Werner Herr Lübke Frau Schmidt Fräulein Kistner	ist heute krank.

6 Guten Morgen, --	Karl Liese Rudolf Herr Doktor Herr Schröder Fräulein Busch	--.

7 Guten Abend, --	Oskar Helene Friedrich Frau Bunsen Herr Schmidt Fräulein Stoll	--.

8 Wie geht es zu Hause, --	Wolfgang Annemarie Friedrich Frau Schulz Herr Fischer Frau Schneider	-- ?

9 Gute Besserung, --	Willi Werner Annemarie Herr Doktor Frau Schmidt Fräulein Bauer	-- !

10 Auf Wiedersehen, --	Fritz Werner Annemarie Herr Doktor Frau Schmidt Fräulein Stoll	-- , bis heute abend.

CONVERSATIONS

1 Mrs. Schmidt enters the supermarket and Mr. Bunsen, the manager, greets her.

HERR BUNSEN Guten Abend, Frau Schmidt. Wie geht es Ihnen?
FRAU SCHMIDT Danke, es geht mir gut. Und Ihnen – wie geht es Ihnen?
HERR BUNSEN Danke schön, es geht mir auch gut.

2 Anna sees a friend at the post office.

ANNA Guten Morgen, Karl. Wie geht es dir?
KARL Guten Morgen, Anna. Es geht mir gut. Und dir?
ANNA Es geht mir auch gut.

3 Miss Busch meets one of her students at the bus stop.

FRÄULEIN BUSCH Guten Morgen, Friedrich. Wie geht es dir?
FRIEDRICH Danke, es geht mir gut. Und Ihnen – wie geht es Ihnen?
FRÄULEIN BUSCH Danke, es geht mir auch gut.

4 Mrs. Müller greets one of her neighbors.

FRAU MÜLLER Guten Tag, Herr Kistner. Wie geht es zu Hause?
HERR KISTNER Danke sehr, es geht uns gut. Und Ihnen?
FRAU MÜLLER Danke, es geht uns auch gut.
HERR KISTNER Schönen Gruß zu Hause.

5 Oskar is just going into the doctor's office as Liese leaves.

OSKAR Guten Abend, Liese. Wie geht es dir?
LIESE Es geht mir nicht so gut.
OSKAR O, das tut mir leid. Gute Besserung.

6 Helene, at the front door, receives the morning paper from Rudolf.

RUDOLF Guten Morgen, Helene.
HELENE Guten Morgen, Rudolf. Wie geht es dir?
RUDOLF Es geht mir sehr gut, danke. Und dir?
HELENE Es geht mir auch gut. Auf Wiedersehen, Rudolf.
RUDOLF Auf Wiedersehen, Helene, bis morgen!

7 Mr. Schröder is rather worried about his daughter's illness.

FRAU LÜBKE — Guten Tag, Herr Schröder. Wie geht's zu Hause?

HERR SCHRÖDER — O, es geht nicht so gut. Lotte ist krank.

FRAU LÜBKE — O, das tut mir leid. Gute Besserung!

HERR SCHRÖDER — Danke schön, Frau Lübke.

8 Fritz always speaks to his neighbor Mrs. Bauer as he passes her house in the morning.

FRITZ — Guten Morgen, Frau Bauer! Wie geht es Ihnen?

FRAU BAUER — Guten Tag, Fritz! Danke, es geht mir gut. Und dir—wie geht es dir?

FRITZ — Danke sehr, es geht mir auch gut.

FRAU BAUER — Und wie geht es zu Hause?

FRITZ — Danke schön, Frau Bauer. Es geht uns gut.

FRAU BAUER — Auf Wiedersehen, bis morgen.

FRITZ — Auf Wiedersehen, Frau Bauer.

9 Dr. Braun is making a call on Wolfgang's sick father and checks up on Wolfgang.

DR. BRAUN — Wic geht es dir heute?

WOLFGANG — Danke, Herr Doktor, es geht mir heute gut.

DR. BRAUN — Das ist schön. Auf Wiedersehen.

10 Annemarie returns some books to the neighborhood library and gets some more for her brother and sister, who are recovering from the flu.

FRÄULEIN STOLL — Guten Abend, Annemarie. Geht es gut zu Hausc?

ANNEMARIE — Nein, es geht uns nicht so gut.

FRÄULEIN STOLL — O, das ist schade. Wieso denn? Ist Karl krank?

ANNEMARIE — Ja, Karl ist heute krank. Berta ist auch krank.

FRÄULEIN STOLL — Und dir—wie geht es dir?

ANNEMARIE — Danke, es geht mir gut.

FRÄULEIN STOLL — Gute Besserung zu Hause. Auf Wiedersehen.

ANNEMARIE — Danke schön. Auf Wiedersehen, bis morgen.

11 Mrs. Schneider sees Dr. Kessler calling on the family in the next apartment.

FRAU SCHNEIDER	Guten Morgen, Herr Doktor!
DR. KESSLER	Guten Morgen, Frau Schneider. Geht es Ihnen gut?
FRAU SCHNEIDER	Ja, danke! Es geht mir sehr gut.
DR. KESSLER	Schön! – Und wie geht's zu Hause?
FRAU SCHNEIDER	Zu Hause geht es auch gut.
DR. KESSLER	Gut! – Schönen Gruß zu Hause!
FRAU SCHNEIDER	Danke sehr. – Auf Wiedersehen!

12 On the way up to his office, Dr. Fischer talks to the elevator boy.

DR. FISCHER	Guten Morgen, Willi! Geht es dir gut?
WILLI	Ja, danke, Herr Doktor. Es geht mir gut.
DR. FISCHER	Und Karl?
WILLI	O, es geht Karl nicht so gut.
DR. FISCHER	Das tut mir sehr leid. Auf Wiedersehen, bis heute abend.
WILLI	Ja, bis heute abend.

Names

"What's your name?"
"My name's Karl—Karl Mahlmann."

"What is your name, please?"
"My name is Wallner—Rudolf Wallner."

"Good morning (Hello), Fritz. How are you?"
"Excuse me, my name isn't Fritz."
"Is that so? What *is* your name then?"

"What's the name of the student (a boy) next to you?"
"His name is Heinrich—Heinrich Auerbach."
"What's the name of the student (a girl) behind you?"
"Her name's Else—Else Schulz."

"Who is absent today?
Where is Fritz Neumeier?"
"He isn't here yet."
"Why not? Maybe he's sick?—
And where is Anna Böll today?"
"Paul says she's sick."

"Who's that? Isn't that Lotte?"
"No, that's Ida.
Lotte isn't here today."

Namen

„Wie heißt du?“
„Ich heiße Karl—Karl Mahlmann.“

„Wie heißen Sie, bitte?“
„Ich heiße Wallner—Rudolf Wallner.“

„Guten Morgen, Fritz. Wie geht’s?“
„Verzeihung, ich heiße nicht Fritz.“
„So? Wie heißt du denn?“

„Wie heißt der Schüler da neben dir?“
„Er heißt Heinrich—Heinrich Auerbach.“
„Wie heißt die Schülerin da hinter dir?“
„Sie heißt Else—Else Schulz.“

„Wer fehlt heute?
Wo ist Fritz Neumeier?“
„Er ist noch nicht hier.“
„Warum nicht? Ist er vielleicht krank?
Und wo ist Anna Böll heute?“
„Paul sagt, sie ist krank.“

„Wer ist das? Ist das nicht Lotte?“
„Nein, das ist Ida.
Lotte ist heute nicht hier.“

QUESTION-ANSWER PRACTICE

1 FRÄULEIN BIEBER Wer fehlt heute?
INGEBORG Lotte ist heute nicht hier.

2 FRÄULEIN BIEBER Warum nicht? Ist sie vielleicht krank?
INGEBORG Ja, Else sagt, sie ist krank.

3 INGEBORG Wo ist Heinrich Auerbach?
WOLFGANG Vielleicht ist er noch zu Hause.

4 INGEBORG Ist er heute krank?
WOLFGANG Nein, Rudolf sagt, er ist nicht krank.

5 LIESE Wie heißt du?
FRITZ Ich heiße Fritz – Fritz Neumeier.

6 LIESE Wie heißt der Schüler da hinter dir?
FRITZ Er heißt Wilhelm.

7 LIESE Guten Morgen, Wilhelm. Wie geht's?
WILLI Verzeihung, ich heiße nicht Wilhelm.

8 LIESE Wie heißt du denn?
WILLI Ich heiße Willi – Willi Schröder.

9 LIESE Wie heißt die Schülerin da neben dir?
WILLI Sie sagt, sie heißt Marta.

10 INGEBORG Und wie heißen Sie, bitte?
FRÄULEIN BIEBER Ich heiße Bieber – Helene Bieber.

PATTERN PRACTICE

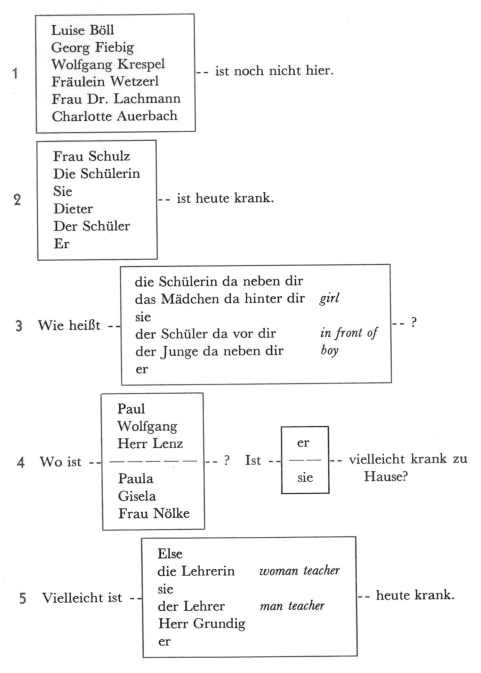

1	Luise Böll Georg Fiebig Wolfgang Krespel Fräulein Wetzerl Frau Dr. Lachmann Charlotte Auerbach	-- ist noch nicht hier.

2	Frau Schulz Die Schülerin Sie Dieter Der Schüler Er	-- ist heute krank.

3	Wie heißt --	die Schülerin da neben dir das Mädchen da hinter dir sie der Schüler da vor dir der Junge da neben dir er	 *girl* *in front of* *boy* 	-- ?

4	Wo ist --	Paul Wolfgang Herr Lenz — — — — — Paula Gisela Frau Nölke	-- ?	Ist --	er — — sie	-- vielleicht krank zu Hause?

5	Vielleicht ist --	Else die Lehrerin sie der Lehrer Herr Grundig er	 *woman teacher* *man teacher* 	-- heute krank.

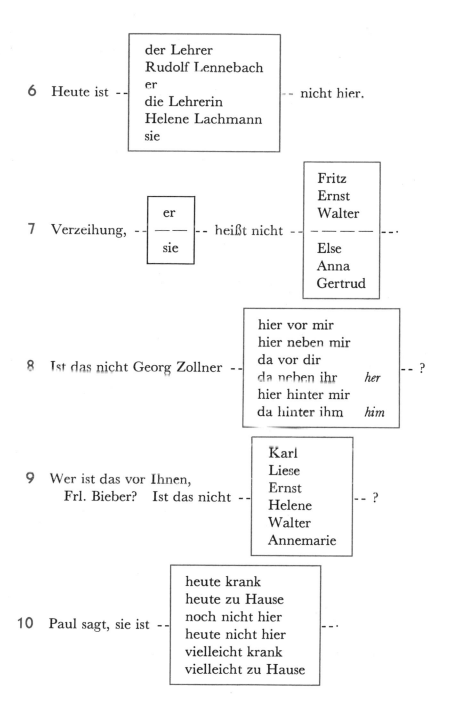

6 Heute ist -- | der Lehrer
Rudolf Lennebach
er
die Lehrerin
Helene Lachmann
sie | -- nicht hier.

7 Verzeihung, -- | er
——
sie | -- heißt nicht -- | Fritz
Ernst
Walter
————
Else
Anna
Gertrud | --.

8 Ist das nicht Georg Zollner -- | hier vor mir
hier neben mir
da vor dir
da neben ihr *her*
hier hinter mir
da hinter ihm *him* | -- ?

9 Wer ist das vor Ihnen, Frl. Bieber? Ist das nicht -- | Karl
Liese
Ernst
Helene
Walter
Annemarie | -- ?

10 Paul sagt, sie ist -- | heute krank
heute zu Hause
noch nicht hier
heute nicht hier
vielleicht krank
vielleicht zu Hause | --.

CONVERSATIONS

1 At a large party, Mrs. Bunsen, who can't remember names and faces, whispers a question to Mrs. Müller.

FRAU BUNSEN Ist das nicht Fräulein Schröder da vor Herrn Fiebig?
FRAU MÜLLER Nein, das ist Frau Licht.
FRAU BUNSEN Und wie heißt der Herr da neben ihm? Ist das nicht Herr Schulz?
FRAU MÜLLER Nein, Herr Schulz ist hier neben mir.

2 The new paper boy on the route is making his first weekly collection.

ZEITUNGSJUNGE Wie heißen Sie, bitte?
HERR SCHULZ Ich heiße Schulz, Hans Schulz.
ZEITUNGSJUNGE Verzeihung, wo ist Herr Viktor Schulz?
HERR SCHULZ Er ist heute nicht hier.
ZEITUNGSJUNGE O, das ist schade.

3 The substitute teacher is checking the class roll.

LEHRER Heißt du Gregor?
ERNST Nein, ich heiße Ernst, Ernst Müller.
LEHRER Wo ist denn Gregor?
ERNST Gregor ist noch nicht hier.
LEHRER Und wo sind Marta und Walter?
ERNST Sie sind auch nicht hier. Vielleicht sind sie krank.

4 The group is getting ready to get on the bus for a field trip.

FRÄULEIN WETZER Wer fehlt heute?
GERTRUD Lotte Grünewald ist nicht hier.
FRÄULEIN WETZER Warum denn nicht?
GERTRUD Vielleicht ist sie krank.
HEINRICH Ist das nicht Lotte da hinter dir?
GERTRUD Nein, das Mädchen hinter mir heißt Lotte Lindemann, nicht Lotte Grünewald. Lotte Grünewald ist heute nicht hier.

5 Before the Literary Club meeting, the secretary and the vice-president are looking over the audience.

FRAU LACHMANN	Wer ist noch nicht hier?
FRAU ANDERSEN	Frau Goldschmidt fehlt noch.
FRAU LACHMANN	Warum denn?
FRAU ANDERSEN	Vielleicht ist sie krank. Vielleicht geht es zu Hause nicht gut.
FRAU LACHMANN	Und warum ist Doktor Ranke noch nicht hier?
FRAU ANDERSEN	Vielleicht ist er auch krank.
FRAU LACHMANN	Ist der Herr da neben Anneliese Schröder nicht Doktor Ranke?
FRAU ANDERSEN	O nein. Das ist Professor Schrempp.
FRAU LACHMANN	Nein! Wie heißt der?
FRAU ANDERSEN	Herr Schrempp.
FRAU LACHMANN	Ach so! –

6 Two girls are observing a crowd in the lobby of a movie theater.

HELENE	Ist das nicht Irmgard Nägele?
LUISE	Wer? Das Mädchen da neben Fräulein Grimm?
HELENE	Nein, nein. Das Mädchen neben Oskar Dieringer.
LUISE	Ach so, die! Nein, das ist nicht Irmgard Nägele. Die heißt Waltraut Wendt.
HELENE	Und wo ist Irmgard Nägele?
LUISE	Irmgard ist heute nicht hier. Vielleicht ist sie noch zu Hause.

7 Mr. Behrend and Mr. Schulz are walking to their parked cars from the commuters' train.

HERR BEHREND	Guten Abend, Herr Schulz! Wie geht's?
HERR SCHULZ	O danke! Es geht, es geht.
HERR BEHREND	Wieso denn? Geht es Ihnen nicht gut?
HERR SCHULZ	Danke! M i r geht es gut.
HERR BEHREND	Wie geht's denn zu Hause?
HERR SCHULZ	Nicht so gut. Emma ist krank.
HERR BEHREND	Das tut mir leid. Gute Besserung!
HERR SCHULZ	Danke! Schönen Gruß zu Hause!
HERR BEHREND	Danke schön! Auf Wiedersehen!

8 The janitor tries to cheer up Mr. Bühler, who looks grumpier than usual as he comes to work today.

HAUSER	Guten Morgen, Herr Bühler. Wie geht es Ihnen heute?
BÜHLER	'n Morgen! Es geht so.
HAUSER	Wieso? Es geht Ihnen nicht gut?
BÜHLER	Nein.
HAUSER	Wie geht es denn zu Hause?
BÜHLER	Nicht so gut.
HAUSER	O, das ist schade.
BÜHLER	Ja.
HAUSER	Auf Wiedersehen!
BÜHLER	Wiedersehen!

9 In a hotel dining room. A bellboy comes to one of the tables.

LÄUFER [1]	Verzeihung! Heißen Sie vielleicht Böll?
HERR BÖLL	Ja, so heiße ich. Warum?
LÄUFER	Ist das Fräulein da neben Ihnen vielleicht Fräulein Anna Böll? [2]
HERR BÖLL	Ja, so heißt sie. Sie ist meine Tochter. [3]
LÄUFER	Gut. Hier ist ein Telegramm für Fräulein Anna Böll. [4]
HERR BÖLL	Ah, danke schön!
LÄUFER	Bitte sehr, guten Tag! [5]

[1] Läufer bellboy
[2] das Fräulein the young lady
[3] meine Tochter my daughter
[4] Telegramm telegram; für for
[5] Bitte sehr You're welcome

Friends and Family

1 "Say, is that a friend of yours?
2 I don't know him."
3 "Yes, he's a friend of mine."
4 "What's your friend's name?"
5 "His name is Werner. He's a nice guy."

6 "That's a friend of mine (a girl)."
7 "I don't know her. What's your friend's name?"
8 "Her name's Christine. She's very nice."

9 "I have two brothers and a sister.
10 Do you have brothers and sisters, too?"
11 "No, I don't have any brothers.
12 I don't have any sisters either."

13 "Do you have any cousins?"
14 "I have only one boy cousin, Oskar Schneider.
15 He has two sisters.
16 My girl cousins are twins.
17 Their names are Liese and Lotte."

18 "We've got four boy cousins.
19 But we have only one girl cousin.
20 Our cousin Julie is an only child."

Freunde und Familie

1 „Sag mal, ist das ein Freund von dir?
2 Ich kenne ihn nicht."
3 „Ja, das ist ein Freund von mir."
4 „Wie heißt dein Freund?"
5 „Er heißt Werner. Er ist ein netter Kerl."

6 „Das ist eine Freundin von mir."
7 „Ich kenne sie nicht. Wie heißt deine Freundin?"
8 „Sie heißt Christine. Sie ist sehr nett."

9 „Ich habe zwei Brüder und eine Schwester.
10 Hast du auch Geschwister?"
11 „Nein, ich habe keinen Bruder.
12 Ich habe auch keine Schwester."

13 „Hast du Vettern und Kusinen?"
14 „Ich habe nur einen Vetter, Oskar Schneider.
15 Er hat zwei Schwestern.
16 Meine Kusinen sind Zwillinge.
17 Sie heißen Liese und Lotte."

18 „Wir haben vier Vettern.
19 Aber wir haben nur eine Kusine.
20 Unsere Kusine Julie ist ein einziges Kind."

QUESTION-ANSWER PRACTICE

1 HERR BEHRING Sagen Sie mal, ist das ein Freund von Ihnen?
HERR SCHWARZ Ja, das ist ein Freund von mir.

2 HERR BEHRING Wie heißt Ihr Freund?
HERR SCHWARZ Er heißt Schmidt. Er ist ein netter Kerl.

3 HERR BEHRING Ist Werner Lübke ein Freund von Ihnen?
HERR SCHWARZ Nein, ich kenne ihn nicht.

4 MARTA Ist das eine Freundin von dir? Ich kenne sie nicht.
KARIN Ja. Sie heißt Christine. Sie ist sehr nett.

5 MARTA Sag mal, hast du Geschwister?
KARIN Ja, ich habe zwei Brüder und eine Schwester.

6 KARIN Hast du auch Geschwister?
MARTA Nein, ich habe keinen Bruder und auch keine Schwester.

7 INGE Hast du Vettern und Kusinen?
KLAUS Ja, ich habe einen Vetter und zwei Kusinen.

8 INGE Wie heißt dein Vetter?
KLAUS Er heißt Oskar Schneider.

9 INGE Ist Oskar ein einziges Kind?
KLAUS Nein, er hat zwei Schwestern. Sie sind Zwillinge.

10 INGE Wie heißen die Zwillinge?
KLAUS Sie heißen Liese und Lotte.

PATTERN PRACTICE

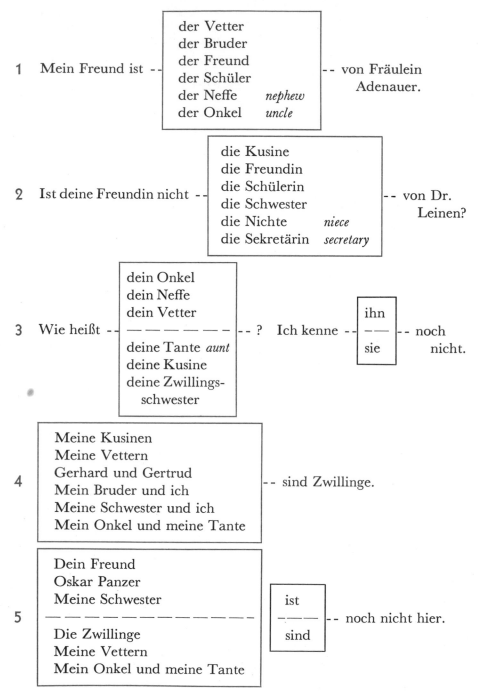

1	Mein Freund ist --	der Vetter der Bruder der Freund der Schüler der Neffe *nephew* der Onkel *uncle*	-- von Fräulein Adenauer.

2	Ist deine Freundin nicht --	die Kusine die Freundin die Schülerin die Schwester die Nichte *niece* die Sekretärin *secretary*	-- von Dr. Leinen?

3	Wie heißt --	dein Onkel dein Neffe dein Vetter — — — — — — — deine Tante *aunt* deine Kusine deine Zwillings-schwester	-- ? Ich kenne --	ihn —— sie	-- noch nicht.

4	Meine Kusinen Meine Vettern Gerhard und Gertrud Mein Bruder und ich Meine Schwester und ich Mein Onkel und meine Tante	-- sind Zwillinge.

5	Dein Freund Oskar Panzer Meine Schwester — — — — — — — — — — — Die Zwillinge Meine Vettern Mein Onkel und meine Tante	ist —— sind	-- noch nicht hier.

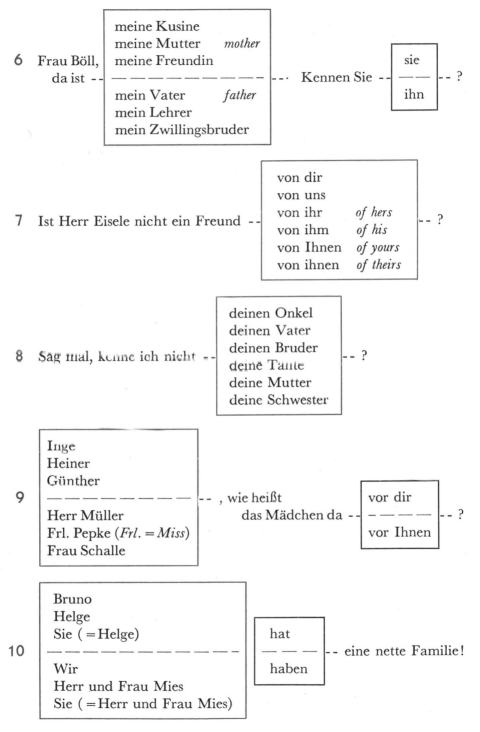

6 Frau Böll, da ist -- [meine Kusine / meine Mutter *mother* / meine Freundin — mein Vater *father* / mein Lehrer / mein Zwillingsbruder] --- Kennen Sie -- [sie — ihn] -- ?

7 Ist Herr Eisele nicht ein Freund -- [von dir / von uns / von ihr *of hers* / von ihm *of his* / von Ihnen *of yours* / von ihnen *of theirs*] -- ?

8 Sag mal, kenne ich nicht -- [deinen Onkel / deinen Vater / deinen Bruder / deine Tante / deine Mutter / deine Schwester] -- ?

9 [Inge / Heiner / Günther — Herr Müller / Frl. Pepke (*Frl.* = *Miss*) / Frau Schalle] -- , wie heißt das Mädchen da -- [vor dir — vor Ihnen] -- ?

10 [Bruno / Helge / Sie (=Helge) — Wir / Herr und Frau Mies / Sie (=Herr und Frau Mies)] [hat — haben] -- eine nette Familie!

CONVERSATIONS

1 Oskar asks Rudolf about the girl he walked to school with.

OSKAR •	Ist das eine Freundin von dir?
RUDOLF	Nein, das ist nur meine Schwester Marta.

2 The teacher left her glasses at home again today.

LEHRERIN	Helga, wie heißt der Junge da vor dir?
SCHÜLERIN	Er heißt Heinz, Heinz Rosen.
LEHRERIN	Und der Schüler da hinter dir?
SCHÜLERIN	Das ist Kurt Bluhm.
LEHRERIN	Und der Schüler neben dir?
SCHÜLERIN	Aber, Fräulein Schmidt, das ist kein Schüler. Das ist meine Freundin Marie, Marie Dietrich.

3 Willi has just moved into the neighborhood and is getting acquainted.

WILLI	Sag mal, ist das dein Bruder?
GERHARD	Ja, das ist mein Zwillingsbruder Sieghardt.
WILLI	Hast du eine Schwester?
GERHARD	Nein, ich habe keine Schwester, nur den einen Bruder, Sieghardt.

4 Friedrich knows that Mrs. Becker is always interested in everybody's comings and goings.

FRAU BECKER	Guten Tag, Friedrich. Wie geht's heute?
FRIEDRICH	Danke, Frau Becker. Es geht mir gut. Mein Vetter Willi und meine Kusine Marie sind heute auch hier.
FRAU BECKER	O, das ist nett. Schönen Gruß zu Hause.
FRIEDRICH	Danke schön, Frau Becker. Auf Wiedersehen.
FRAU BECKER	Auf Wiedersehen.

5 Mr. Keller's maid has orders to check up on all visitors.

HERR STORM	Verzeihung, ist Herr Keller vielleicht zu Hause?
DIENSTMÄDCHEN	Nein, er ist nicht zu Hause.
HERR STORM	O, das ist schade.
DIENSTMÄDCHEN	Wieso? Kennen Sie ihn? Sind Sie ein Freund von ihm?

HERR STORM	Ja, er ist ein Freund von mir.
DIENSTMÄDCHEN	Wie heißen Sie, bitte?
HERR STORM	Ich heiße Storm, Theobald Storm.
DIENSTMÄDCHEN	Danke sehr, Herr Storm. —Heute abend ist Herr Keller zu Hause.
HERR STORM	Danke sehr! Auf Wiedersehen, bis heute abend.

6 In a restaurant, Mr. Möhring thinks he sees a celebrity.

HERR MÖHRING	Kennen Sie den Herrn da hinter Ihnen?
HERR ZOLLING	Nein, ich kenne ihn nicht.
HERR MÖHRING	Ist das nicht Doktor Ochsenbein?
HERR ZOLLING	Vielleicht. —Den kenne ich auch nicht.
HERR MÖHRING	Aber ist Dr. Ochsenbein nicht ein Vetter von Ihnen?
HERR ZOLLING	O nein. Ich habe nur einen Vetter, und der heißt Oskar Beyer.
HERR MÖHRING	So? Oskar Beyer ist Ihr Vetter!
HERR ZOLLING	Ja. Wieso? Kennen Sie ihn?
HERR MÖHRING	O ja. Er ist sehr nett —ein guter Freund von mir.

7 Elderly Miss Bieber takes a great interest in everybody in the neighborhood. She greets Mr. Schröder as he returns from the office.

FRÄULEIN BIEBER	Guten Abend, Herr Schröder.
HERR SCHRÖDER	Guten Abend, Fräulein Bieber.
FRÄULEIN BIEBER	Wie geht es Ihnen, Herr Schröder?
HERR SCHRÖDER	Danke, es geht mir gut. Und Ihnen —wie geht es Ihnen?
FRÄULEIN BIEBER	Danke sehr, es geht mir auch gut. Und wie geht es zu Hause?
HERR SCHRÖDER	Es geht uns nicht so gut!
FRÄULEIN BIEBER	Wieso denn?
HERR SCHRÖDER	Meine Frau ist krank. [1]
FRÄULEIN BIEBER	O, das tut mir leid. Gute Besserung!
HERR SCHRÖDER	Danke schön, Fräulein Bieber. Auf Wiedersehen.
FRÄULEIN BIEBER	Auf Wiedersehen, Herr Schröder.

[1] meine Frau my wife

8 Before the rehearsal, Mrs. Böll, the advisor for the dramatic club, chats with some of the cast.

FRAU BÖLL Guten Tag. Wie geht's heute?
WOLFGANG Es geht uns gut, danke. Und Ihnen?
FRAU BÖLL Danke, es geht mir auch gut. Wer fehlt heute?
LOTTE Meine Schwester Luise ist nicht hier.
WALTER Warum nicht? Ist sie heute krank?
LOTTE Ja, sie ist zu Hause.
WALTER O, das tut mir leid. Gute Besserung!
LOTTE Danke schön.
FRAU BÖLL Ist Luise deine Zwillingsschwester?
LOTTE Ja, wir sind Zwillinge. Luise ist meine einzige Schwester, und wir haben keinen Bruder.

9 Mrs. Gepp has been impressed by Fritz's cousin.

FRAU GEPP Sag mal, Fritz, ist dein Vetter noch zu Hause?
FRITZ Ja, er ist noch zu Hause.
FRAU GEPP Ist er dein einziger Vetter?
FRITZ O nein, er hat noch zwei Brüder. Aber die sind nicht hier. Sie sind in Afrika. Sie kennen sie nicht.
FRAU GEPP Nein, ich kenne sie noch nicht. Wie heißen sie denn?
FRITZ Sie heißen Jürgen und Jochen Bethke. Sie sind Zwillinge.

4

Good and Bad

1 "Hi, Karin! How's Rolf?
2 Is he all right again?"
3 "He's just fine, thanks.
4 He's well again."

5 "How is your wife, Doctor?" ("How's the doctor's wife?")
6 "Well, she still looks a little pale.
7 But she's a lot better now, thank you."
8 "I'm glad about that."

9 "Do you want to go to the movies?"
10 "No, I'd like to go home."
11 "Really? What's the matter?
12 Are you tired? You look it."
13 "Me? Tired? Not at all.
14 It's just that I'm so hungry.
15 I'd like something to eat and drink."

16 "What's the matter, Tilo?"
17 "Nothing. I just can't find my overshoes."
18 "Can I help you?
19 Maybe they're under the chair?"
20 "No, here they are. Behind the door."

Gut und Schlecht

„Grüß Gott, Karin! Wie geht's denn dem Rolf?
Geht's ihm wieder gut?"
„Danke, es geht ihm ausgezeichnet.
Er ist wieder gesund."

„Wie geht's der Frau Doktor?"
„Na, sie sieht immer noch ein bißchen blaß aus.
Aber es geht ihr schon viel besser, danke."
„Das freut mich."

„Willst du ins Kino gehen?"
„Nein, ich möchte gerne nach Hause gehen."
„Wirklich? Was ist denn los?
Bist du müde? Du siehst so aus."
„Ich? Müde? Durchaus nicht!
Ich bin nur so hungrig.
Ich möchte etwas essen und trinken."

„Was fehlt dir denn, Tilo?"
„Nichts. Ich kann nur meine Gummischuhe nicht finden."
„Darf ich dir helfen?
Sind sie vielleicht unter dem Stuhl?"
„Nein, hier sind sie. Hinter der Tür."

QUESTION-ANSWER PRACTICE

1
HERR BUNSEN Grüß Gott, Frau Müller! Wie geht's denn dem Rolf?
FRAU MÜLLER Danke, es geht ihm ausgezeichnet.

2
HERR BUNSEN Guten Morgen, Herr Doktor, wie geht's der Frau Doktor?
DR. WAGNER Na, sie sieht immer noch ein bißchen blaß aus. Aber es geht ihr schon viel besser, danke.

3
HERR BUNSEN Guten Abend, Karin! Geht es Karl wieder gut?
KARIN Ja, danke. Er ist wieder gesund.

4
DIETER Willst du ins Kino gehen?
GERHARD Nein, ich möchte gerne nach Hause gehen.

5
DIETER Wirklich? Was ist denn los?
GERHARD Ich bin hungrig. Ich möchte etwas essen und trinken.

6
DIETER Bist du nicht müde? Du siehst so aus.
GERHARD Ich? Müde? Durchaus nicht!

7
ANNA Was fehlt dir denn, Tilo?
TILO Nichts. Ich kann nur meine Gummischuhe nicht finden.

8
ANNA Darf ich dir helfen? Sind sie vielleicht hinter der Tür?
TILO Nein, hier sind sie. Unter dem Stuhl.

9
HERR STEIN Was fehlt Ihnen denn, Herr Busch?
HERR BUSCH Nichts. Ich bin nur noch so müde.

10
HERR STEIN Möchten Sie nicht nach Hause gehen?
HERR BUSCH Ja, es geht mir nicht so gut.

PATTERN PRACTICE

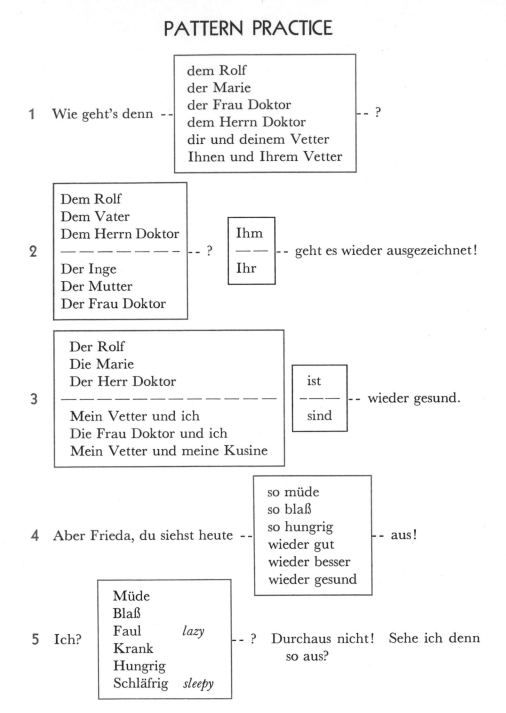

1	Wie geht's denn --	dem Rolf der Marie der Frau Doktor dem Herrn Doktor dir und deinem Vetter Ihnen und Ihrem Vetter	-- ?		
2		Dem Rolf Dem Vater Dem Herrn Doktor — — — — — — — — Der Inge Der Mutter Der Frau Doktor	-- ?	Ihm — — Ihr	-- geht es wieder ausgezeichnet!
3		Der Rolf Die Marie Der Herr Doktor — — — — — — — — — — — — Mein Vetter und ich Die Frau Doktor und ich Mein Vetter und meine Kusine		ist — — — sind	-- wieder gesund.
4	Aber Frieda, du siehst heute --	so müde so blaß so hungrig wieder gut wieder besser wieder gesund	-- aus!		
5	Ich?	Müde Blaß Faul *lazy* Krank Hungrig Schläfrig *sleepy*	-- ?	Durchaus nicht! Sehe ich denn so aus?	

6 Ich bin --

- noch krank
- wieder gesund
- ein bißchen müde
- immer so hungrig
- wirklich schläfrig
- schon wieder schläfrig

--.

7

- Herr Ihler
- Frau Ellert
- Frl. Olmstadt
- — — — — ,
- Vati *Pop*
- Albert
- Elsbeth

- sind Sie
- — — —
- bist du

-- krank? Darf ich --

- Ihnen
- ———
- dir

-- helfen?

8 Ich kann --

meine Schuhe	
meine Bücher	*books*
meine Tasche	*handbag*
meine Schlüssel	*keys*
meine Handschuhe	*gloves*
meine Gummischuhe	

-- nicht finden.

9 Ich möchte gerne --

Ihnen helfen	
ins Kino gehen	
nach Hause gehen	
zur Schule gehen	*to school*
zu Bett liegen	*lie in bed*
etwas essen und trinken	

--.

10 Vielleicht sind deine Handschuhe --

hinter der Tür	
unter dem Sofa	*sofa*
unter dem Stuhl	
in der Küche	*kitchen*
im Wohnzimmer	*living room*
im Schlafzimmer	*bedroom*

--.

CONVERSATIONS

1 Peter is supposed to help out at his father's filling station on Saturdays. Today he isn't very eager.

VATER Was fehlt dir denn, Peter?
PETER Ich möchte nach Hause gehen.
VATER Warum denn? Bist du krank?
PETER Krank? Durchaus nicht. Aber ich bin hungrig. Ich möchte nach Hause gehen und etwas essen und trinken.
VATER Das darfst du aber nicht.

2 Wilhelm feels sorry for Albert.

WILHELM Hast du denn wirklich vier Schwestern und keinen Bruder?
ALBERT Nein, ich habe keinen Bruder. Und ich habe auch keinen Vetter – nur Kusinen.
WILHELM O, das ist schade.

3 Christine wants Berta to hurry up.

CHRISTINE Was ist denn los, Berta?
BERTA Ich kann meine Schlüssel nicht finden. Sie sind nicht in meiner Tasche.
CHRISTINE Darf ich dir helfen? Sind sie vielleicht in deinem Schlafzimmer? – Ja, hier sind sie, unter deinem Bett.
BERTA Danke schön, Christine.
CHRISTINE Bitte sehr.

4 Mrs. Sonnenberg is surprised to see Mr. Schneider doing the shopping.

HERR SCHNEIDER Guten Morgen, Frau Sonnenberg.
FRAU SONNENBERG Guten Morgen, Herr Schneider. Wie geht es Ihnen?
HERR SCHNEIDER O, nicht so gut. Meine Frau liegt krank zu Hause.
FRAU SONNENBERG Das tut mir leid. Kann ich ihr helfen?
HERR SCHNEIDER Nein, danke, meine Schwester ist da.
FRAU SONNENBERG O, das ist gut. Gute Besserung!
HERR SCHNEIDER Danke schön, Frau Sonnenberg. Auf Wiedersehen.

5 Dr. Hubenthal checks up on Heinz's recovery.

DR. HUBENTHAL Grüß Gott, Frau Uhlemann! Wie geht's dem Heinz?

FRAU UHLEMANN Danke, es geht ihm wieder besser. Er ist wieder so hungrig. Er möchte immer essen und trinken.

DR. HUBENTHAL Sehr schön, Frau Uhlemann.

FRAU UHLEMANN Er ist noch ein bißchen müde, aber es geht ihm ausgezeichnet.

DR. HUBENTHAL Das freut mich.

FRAU UHLEMANN Ja, er ist wieder gesund.

DR. HUBENTHAL Auch das freut mich. Heinz ist ein netter Kerl. Schönen Gruß. Auf Wiedersehen.

6 Mrs. Braun felt all right until she talked to gloomy Mrs. Schmelzer.

FRAU SCHMELZER Guten Tag, Frau Doktor. Geht es Ihnen wieder gut?

FRAU DR. BRAUN Ja, ich bin wieder gesund.

FRAU SCHMELZER Sie sehen aber immer noch blaß aus.

FRAU DR. BRAUN Ja, und ich bin noch ein bißchen müde.

FRAU SCHMELZER O, das tut mir leid. Gute Besserung!

FRAU DR. BRAUN Danke sehr. Auf Wiedersehen.

FRAU SCHMELZER Auf Wiedersehen, Frau Doktor.

7 At a big political dinner, Mr. Krespel, the candidate, speaks to somebody he thinks he recognizes.

HERR KRESPEL Ah, guten Abend. Wie geht's Ihnen heute abend?

HERR EGGERS Danke, danke, es geht so. Und wie geht's Ihnen?

HERR KRESPEL Schön, sehr schön.

HERR EGGERS Ist Frau Krespel heute abend nicht hier?

HERR KRESPEL Nein, sie ist zu Hause. Sie ist krank.

HERR EGGERS O, das ist schade. Gute Besserung!

HERR KRESPEL Danke sehr. – Und wie geht's Marga?

HERR EGGERS Marga? Wer ist Marga?

HERR KRESPEL Ihre Frau![1] Sind Sie nicht Herr Mahlmann?

HERR EGGERS Nein, ich heiße nicht Mahlmann. Ich heiße Eggers.

HERR KRESPEL O, Verzeihung! Auf Wiedersehen!

[1] Ihre Frau your wife

8 The boys leave for the movies on a rainy afternoon.

GUSTAV Willst du ins Kino gehen?
GEROLD Ja, warum nicht? Aber wo sind meine Gummischuhe? Ich kann sie nicht finden.
GUSTAV Vielleicht sind sie im Wohnzimmer unter dem Stuhl.
GEROLD Nein, hier sind sie, in der Küche. Gehen wir!

9 At a concert, just before the performance begins, Mrs. Scheller tries to identify some people in the audience.

FRAU SCHELLER Wer ist der Herr da vor mir? [1]
FRAU FIEBIG Der Herr da vor Ihnen heißt Auerbach. Frau Auerbach ist heute nicht hier. Sie ist krank zu Hause.
FRAU SCHELLER So? Und wie heißt die Dame hier hinter mir? [2]
FRAU FIEBIG Das ist Frau Kottenhahn.
FRAU SCHELLER So, die? – Und der Herr da neben ihr?
FRAU FIEBIG Das ist nicht ein Herr – das ist noch ein Schüler. Er heißt Paul Zach.

[1] Herr gentleman [2] Dame lady

Addresses

1 one, two, three, four, five, six;
2 seven, eight, nine, ten, eleven, twelve;
3 thirteen, fourteen, fifteen, sixteen, seventeen, eighteen, nineteen, twenty.

4 "How old is your sister?"
5 "She's only four years old.
6 My brother is nineteen, almost twenty."
7 "And how old are you?"

8 "Where do you live, Robert?"
9 "I live at 59 Schiller Street.
10 And where do you live, Miss Bieber?"

11 "Tell me, Inge, where are you living now?"
12 "We've been living at 73 Beech Drive since Monday."
13 "Do you have a telephone yet?"
14 "Yes, since yesterday afternoon.
15 But I don't know what our number is."

16 "Is Dora still living at your house?"
17 "No, she doesn't live with us any more.
18 She's married, you know.
19 She and her husband live not far from us—
20 —at 37 Bismarck Street."

Adressen

1 eins, zwei, drei, vier, fünf, sechs;
2 sieben, acht, neun, zehn, elf, zwölf;
3 dreizehn, vierzehn, fünfzehn, sechzehn, siebzehn, achtzehn, neunzehn, zwanzig.

4 „Wie alt ist deine Schwester?“
5 „Sie ist nur vier Jahre alt.
6 Mein Bruder ist neunzehn, beinahe zwanzig.“
7 „Und wie alt bist du?“

8 „Wo wohnst du, Robert?“
9 „Ich wohne Schillerstraße neunundfünfzig.
10 Und wo wohnen Sie, Fräulein Bieber?“

11 „Sag mal, Inge, wo wohnt ihr jetzt?“
12 „Seit Montag wohnen wir Buchenweg dreiundsiebzig.“
13 „Habt ihr schon Fernsprecher?“
14 „Ja, seit gestern nachmittag.
15 Aber ich weiß nicht, welche Nummer wir haben.“

16 „Wohnt Dora noch bei euch?“
17 „Nein, sie wohnt nicht mehr bei uns.
18 Sie ist nämlich verheiratet.
19 Sie und ihr Mann wohnen nicht weit von uns—
20 —Bismarckstraße siebenunddreißig.“

QUESTION-ANSWER PRACTICE

1
MARTA Wie alt ist dein Bruder?
KARIN Er ist nur fünf Jahre alt.

2
MARTA Und wie alt ist deine Schwester?
KARIN Sie ist siebzehn, beinahe achtzehn.

3
TILO Sag mal, wo wohnt ihr jetzt?
KARL Seit Montag wohnen wir Schillerstraße dreiundsiebzig.

4
TILO Habt ihr schon Fernsprecher?
KARL Ja, seit gestern nachmittag.

5
TILO Was ist die Telefonnummer?
KARL Ich weiß nicht, welche Nummer wir haben.

6
LOTTE Wo wohnst du, Robert?
ROBERT Ich wohne Schillerstraße neunundfünfzig.

7
LOTTE Wohnt Dora noch bei euch?
ROBERT Nein, sie wohnt nicht mehr bei uns. Sie ist nämlich verheiratet.

8
LOTTE Wo wohnt sie jetzt?
ROBERT Sie und ihr Mann wohnen nicht weit von uns—Bismarckstraße siebenunddreißig.

9
FRAU SCHWARZ Wo wohnen Sie, Frau Kistner?
FRAU KISTNER Ich wohne Schillerstraße neunundfünfzig.

10
FRAU SCHWARZ Wohnt Fräulein Müller noch bei Ihnen?
FRAU KISTNER Nein, sie wohnt nicht mehr bei mir.

PATTERN PRACTICE

1 Wir wohnen jetzt Buchenweg --

achtundzwanzig	28
achtunddreißig	38
achtundvierzig	48
achtundfünfzig	58
achtundsechzig	68
achtundsiebzig	78

--.

2 Ich wohne jetzt nicht weit --

- von dir
- von euch
- von Ihnen
- von deiner Kusine
- von deinem Vetter
- von deinen Eltern *parents*

--.

3 Sag mal, wohnt Dora immer noch --

- bei dir
- bei euch
- bei ihnen *at their house*
- bei Frau Braun
- bei deiner Tante
- bei deinem Onkel

-- ?

4

Monika Walter Die Tante	wohnt
Unsere Vettern Mein Bruder und seine Frau Meine Schwester und ihr Mann	wohnen

-- nicht mehr bei uns.

5 Ich weiß nicht, --

- wo Erika wohnt
- wo du jetzt wohnst
- wo Sie jetzt wohnen
- wie deine Lehrerin heißt
- welche Nummer wir haben
- was deine Telefonnummer ist

--.

6 Ich weiß noch nicht, wo -- [Inge / Else / Diane — — Max / Fritz / Heinz] -- wohnt. Hat -- [sie — er] -- schon Fernsprecher?

6 Ich weiß noch nicht, wo --	Inge Else Diane — — Max Fritz Heinz	-- wohnt. Hat -- sie / — / er -- schon Fernsprecher?

7 Klara Buschmann ist jetzt --

7 Klara Buschmann ist jetzt --	zehn, beinahe elf zwölf, beinahe dreizehn vierzehn, beinahe fünfzehn sechzehn, beinahe siebzehn achtzehn, beinahe neunzehn zwanzig, beinahe einundzwanzig	--.

8 Willst du --	etwas essen etwas trinken dich hier hinlegen *lie down here* dich hier hinsetzen *sit down here* schon nach Hause gehen wieder zur Schule gehen	-- ?

9 Weißt du schon, welche Nummer --	Doris Thomas die Familie Schulz — — — — — — — — — — die Zwillinge deine Großeltern *grandparents* Hermann und Paula	hat ——— haben	-- ?

10 Es tut mir leid, aber seit gestern --	abend morgen nachmittag *afternoon* um drei Uhr *o'clock* um zehn Uhr um sieben Uhr	-- liegt Tilo krank zu Bett.

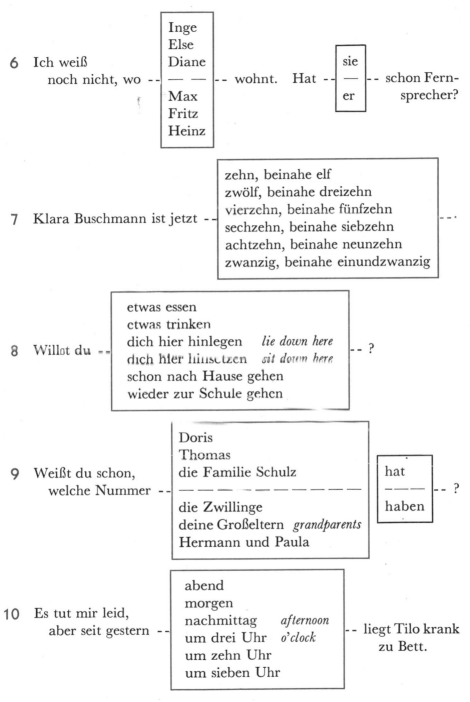

Zahlen

20	zwanzig	60	sechzig
30	dreißig	70	siebzig
40	vierzig	80	achtzig
50	fünfzig	90	neunzig
21	einundzwanzig	46	sechsundvierzig
22	zweiundzwanzig	57	siebenundfünfzig
23	dreiundzwanzig	68	achtundsechzig
34	vierunddreißig	71	einundsiebzig
35	fünfunddreißig	87	siebenundachtzig
39	neununddreißig	99	neunundneunzig
0	Null	1 000	ein Tausend
100	ein Hundert	1 000 000	eine Million

101	hunderteins
211	zweihundertelf
327	dreihundertsiebenundzwanzig
672	sechshundertzweiundsiebzig
1776	tausendsiebenhundertsechsundsiebzig
	siebzehnhundertsechsundsiebzig

CONVERSATIONS

1 Ernst's family has moved away from their old neighborhood.

WALTER Sag mal, wo wohnt ihr jetzt?
ERNST Wir wohnen seit Montag Schillerstraße fünfundzwanzig.
WALTER Habt ihr schon Fernsprecher?
ERNST Ja, seit gestern nachmittag. Aber ich weiß die Nummer noch nicht.
WALTER Wie geht's bei euch zu Hause?
ERNST Es geht uns gut, aber meine Mutter sagt, sie ist ein bißchen müde.

2 Mrs. Schweng has Miss Dora Bieber on her list for contributions to the hospital fund.

FRAU SCHWENG Kennen Sie Dora Bieber?
FRAU GURWITZ Ja, ich kenne sie gut, aber sie heißt nicht mehr Bieber. Sie ist jetzt verheiratet. Sie und ihr Mann wohnen nicht weit von uns.
FRAU SCHWENG Hat sie schon Fernsprecher?
FRAU GURWITZ Ja, aber ich weiß nicht, welche Nummer sie hat.

3 Karl-Heinz applies for a summer job. The secretary is taking down personal data.

SEKRETÄRIN Wie heißen Sie, bitte?
KARL-HEINZ Nordstrom, Karl-Heinz Nordstrom.
SEKRETÄRIN Wie alt sind Sie?
KARL-HEINZ Achtzehn, beinahe neunzehn.
SEKRETÄRIN Sind Sie verheiratet?
KARL-HEINZ Nein, noch nicht.
SEKRETÄRIN Wohnen Sie noch bei Ihren Eltern?
KARL-HEINZ Ja.
SEKRETÄRIN Adresse?
KARL-HEINZ Bismarckstraße achtundachtzig.
SEKRETÄRIN Telefonnummer?
KARL-HEINZ Buchen drei, fünfundsiebzig, einundzwanzig.
SEKRETÄRIN Danke schön. Gehen Sie jetzt, bitte, zu Herrn Vogt.

4 A guest for dinner.

ROBERT Mutti, darf Axel heute abend bei uns essen?

MUTTER Ja, gerne. – Axel, möchtest du das nicht?

AXEL O, ja, danke schön. Aber darf ich jetzt nach Hause gehen? Meine Mutter weiß nicht, wo ich bin.

MUTTER Wohnst du immer noch so weit von uns?

AXEL O, nein. Jetzt wohnen wir nicht weit von Ihnen.

MUTTER So? Na, das ist schön. Wo denn?

AXEL In der Schillerstraße. Nummer siebzehn.

ROBERT So, Axel, möchtest du jetzt gehen? Aber heute abend bist du wieder hier, nicht?

AXEL Ja. Auf Wiedersehen, bis heute abend.

5 Mrs. Grimm hasn't seen the twins around recently.

FRAU GRIMM Sag mal, Klara, wo wohnen deine Kusinen jetzt?

KLARA HOLZ Die Zwillinge? O, die wohnen jetzt in Kronstadt, sehr weit von hier.

FRAU GRIMM So? Das ist schade. Wie geht es deinem Onkel und deiner Tante?

KLARA HOLZ Gut, danke. Aber Luise ist seit Montag krank. Sie darf jetzt nicht zur Schule gehen.

FRAU GRIMM O, das tut mir leid. Gute Besserung und schönen Gruß zu Hause.

6 The mailman can't deliver an insured package.

BRIEFTRÄGER Guten Morgen. Verzeihung, heißen Sie vielleicht Kunstmann?

HERR LICHT Nein, ich heiße Licht. Aber Herr Kunstmann ist ein Freund von mir.

BRIEFTRÄGER Ah, Sie kennen ihn? Das ist gut. Wo wohnt er, bitte?

HERR LICHT Hier. Aber er ist heute nicht zu Hause.

7 Miss Horstmann is worried about her friend.

FRAU UHLEMANN ’n Abend, Fräulein Horstmann. Wie geht es Ihnen?

FRÄULEIN HORSTMANN Danke, es geht mir gut. Und Ihnen – wie geht es Ihnen, Frau Uhlemann?

FRAU UHLEMANN Danke, es geht mir auch gut.

FRÄULEIN HORSTMANN Kennen Sie meine Freundin, Marta Lindemann?

FRAU UHLEMANN Ja, ich kenne sie. Geht es ihr jetzt besser?

FRÄULEIN HORSTMANN Na, es geht so.

FRAU UHLEMANN Wieso denn?

FRÄULEIN HORSTMANN Sie ist nicht mehr krank, aber sie ist noch so müde, und sie sieht immer so blaß aus.

FRAU UHLEMANN O, das tut mir leid. – Wohnt sie noch bei Ihnen?

FRÄULEIN HORSTMANN Ja, sie wohnt noch bei mir.

FRAU UHLEMANN Gute Besserung und schönen Gruß zu Hause.

FRÄULEIN HORSTMANN Danke schön, Frau Uhlemann. Auf Wiedersehen.

8 The nurse will give Irmgard an excuse for the next class.

KRANKENSCHWESTER Guten Morgen, Irmgard. Wie geht es dir heute?

IRMGARD HELLER Guten Morgen, Schwester. Es geht mir nicht gut. Ich bin nicht wirklich krank, aber ich bin heute morgen so müde.

KRANKENSCHWESTER Ja, du siehst ein bißchen blaß aus. Möchtest du nach Hause gehen?

IRMGARD HELLER Ja, aber ich wohne so weit von hier, und wir haben noch keinen Fernsprecher.

KRANKENSCHWESTER Wir haben ein Bett hier. Du darfst dich hier hinlegen. Möchtest du?

IRMGARD HELLER Ja, bitte.

9 Little Trudi feels left out.

TRUDI Sag mal, Vati, warum habe ich denn keinen Vetter und keine Kusine?

VATER Ich bin ein einziges Kind. Ich habe keine Geschwister. Und deine Mutter –

TRUDI Aber Mutti hat einen Bruder und auch eine Schwester.

VATER Ja, aber dein Onkel Franz ist nicht verheiratet. Und deine Tante Gertrud ist verheiratet, aber sie hat noch keine Kinder.

10 Mr. and Mrs. Billing are entertaining a guest in their penthouse apartment. The maid answers the phone.

DIENSTMÄDCHEN Herr Billing, Ihre Schwester ist am Fernsprecher.[1]

HERR BILLING Was ist denn los? Fehlt ihr etwas? Es ist doch schon elf, beinahe zwölf. (Er geht ans Telefon.)[2]

FRAU WOLF Ist Dora jetzt verheiratet?

FRAU BILLING Nein, sie ist noch unverheiratet.

FRAU WOLF Wohnt sie noch bei ihren Eltern?

FRAU BILLING Nein, sie wohnt nicht mehr bei ihnen. Seit vierzehn Tagen wohnt sie unter uns.

FRAU WOLF Sind die Eltern nicht krank?

FRAU BILLING O, nein, nein. Sie sind wieder gesund.

FRAU WOLF Das freut mich sehr.

FRAU BILLING Uns auch.

(Herr Billing kommt wieder.)[3]

FRAU BILLING Was fehlt deiner Schwester?

HERR BILLING O, nichts fehlt ihr. Es geht ihr ausgezeichnet. Nur kann sie ihre Schlüssel nicht finden. Sie kann nicht ins Haus.

FRAU WOLF Können Sie ihr nicht helfen?

HERR BILLING Ja, das kann ich. Wir haben den Schlüssel zu ihrer Wohnung.[4] Paula, hier ist Doras Wohnungsschlüssel. Bitte, gehen Sie zu ihr und helfen Sie ihr. Sie ist unten vor der Tür. Und kann nicht ins Haus.

[1] am Fernsprecher at the telephone
[2] ans Telefon to the telephone
[3] kommt wieder comes back
[4] Wohnung apartment

1. Wo sind Herr und Frau Billing?
2. Ist es schon zehn?
3. Was tut Herr Billing?
4. Warum geht er ans Telefon?
5. Seit wann wohnt Fräulein Billing unter den Billings?
6. Ist sie schon verheiratet?
7. Was kann Dora nicht finden?
8. Wer kann ihr helfen?
9. Was bringt das Dienstmädchen zu Dora?
10. Was kann Dora dann tun?

I Reading and Review

1 Christoph is his usual cheerful self.

HERR WAGNER Sag mal, Christoph, geht es dir nicht gut?

CHRISTOPH Nein, es geht mir schlecht.

HERR WAGNER Das tut mir aber leid. Wieso? Was fehlt dir denn?

CHRISTOPH Zu Hause geht's nicht gut. Mein Bruder ist krank, und meine Mutter ist krank, und meine Schwester ist immer müde und blaß. Und ich darf nicht ins Kino gehen.

HERR WAGNER Das tut mir wirklich leid. Wie geht's denn in der Schule?

CHRISTOPH Nicht viel besser. Ich kann meine Bücher nicht finden. Die Schüler sind alle so müde, und die Lehrer sind alle so müde, und Karin ist heute nicht da,—nur Fräulein Bieber geht es ausgezeichnet.

HERR WAGNER Wer ist Fräulein Bieber?

CHRISTOPH Meine Deutschlehrerin.

HERR WAGNER Nun, Christoph.[1] Da kann ich dir nicht helfen. Vielleicht geht es dir morgen wieder besser.

[1] nun well

1. Wie, sagt Christoph, geht es ihm?
2. Wie geht's zu Hause?
3. Wieso geht's zu Hause nicht gut?
4. Ist seine Mutter gesund?
5. Wie ist seine Schwester?
6. Was darf Christoph nicht?
7. Wie geht's in der Schule?
8. Was kann Christoph nicht finden?
9. Wer ist heute nicht da?
10. Wie geht es Fräulein Bieber?
11. Wer ist Fräulein Bieber?

2 Little Wolfram and Arthur like to brag.

WOLFRAM Ich habe einen Freund, der ist Polizist.[1]

ARTHUR Das ist nichts. Ich habe einen Freund, der ist Senator.[2]

WOLFRAM Mein Freund hat zwei Brüder, die sind auch bei der Polizei.[3]

ARTHUR Mein Freund hat zwei Schwestern, drei Brüder und vier Vettern. Die sind alle in Washington.[4]

WOLFRAM Kennst du sie?

ARTHUR Nein, ich kenne sie nicht.

WOLFRAM Aber ich kenne die Brüder von meinem Freund. Sie sind auch meine Freunde!

[1] Polizist policeman
[2] Senator senator
[3] bei der Polizei on the police force
[4] alle all

1. Was ist Wolframs Freund?
2. Wie viele Brüder hat Wolframs Freund?
3. Wo sind die Brüder?
4. Was ist Arthurs Freund?
5. Hat Arthurs Freund Geschwister?
6. Wo sind die Geschwister?
7. Wer kennt die Brüder von seinem Freund?

3 Britting rings the bell at the Reichlings' apartment.

BRITTING Verzeihung! Wohnen hier die Göttings?

REICHLING Nein, das tut mir leid. Die wohnen unter uns. Aber jetzt, heute vormittag, sind sie nicht zu Hause.[1]

BRITTING Kennen Sie die Göttings persönlich?[2]

REICHLING Ja, durchaus. Sie sind gute Freunde von uns. Wir kennen sie schon seit zehn Jahren.

BRITTING So? Das freut mich.

REICHLING Ja—ich kenne ihn, und er kennt mich, und seine Frau ist eine Freundin von meiner Frau. Ja, wir sind beinahe wie Geschwister.

BRITTING Das ist ausgezeichnet. Herr Götting ist nämlich auch ein Freund von mir.

REICHLING So? Kenne ich Sie vielleicht?

BRITTING Vielleicht. Kann sein. Ich heiße Britting.

REICHLING Britting? Freut mich sehr. Ich heiße Reichling. Sie sind aber nicht von hier?

BRITTING Nein, ich wohne in Johannesburg, sehr weit von hier.

REICHLING Was? Sie sind aus Johannesburg?[3] Nein, dann kann ich Sie doch nicht kennen.

BRITTING Fritz Götting ist ein alter Freund von mir. Ich kenne ihn schon seit zwanzig Jahren. Aber ich bin seit neunzehn Jahren in Johannesburg.

REICHLING Ach so! Dann möchten Sie ihn jetzt wieder sehen, nicht?

BRITTING Ja, das möchte ich. Wo kann ich ihn finden?

REICHLING In Nummer Sechs, da unter uns. Er ist aber jetzt nicht zu Hause. Seine Frau auch nicht. Heute abend sind sie aber zu Hause.

BRITTING Das ist schade.

REICHLING Nun, essen Sie doch bei uns zu Mittag!

BRITTING Wenn ich darf?[4] Vielen Dank!

[1] heute vormittag this forenoon [2] persönlich personally
[3] aus Johannesburg from Johannesburg [4] wenn if

1. Wer kennt die Göttings persönlich?
2. Wie sind die zwei Familien?
3. Ist Herr Britting von hier?
4. Wo wohnt er?
5. Wie weit ist Johannesburg von hier?
6. Wer möchte Fritz Götting wieder sehen?
7. Ist Fritz Götting zu Hause?
8. Ist seine Frau zu Hause?
9. Wo darf aber Herr Britting zu Mittag essen?

4 Mrs. Keller really enjoys being in the hospital.

DOKTOR STEIN Grüß Gott, Frau Keller! Wie geht's heute morgen?

FRAU KELLER Danke schön, Herr Doktor. Es geht so.

DOKTOR STEIN Was? Nur: Es geht so? – Es geht Ihnen heute viel besser. Sie sehen ausgezeichnet aus, nicht müde und nicht blaß. Sie dürfen heute wieder nach Hause gehen.

FRAU KELLER Das freut mich. Aber bin ich wirklich wieder gesund?

DOKTOR STEIN Gesund? Sie sind so gesund wie ich.[1] Wirklich, Frau Keller, Ihnen fehlt nichts mehr. Sie sind so gesund wie Ihr Mann und Ihre Kinder.[2]

FRAU KELLER O ja. Wie geht's meinen Kindern?

DOKTOR STEIN Sie möchten wieder etwas Gutes zu essen und zu trinken haben.

FRAU KELLER Ja, dann muß ich aber wirklich nach Hause.[3]

[1] so...wie... as...as... [2] Mann husband [3] muß must (go)

1. Wie geht es Frau Keller heute?
2. Wie sieht sie aus?
3. Wie ist sie nicht mehr?
4. Was darf sie heute tun?
5. Wie gesund ist sie?
6. Fehlt ihr noch etwas?
7. Was möchten ihre Kinder wieder haben?
8. Was muß sie wirklich tun?

Dates and Seasons

1 "What's the date today?"
2 "Today's the third of November."
3 "Fine fall weather, isn't it?"
4 "Yes. Don't you want to play tennis?"
5 "Sorry, I don't have time to."

6 "Don't you have a birthday soon?"
7 "Yes, a few days after Christmas—
8 on the day before New Year's Eve."
9 "When is Gisela's birthday?"
10 "Not until mid-summer, on July fourth."

11 "How long has Jürgen had his new bicycle?"
12 "Since spring.
13 He's on the road the whole day long,
14 whenever the weather's good."

15 "Is your aunt here already, Mrs. Ebert?"
16 "No, but she's coming in a week.
17 Wouldn't you like to take a ride out in the country with us then?
18 We can eat out by the river, can't we?"
19 "Yes indeed; food always tastes so good in the open air.
20 I certainly hope it won't be raining then."

Daten und Jahreszeiten

1 „Welches Datum haben wir heute?"
2 „Heute ist der dritte November."
3 „Schönes Herbstwetter, nicht wahr?"
4 „Ja. Wollt ihr nicht Tennis spielen?"
5 „Leider hab' ich keine Zeit dazu."

6 „Hast du nicht bald Geburtstag?"
7 „Ja, ein paar Tage nach Weihnachten –
8 am Tag vor Silvester."
9 „Wann hat Gisela Geburtstag?"
10 „Erst mitten im Sommer, am vierten Juli."

11 „Seit wann hat Jürgen sein neues Fahrrad?"
12 „Seit dem Frühling.
13 Er ist den ganzen Tag unterwegs,
14 wenn das Wetter schön ist."

15 „Ist Ihre Tante schon hier, Frau Ebert?"
16 „Nein, aber sie kommt in acht Tagen zu Besuch.
17 Möchten Sie dann nicht mit uns hinausfahren?
18 Wir können doch draußen am Fluß essen."
19 „O ja, das Essen schmeckt im Freien immer so gut.
20 Hoffentlich regnet es dann nicht."

QUESTION-ANSWER PRACTICE

1
PAUL Welches Datum haben wir heute?
RUDI Heute ist der vierte November.

2
PAUL Willst du nicht Tennis spielen?
RUDI Ja, wenn das Wetter schön ist.

3
ELFRIEDE Wann hat Monika Geburtstag?
MELANIE Sehr bald. Ein paar Tage nach Weihnachten—am Tag vor Silvester.

4
ELFRIEDE Hast du nicht auch bald Geburtstag?
MELANIE Nein. Erst mitten im Sommer. Am dritten Juli.

5
FRAU HINZ Seit wann hast du dein neues Fahrrad?
RÜDIGER Seit meinem Geburtstag—seit dem dritten November.

6
FRAU HINZ Wann kommt dein Bruder zu Besuch?
RÜDIGER Er kommt erst in acht Tagen.

7
FRAU MEYER Wann kommt Ihre Schwester zu Besuch?
FRL. BRAUN Am vierten Juli.

8
FRAU MEYER Möchten Sie dann nicht mit uns draußen am Fluß essen?
FRL. BRAUN O ja, das Essen schmeckt im Freien immer so gut.

9
FRAU MEYER Kommt Ihre Tante nicht auch?
FRL. BRAUN Ja, aber erst in acht Tagen.

10
FRAU MEYER Hat Ihre Tante nicht ein neues Fahrrad?
FRL. BRAUN Meine Tante? Ein Fahrrad? Durchaus nicht!

PATTERN PRACTICE

1 Wann -- [kommt / kommen] -- [dein Vetter / deine Freundin / deine Schwester // deine Brüder / Klara und Gretel / Sie, Frau Körner,] -- zu Besuch?

1 Wann	kommt	dein Vetter deine Freundin deine Schwester	zu Besuch?
	kommen	deine Brüder Klara und Gretel Sie, Frau Körner,	

2 Wir können -- , wenn das Wetter schön ist.

Tennis spielen	
schwimmen gehen	*go swimming*
Einkäufe machen	*go shopping*
Motorrad fahren	*ride on a motorcycle*
Rollschuh laufen	*go roller-skating*
draußen am Fluß essen	

3 Fahren wir doch -- hinaus!

auf dem Fahrrad	*on*
auf dem Motorrad	
mit dem Combi	*with the station wagon*
mit dem Wagen	*car*
mit dem Autobus	*bus*
mit diesem Zug	*with this train*

4 Seit wann -- [hat / haben] -- [Jürgen / dein Bruder / Herr Halle // deine Freunde / deine Großeltern / die Grünewalds] -- [sein / ihr] -- neues Haus?

4 Seit wann	hat	Jürgen dein Bruder Herr Halle	sein	neues Haus?
	haben	deine Freunde deine Großeltern die Grünewalds	ihr	

5 Möchten Sie denn nicht mit uns -- ?

hinausfahren	
Tennis spielen	
schwimmen gehen	
Einkäufe machen	
Rollschuh laufen	
draußen im Wald essen	*forest*

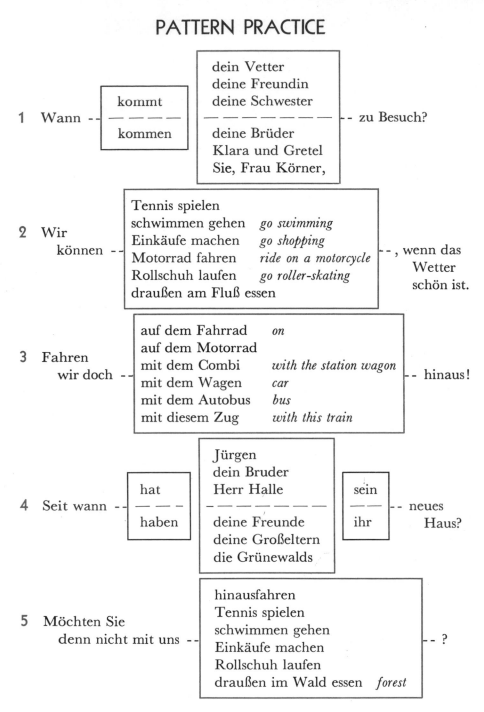

6 Mein Vetter Bodo will den ganzen Tag --

- zu Bett liegen
- unterwegs sein — *be*
- Tennis spielen
- im Wagen fahren
- essen und trinken
- zu Hause bleiben — *stay*

-- .

7

- Silvester
- Der Schnee — *snow*
- Weihnachten
- Die Prüfung — *exam*
- Kaltes Wetter — *cold weather*
- Mein Geburtstag

-- kommt mitten im Winter.

8 Wir können --

- bei ihm
- bei euch
- bei den Jungen — *at the boys' house*
- im Freien
- in der Küche — *in the kitchen*
- draußen im Wald

-- etwas essen und trinken.

9 Die Zwillinge haben --

- am einundzwanzigsten — *21st*
- am fünfundzwanzigsten — *25th*
- am sechsundzwanzigsten — *26th*
- am siebenundzwanzigsten — *27th*
- am dreißigsten — *30th*
- am einunddreißigsten — *31st*

-- Geburtstag.

10

- Heute
- Morgen
- Übermorgen — *day after tomorrow*

- Samstag
- Gestern — *yesterday*
- Vorgestern — *day before yesterday*

- ist
- war

-- der neunundzwanzigste Februar!

Jahreszeiten

Spring	der Frühling	in spring	im Frühling
Summer	der Sommer	in summer	im Sommer
Autumn	der Herbst	in autumn	im Herbst
Winter	der Winter	in winter	im Winter

Monate

der Januar	im Januar	der Juli	im Juli
der Februar	im Februar	der August	im August
der März	im März	der September	im September
der April	im April	der Oktober	im Oktober
der Mai	im Mai	der November	im November
der Juni	im Juni	der Dezember	im Dezember

Daten und Zahlen

	"the"	"on the"
1st	der erste	am ersten
2nd	der zweite	am zweiten
3rd	der dritte	am dritten
4th	der vierte	am vierten
5th	der fünfte	am fünften
6th	der sechste	am sechsten
7th	der siebte	am siebten
8th	der achte	am achten
9th	der neunte	am neunten
10th	der zehnte	am zehnten
11th	der elfte	am elften
12th	der zwölfte	am zwölften

13th	dreizehnt-
15th	fünfzehnt-
17th	siebzehnt-
20th	zwanzigst-
21st	einundzwanzigst-
22nd	zweiundzwanzigst-
25th	fünfundzwanzigst-
30th	dreißigst-
35th	fünfunddreißigst-
70th	siebzigst-
73rd	dreiundsiebzigst-
96th	sechsundneunzigst-
123rd	hundertdreiundzwanzigst-
1000th	tausendst-

CONVERSATIONS

1 Gerda has been missing Erwin lately.

GERDA Sag mal, Hilde, warum will dein Bruder nicht mehr Tennis spielen?

HILDE Wieso? Das weiß ich nicht.

GERDA Er geht auch nicht mehr mit dir zur Schule.

HILDE Nein. Er hat ja jetzt sein Motorrad!

GERDA So? Seit wann hat Erwin ein Motorrad?

HILDE Das weißt du nicht? Schon seit Weihnachten. Aber erst seit März darf er es fahren. Im Winter ist es viel zu kalt, sagt Mutter.

GERDA Und was tut er jetzt?

HILDE O, jetzt, mitten im Sommer, ist er den ganzen Tag unterwegs. Da will er nicht mehr schwimmen gehen; und er hat keine Zeit mehr, Tennis zu spielen. Er will nur noch mit seinem Motorrad fahren. Wenn das Wetter schön ist.

GERDA Ach, wie schade.

2 Mr. Schwarz and his assistant in the elevator.

HERR SCHWARZ Welches Datum haben wir heute?

HERR LEIPZIGER Heute ist der zweiundzwanzigste.

HERR SCHWARZ Schon der zweiundzwanzigste? Und ich muß noch meine Einkäufe machen. In zwei Tagen ist Weihnachten, und am zweiten Weihnachtstag ist Klaudias Geburtstag. [1]

HERR LEIPZIGER Klaudia? Ist das nicht Ihre Schwester?

HERR SCHWARZ Ja. Sie ist jetzt verheiratet, und sie und ihr Mann kommen zu Weihnachten zu Besuch.

HERR LEIPZIGER Hoffentlich können Sie heute und morgen noch Ihre Einkäufe machen, Herr Schwarz.

[1] „Weihnachten" beginnt am vierundzwanzigsten Dezember, am Abend. „Der erste Weihnachtstag" ist der fünfundzwanzigste. Der sechsundzwanzigste Dezember heißt „der zweite Weihnachtstag."

3 Peter meets a friend of the family.

HERR KESSLER Grüß Gott, Peter. Wie geht's?

PETER WOLF Es geht mir ausgezeichnet, danke.

HERR KESSLER Und wie geht's bei euch zu Hause?

PETER WOLF Auch sehr gut. Mein Bruder Hans kommt in vierzehn Tagen zu Besuch. Er kommt immer im Juli. Sein Geburtstag ist am dreizehnten, und er will zu seinem Geburtstag immer zu Hause sein.

HERR KESSLER Wie alt ist Hans jetzt?

PETER WOLF Er ist beinahe fünfundzwanzig Jahre alt.

HERR KESSLER Schönen Gruß an ihn, wenn er kommt!

PETER WOLF Danke sehr, Herr Keßler.

4 Gudrun, a convalescent schoolteacher, and her friend Ute are taking a Sunday afternoon walk.

UTE Es ist doch schön hier draußen am Fluß!

GUDRUN Ja, das freut mich auch. Kein Fernsprecher, kein Motorrad, kein Autobus – nichts!

UTE Und auch keine Schüler und keine Schülerinnen!

GUDRUN Ja, heute nachmittag vielleicht. Aber morgen ist Montag, und dann gehe ich wieder in die Schule.——

UTE Sag mal, willst du dich nicht etwas hinsetzen?

GUDRUN Ja, ich bin immer noch ein bißchen müde.

UTE Du siehst aber schon viel besser aus. – Hier habe ich etwas zu essen. Willst du nicht auch etwas essen? Im Freien schmeckt das Essen doch immer so gut.

GUDRUN Ich bin wirklich ein bißchen hungrig. Wir sind doch schon den ganzen Nachmittag unterwegs.

UTE Ja. Ist das dir vielleicht zu viel?

GUDRUN Mir zu viel? O nein. Herr Eisenlohr sagt, ich soll im Freien sein.

UTE Ist das der Doktor Eisenlohr?

GUDRUN Ja. Kennst du ihn?

UTE Nein, ich kenne ihn nicht. Aber meine zwei Brüder kennen ihn. Und Erhard sagt, Herr Eisenlohr ist ein netter Herr.

GUDRUN Ja, das ist er auch. Er ist mein einziger Freund hier in Wilhelmsburg. Und er ist schon siebzig Jahre alt. –

UTE Sag mal, hast du nicht auch bald Geburtstag?

GUDRUN Erst mitten im Winter, ein paar Tage vor Weihnachten.

UTE Kommt dann deine Mutter zu Besuch?

GUDRUN Ja, hoffentlich. Wenn das Wetter schön ist. –

UTE Ach, jetzt regnet es schon wieder!

GUDRUN Ja. Wollen wir nicht nach Hause gehen?

5 Family plans at the breakfast table.

HERR MEYER Schönes Wetter heute, nicht?

FRAU MEYER Ja, wir können draußen im Wald essen, wenn ihr wollt. Das Essen schmeckt im Freien immer so gut.

JULIA MEYER Aber Mutti, ich will heute zu Hause bleiben, und dann wollen Ännchen und ich schwimmen gehen.

EMIL MEYER Und ich will Tennis spielen! –

HERR MEYER So? – Na, dann fahren Mutti und ich hinaus. Vielleicht findet ihr in der Küche etwas zu essen.

6 Spring fever.

PETER Wie geht's?

HANS O, es geht so.

PETER Was ist denn los? Hoffentlich bist du nicht krank!

HANS Nein, das nicht. Es ist nur das Wetter.

PETER Aber wir haben jetzt doch so schönes Frühlingswetter!

HANS Ja, aber bei diesem Wetter muß ich zur Schule gehen, und das will ich nicht.

PETER Ich auch nicht. Und ich bin jetzt hungrig.

HANS Ja, ich auch. – Ich habe seit gestern ein Motorrad. Möchtest du nicht mit mir hinausfahren? Wollen wir nicht zu Jakobs fahren und etwas essen?

PETER Aber was sagt dann unsere Lehrerin?

HANS Nichts. Wir sagen ihr, wir sind krank.

PETER Gut. Jetzt fahren wir!

7 Little Marie misses her daddy.

MUTTER Sag mal, Mariechen, wo sind deine Schuhe?

MARIE Hinter dem Sofa im Wohnzimmer.

MUTTER Warum nicht unter dem Bett? Und warum liegen deine Bücher da vor der Tür? Willst du mir nicht helfen, Mariechen?

MARIE Mutti, wann kommt Vati wieder nach Hause?

MUTTER Erst in acht Tagen. Er ist jetzt noch unterwegs. Morgen ist er bei Tante Luise zu Besuch, und dann ist er noch ein paar Tage draußen bei Onkel Hermann.

MARIE Mutti? Bis wann bleibt Vati bei ihnen?

MUTTER Nur zwei oder drei Tage, Mariechen. [1] Warum?

MARIE Am achtzehnten hab' ich doch Geburtstag. Hoffentlich ist Vati dann wieder bei uns.

MUTTER Du weißt, Vati ist an deinem Geburtstag immer zu Hause. Komm, Mariechen, du siehst müde aus. Du mußt dich hinlegen.

MARIE Nein, Mutti, ich möchte nicht ins Bett.

MUTTER Ja, Kind, du mußt jetzt ins Bett, und Vati bringt dir etwas Schönes zum Geburtstag mit. [2]

[1] oder or [2] bringt . . . mit will bring along

1. Wer ist nicht zu Hause?
2. Wo ist Maries Vater jetzt noch?
3. Bei wem ist er zu Besuch?
4. Wann kommt er wieder nach Hause?
5. Wann hat Marie Geburtstag?
6. Wann ist Vati immer zu Hause?
7. Wie sieht Marie jetzt aus?
8. Was muß Marie?
9. Was bringt Vati ihr mit?

TOPICS FOR REPORTS

1

Ein Freund von mir fehlt heute. ..... *Wie heißt er?* ..... *Wo ist er jetzt?* ..... *Ist er krank?* ..... *Seit wann ist er krank?*

2

Ich wohne nicht weit von hier. ..... *Wo wohnt ihr?* ..... *Was ist die Nummer?* ..... *Habt ihr Fernsprecher?* ..... *Was ist die Nummer?*

3

Meine Schwester ist verheiratet. ..... *Wie heißt sie jetzt?* ..... *Wie heißt ihr Mann?* ..... *Ist sie seit zwei Jahren verheiratet?* ..... *Wohnt sie sehr weit von hier?*

4

Ich habe Vettern und Kusinen. ..... *Wie heißen deine Vettern?* ..... *Wie alt sind sie?* ..... *Wie heißen deine Kusinen?* ..... *Wo wohnen sie?*

5

Eine Freundin von mir hat bald Geburtstag. ..... *Wie heißt sie?* ..... *In welchem Monat ist ihr Geburtstag?* .....*An welchem Tag?* ..... *Wie alt ist sie jetzt?*

Appointments and Plans

1 "What time is it?"
2 "It's ten minutes to six."
3 "Oh, then I've got to hurry."
4 "Why? Do you have to go home already?"
5 "Yes, you see we eat supper at six.
6 When do you (folks) eat supper?"
7 "We don't eat until half past six."

8 "What are you (kids) doing on Saturday?"
9 "We don't know yet."
10 "Heinz and I are going into the city Saturday.
11 Want to come along?"
12 "I'd surely like to.
13 But I have to ask my parents."

14 "Tomorrow afternoon I'm planning to go shopping."
15 "And I've got to buy myself a new jacket.
16 Couldn't we pick out some things together?"
17 "Glad to. How about quarter to two?"
18 "No. I've got rehearsal until two."
19 "Too bad. At two-fifteen, then?"
20 "Good. That would be better."

Verabredungen und Pläne

1 „Wieviel Uhr ist es?"
2 „Es ist zehn Minuten vor sechs."
3 „O, da muß ich schnell machen."
4 „Warum? Mußt du schon nach Hause?"
5 „Ja, wir essen doch um sechs Uhr zu Abend.
6 Wann eßt ihr zu Abend?"
7 „Wir essen erst um halb sieben."

8 „Was tut ihr am Samstag?"
9 „Das wissen wir noch nicht."
10 „Heinz und ich gehen Samstag in die Stadt.
11 Willst du mitkommen?"
12 „Ich möchte schon gerne.
13 Aber ich muß meine Eltern fragen."

14 „Morgen nachmittag will ich Einkäufe machen."
15 „Und ich muß mir eine neue Jacke kaufen.
16 Könnten wir nicht zusammen etwas aussuchen?"
17 „Gerne. Geht es um dreiviertel zwei?"
18 „Nein. Bis vierzehn Uhr hab' ich noch Probe."
19 „Schade. Also dann um viertel nach zwei?"
20 „Gut. Das wäre besser."

QUESTION-ANSWER PRACTICE

1
HELGA Was tust du am Samstag?
JULIA Samstag nachmittag muß ich Einkäufe machen.

2
JULIA Anna und ich gehen Samstag in die Stadt. Willst du mitkommen?
HELGA Ich möchte schon gerne. Aber ich muß meine Eltern fragen.

3
HELGA Was willst du kaufen?
JULIA Ich muß mir eine neue Jacke kaufen.

4
HELGA Ich auch. Könnten wir zusammen etwas aussuchen?
JULIA Gerne. Wann können wir gehen?

5
HELGA Geht es schon um halb elf?
JULIA Nein. Bis zwölf Uhr hab' ich noch Probe.

6
HELGA Schade. Also dann um ein Uhr?
JULIA Gut. Das wäre besser. Dann kann ich um viertel nach zwölf etwas essen.

7
WILLI Wieviel Uhr ist es?
DIETER Es ist halb sechs.

8
DIETER Müßt ihr schon nach Hause?
WILLI Ja, leider. Wir müssen schnell machen.

9
DIETER Warum müßt ihr so schnell machen?
WILLI Wir essen schon um viertel vor sechs zu Abend.

10
WILLI Wann eßt ihr zu Abend?
DIETER Wir essen erst um halb sieben.

PATTERN PRACTICE

1 Ich weiß noch nicht, -- [ ] --.

- was ich am Samstag tue
- wann ich nach Hause gehe
- wann Fritz zu Abend ißt — *eats*
- wann wir heute zu Abend essen
- wann wir heute zu Mittag essen — *at noon*
- wann sie Orchesterprobe haben — *orchestra practice*

2 Mußt du schon -- [ ] -- ?

- zur Probe
- nach Hause
- zur Schule — *to school*
- zum Flugplatz — *to the airport*
- in die Klasse — *to class*
- in die Bibliothek — *to the library*

3 Rolf will immer -- [ ] --, wenn das Wetter schön ist.

- in die Stadt
- hinausfahren
- draußen essen
- unterwegs sein
- Tennis spielen
- Rollschuh laufen

4 Morgen nachmittag wollen wir -- [ ] --.

- hinausfahren
- am Fluß essen
- ins Kino gehen
- Einkäufe machen
- Schallplatten kaufen — *records*
- ein neues Motorrad aussuchen

5 O, es ist schon zehn Minuten -- [ ] -- ! Da muß ich aber schnell machen!

- vor sieben
- vor acht
- vor neun
- vor zehn
- vor elf
- vor zwölf

6

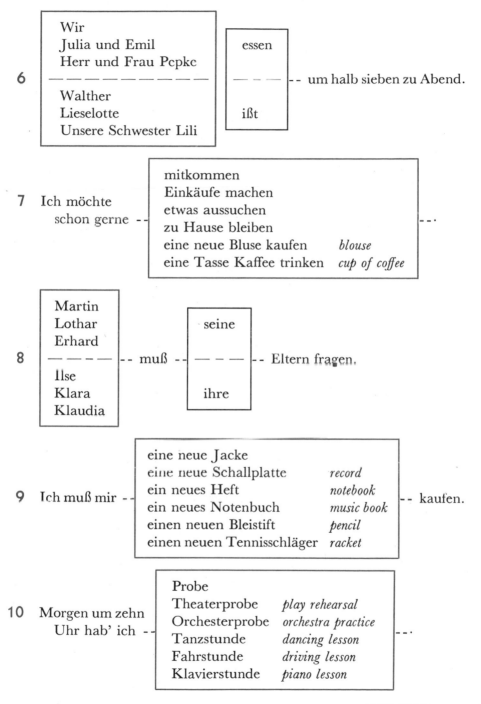

Wir Julia und Emil Herr und Frau Pepke	essen	um halb sieben zu Abend.
Walther Lieselotte Unsere Schwester Lili	ißt	

7 Ich möchte schon gerne -- [mitkommen / Einkäufe machen / etwas aussuchen / zu Hause bleiben / eine neue Bluse kaufen (*blouse*) / eine Tasse Kaffee trinken (*cup of coffee*)] --.

mitkommen	
Einkäufe machen	
etwas aussuchen	
zu Hause bleiben	
eine neue Bluse kaufen	*blouse*
eine Tasse Kaffee trinken	*cup of coffee*

8

Martin Lothar Erhard	muß	seine	Eltern fragen.
Ilse Klara Klaudia		ihre	

9 Ich muß mir -- [ ] -- kaufen.

eine neue Jacke	
eine neue Schallplatte	*record*
ein neues Heft	*notebook*
ein neues Notenbuch	*music book*
einen neuen Bleistift	*pencil*
einen neuen Tennisschläger	*racket*

10 Morgen um zehn Uhr hab' ich -- [ ] --.

Probe	
Theaterprobe	*play rehearsal*
Orchesterprobe	*orchestra practice*
Tanzstunde	*dancing lesson*
Fahrstunde	*driving lesson*
Klavierstunde	*piano lesson*

Verwandte

father	Vater	fathers	Väter
mother	Mutter	mothers	Mütter
		parents	Eltern
brother	Bruder	brothers	Brüder
sister	Schwester	sisters	Schwestern
		brothers and sisters	Geschwister
son	Sohn	sons	Söhne
daughter	Tochter	daughters	Töchter
child	Kind	children	Kinder
uncle	Onkel	uncles	Onkel
aunt	Tante	aunts	Tanten
nephew	Neffe	nephews	Neffen
niece	Nichte	nieces	Nichten
cousin	{ Vetter Kusine	cousins	{ Vettern Kusinen
grandfather	Großvater	grandfathers	Großväter
grandmother	Großmutter	grandmothers	Großmütter
grandson	Enkel	grandsons	Enkel
granddaughter	Enkelin	granddaughters	Enkelinnen
brother-in-law	Schwager	brothers-in-law	Schwäger
sister-in-law	Schwägerin	sisters-in-law	Schwägerinnen

CONVERSATIONS

1 The boys are playing catch in the early evening.

DETLEV Wieviel Uhr ist es?
ARTHUR Es ist erst halb acht. Mußt du schon nach Hause?
DETLEV Ja. Wir essen bald.
ARTHUR Wir essen schon um sechs Uhr.
DETLEV Im Winter essen wir auch um sechs Uhr. Aber im Sommer essen wir erst um viertel vor acht.

2 Just before she gets off the bus, Cäcilie asks about Lottchen's plans.

CÄCILIE Was tut ihr morgen?
LOTTCHEN Wir wollen schwimmen gehen, wenn das Wetter schön ist. Willst du mitkommen?
CÄCILIE Ja gerne. Was tun wir aber, wenn es regnet?
LOTTCHEN Dann gehen wir am Nachmittag ins Kino.

3 Gregory has gone back to sleep again.

MUTTER Gregor! Weißt du, wieviel Uhr es ist?
GREGOR Ja, Mutti. Es ist erst fünf Minuten nach sieben.
MUTTER Nein, durchaus nicht. Es ist beinahe halb acht. In zehn Minuten mußt du zur Schule gehen.
GREGOR Aber Mutti, darf ich nicht noch etwas essen?
MUTTER Ja, aber nur, was du in zehn Minuten essen kannst! Du mußt noch ein Glas Milch trinken—und schnell machen.

* * *

GREGOR Mutti, ich kann meine Jacke nicht finden. Kannst du mir nicht helfen?
MUTTER Du bist doch schon sieben Jahre alt, und ich helfe dir nicht mehr.
GREGOR Hier ist sie! Unter meinem Bett.

* * *

MUTTER Jetzt hast du nur noch zwei Minuten. Hier ist deine Milch. Trink sie schnell! So, jetzt mußt du aber gehen!
GREGOR Auf Wiedersehen, Mutti!
MUTTER Auf Wiedersehen!

4 Ulrike and Elsbeth are leaving the gym.

ULRIKE Hast du heute nachmittag wieder Orchesterprobe?

ELSBETH Nein, heute nicht.

ULRIKE O, das ist schön. Dann kannst du mit uns ins Kino gehen.

ELSBETH Ich möchte schon gerne, aber leider hab' ich keine Zeit. Ich muß schnell nach Hause gehen.

ULRIKE Warum denn?

ELSBETH Meine Kusinen sind jetzt hier.

ULRIKE O, deine Kusinen! Wohnen sie denn sehr weit von hier?

ELSBETH Ja, sehr weit, in Alaska. Sie sind erst seit gestern bei uns.

ULRIKE Vielleicht möchten sie dann mitkommen. Warum fragst du sie nicht?

ELSBETH Gut, das will ich tun.

5 Erich and Jenny come in the back door.

FRAU MAURER Grüß Gott, Kinder. Wie geht's?

ERICH MAURER Danke schön, Mutti. Es geht gut.

JENNY MAURER Ja, mir auch, aber ich muß schnell machen! Mutti, wann essen wir heute abend?

FRAU MAURER Warum fragst du denn? Du weißt, wir essen immer um viertel vor sieben.

JENNY MAURER Aber heute abend muß ich wieder zur Schule gehen. Wir haben Orchesterprobe um halb acht.

ERICH MAURER Und ich möchte ins Kino gehen. Klemens Hoff will mitkommen. Vielleicht kommt auch Arthur Keßler. Er will schon, aber er muß erst seine Eltern fragen.

FRAU MAURER Na, Vati kommt heute nachmittag nicht nach Hause. Er und Onkel Gustav sind heute abend bei Schneiders zu Besuch. Und wenn ihr wollt, können wir heute um viertel nach sechs essen.

JENNY MAURER Ja, das wäre wirklich besser. Danke sehr, Mutti.

6 Eugen and Klaus go into the house to get some refreshments.

EUGEN Möchtest du etwas trinken, Klaus?

KLAUS Ja, hast du vielleicht ein bißchen Milch? Ich möchte gerne ein Glas Milch trinken.

EUGEN Gerne. Und dein Freund Eduard?

KLAUS Das weiß ich nicht. Er ist noch draußen. Aber ich kann ihn fragen. – (Geht zur Tür) Sag mal, Eduard, möchtest du etwas trinken? Vielleicht eine Tasse Kaffee?

EDUARD (von draußen) O nein, durchaus nicht. Ich möchte Milch.

7 It's Saturday morning. Christel and Erich meet Helga on the way home to lunch.

CHRISTEL Grüß Gott, Helga. Wie geht's heute morgen?

HELGA Danke, es geht mir gut. Und dir?

CHRISTEL Mir geht's auch gut, danke. Kennst du schon meinen Vetter Erich – Erich Lindholm? Er wohnt jetzt bei uns.

HELGA Grüß Gott, Erich.

CHRISTEL Und das ist Helga, Erich – Helga Tannenbaum. Helga wohnt neben uns.

ERICH Morgen, Helga.

HELGA Mußt du auch hier zur Schule gehen?

ERICH Ja. Meine Mutter ist jetzt krank, und ich muß hier bei meiner Tante wohnen, bis sie wieder gesund ist.

HELGA Es tut mir leid, daß deine Mutter krank ist. Gute Besserung!

ERICH Danke sehr.

CHRISTEL Was tust du heute nachmittag, Helga? Erich und ich gehen ins Kino. Willst du mitkommen?

HELGA Ja, gerne. Aber ich muß meine Mutter fragen. – Wieviel Uhr ist es jetzt?

ERICH Es ist zwanzig Minuten vor zwölf.

HELGA Da muß ich schnell machen. Wir essen heute um viertel vor zwölf.

CHRISTEL Ja, wir müssen auch essen. Auf Wiedersehen, bis heute nachmittag.

ERICH Auf Wiedersehen, Helga.

8 Renate didn't want Doris to know that Karl-Heinz was coming.

DORIS Sag mal, mußt du schon nach Hause?

RENATE Ja, ich muß um vier Uhr zu Hause sein.

DORIS Warum denn? Ihr eßt doch erst um sechs Uhr.

RENATE Ja. Aber heute nachmittag haben wir Besuch.

DORIS Besuch? Wer denn?

RENATE Heute kommt mein Vetter Karl-Heinz mit seinem Vater. Und ich möchte zu Hause sein, wenn sie kommen.

DORIS Weißt du, dein Vetter ist wirklich ein netter Junge.

RENATE Ja, das weiß ich! O, jetzt muß ich aber schnell machen. Es ist schon zehn Minuten vor vier.

9 In the President's office at Peters and Co., Mr. Peters is just putting down the phone.

PETERS Wieviel Uhr ist es? Fräulein Ritter, dürfen wir heute zusammen zu Mittag essen?[1]

SEKRETÄRIN Das tut mir leid. Das geht heute wirklich nicht. – Aber Herr Peters, darf ich heute schon um halb zwölf nach Hause gehen?

PETERS Wieso denn? Wir haben doch noch sehr viel zu tun.

SEKRETÄRIN Ja, aber heute ist doch Samstag. – Und in zehn Minuten kommt Günther mit seinem Wagen.

PETERS Wer ist Günther? Ist das ein Freund von Ihnen?

SEKRETÄRIN Das ist doch mein Mann!

PETERS Was? Sie sind verheiratet? Seit wann sind Sie verheiratet?

SEKRETÄRIN Seit acht Tagen.

PETERS Na! Dann grüßen Sie Ihren Mann von mir!

SEKRETÄRIN Ja gerne. –

PETERS Schönes Herbstwetter heute, nicht wahr?

SEKRETÄRIN Ja, wir möchten heute an den Fluß fahren und im Freien etwas essen.

PETERS Ja, das Essen schmeckt draußen doch immer so gut, nicht wahr? – Möchten Sie jetzt nicht gehen?

SEKRETÄRIN Ja. Vielen Dank, Herr Peters! – O, es ist schon dreiviertel zwölf. Da muß ich aber schnell machen. Auf Wiedersehen bis Montag!

PETERS Auf Wiedersehen!

[1] dürfen may

1. Wann möchte Herr Peters gerne mit seiner Sekretärin zusammen essen?
2. Was möchte aber die Sekretärin um halb zwölf tun?
3. Wer kommt in zehn Minuten?
4. Ist die Sekretärin noch unverheiratet?
5. Wer ist Günther?
6. Wohin möchten sie fahren und warum?
7. Wie schmeckt das Essen im Freien?

10 In the line at the cafeteria.

INGE Ich möchte heute nachmittag mal wieder in die Stadt.
DORIS Darfst du denn? Mußt du nicht erst deine Eltern fragen?
INGE O, ich darf schon. Heute hab' ich nämlich Geburtstag.
DORIS Was, du hast Geburtstag? Das finde ich wirklich schön.
INGE Wieso denn?
DORIS Heute hab' ich nämlich auch Geburtstag!
INGE Wollen wir da nicht zusammen gehen? Meine Schwester will mit mir gehen. Möchtest du nicht auch mitkommen?
DORIS Nein, das geht heute nicht. Ich habe um vier Uhr Klavierstunde.
INGE Das ist aber schade. Wie wäre es um drei Uhr? Hier hab' ich zwanzig Mark. Meine Eltern sagen, ich darf mir etwas aussuchen.
DORIS Das wäre schön. Aber um drei Uhr geht es auch nicht. Dann muß ich wieder in die Schule.
INGE Wieso denn? Geht es in der Schule nicht so gut?
DORIS O doch![1] Aber dann muß ich Frau Lübke bei der Probe helfen. Es tut mir wirklich leid, aber ich kann heute nicht mit dir gehen.

[1] O doch! Oh yes, things are going very well

1. Wohin darf Inge heute nachmittag mal wieder?
2. Warum darf sie das?
3. Wer hat heute auch Geburtstag?
4. Was kann Doris heute nicht tun?
5. Warum kann sie das nicht?
6. Kann sie es um drei Uhr tun?
7. Warum geht es um drei Uhr nicht?
8. Warum muß sie dann in die Schule?

TOPICS FOR REPORTS

1

Ich muß schnell machen. ..... *Mußt du schon nach Hause?* ..... *Wann eßt ihr zu Abend?* ..... *Wieviel Uhr ist es jetzt?* ..... *Wohnst du weit von hier?*

2

Ich will Einkäufe machen. ..... *Was mußt du dir kaufen?* ..... *Wer geht mit dir in die Stadt?* ..... *An welchem Tag?* ..... *Um wieviel Uhr?*

3

Meine Freunde und ich wollen hinausfahren. ..... *An welchem Tag wollt ihr hinausfahren?* ..... *Welche Freunde gehen mit?* ..... *Um wieviel Uhr geht ihr?* ..... *Wo wollt ihr essen?*

4

Meine Freunde und ich gehen in die Stadt. ..... *Was wollt ihr da tun?* ..... *Wollt ihr zusammen etwas aussuchen?* ..... *Um wieviel Uhr geht ihr?* ..... *Um wieviel Uhr mußt du nach Hause?*

5

Heute haben wir Deutsch! ..... *Wann habt ihr heute Klasse?* ..... *Habt ihr einen Lehrer oder eine Lehrerin?* ..... *Wie heißt er (sie)?* ..... *Wieviele Schüler hat er (sie)?* ..... *Und wieviele Schülerinnen?*

6

Wir machen bald bei Tante Klara einen Besuch. ..... *Wer geht mit? (Eltern? Geschwister?)* ..... *An welchem Tag geht ihr?* ..... *Wo wohnt deine Tante?* ..... *Ist das sehr weit von hier?*

An Evening in the Rumpus Room

1 "Where are all of you? In the basement?"
2 "That's right. Down here in the rumpus room."
3 "I thought so.
4 You know, you can hear the noise all the way from the street."
5 "Yes, I can believe that."

6 "That's Karl's voice, isn't it?"
7 "Yes, you can always recognize him by his voice."

8 "Watch out, Karl, when you come down!
9 Don't hit your head on the lamp."
10 "Did you bring your accordion with you?"
11 "No, it's still broken."

12 "Can anybody else help us?
13 There are still lots of glasses up here."
14 "What sort of plates are you bringing, big ones or little ones?"
15 "The little ones, of course.
16 They're just as good as the big ones."

17 "Hello, Käte. Sit down wherever you like."
18 "I'm terribly sorry to get here so late.
19 But our car had a flat tire."
20 "That's all right. Just have a seat."

Ein Abend im Spielzimmer

„Wo seid ihr alle? Im Keller?“

„Ja, das stimmt. Hier unten im Spielzimmer.“

„Das hab' ich mir gedacht. Man kann den Lärm ja schon von der Straße aus hören.“

„Ja, das kann ich glauben.“

„Das ist Karls Stimme, nicht?“

„Ja, man kann ihn immer an seiner Stimme erkennen.“

„Vorsicht, Karl, wenn du herunterkommst. Stoße deinen Kopf nicht an der Lampe!“

„Hast du deine Ziehharmonika mitgebracht?“

„Nein, die ist immer noch kaputt.“

„Kann uns sonst noch jemand helfen? Es sind noch viele Gläser hier oben.“

„Was für Teller bringst du, große oder kleine?“

„Die kleinen, natürlich. Die sind ebenso gut wie die großen.“

„Guten Abend, Käte. Setz dich, wohin du willst.“

„Es tut mir furchtbar leid, daß ich so spät komme. Aber unser Wagen hatte eine Reifenpanne.“

„Das macht nichts. Setz dich doch hin!“

QUESTION-ANSWER PRACTICE

1 KARL Seid ihr alle im Keller?
HANS Ja, das stimmt. Das Spielzimmer ist hier unten.

2 ANNA Ist das nicht Karl?
HANS Ja, man kann ihn immer an seiner Stimme erkennen.

3 ANNA Kann man uns wirklich von draußen hören?
KARL Ja, natürlich. Man kann den Lärm schon von der Straße aus hören.

4 KARL Hat Willi seine Ziehharmonika mitgebracht?
HANS Nein, er sagt, sie ist immer noch kaputt.

5 MONIKA Wo sind denn die Gläser und Teller?
ANNETTE Die sind hier oben.

6 ANNETTE Kann uns sonst noch jemand helfen?
JOACHIM Ja, gerne. Ich komme schon.

7 JOACHIM Wie viele Gläser wollt ihr noch?
MONIKA Drei große und vier kleine, bitte.

8 JOACHIM Was für Teller bringt ihr, große oder kleine?
MONIKA Die großen, natürlich. Wir haben so viel zu essen.

9 ANNA Grüß Gott, Käte. Warum kommst du so spät?
KÄTE Es tut mir furchtbar leid, aber unser Wagen ist wieder kaputt.

10 KÄTE Darf ich mich hier hinsetzen?
ANNA Ja, natürlich. Setz dich, wohin du willst!

PATTERN PRACTICE

1 Wo seid ihr alle? -- [Unten im Spielzimmer / Oben im Schlafzimmer / Dort im Eßzimmer / Dort in der Küche / Dort im Wohnzimmer / Draußen im Schwimmbad] -- ?

Unten im Spielzimmer	
Oben im Schlafzimmer	*bedroom*
Dort im Eßzimmer	*dining room*
Dort in der Küche	*kitchen*
Dort im Wohnzimmer	*living room*
Draußen im Schwimmbad	*swimming pool*

2 Man kann den Lärm ja schon -- [ ] -- hören.

von unten	
von oben	*upstairs*
vom Keller aus	
von der Küche aus	
von der Straße aus	
vom Schlafzimmer aus	

3 Das ist Wolfgang. Man kann ihn immer -- [ ] -- erkennen.

an seiner Jacke	
an seiner Stimme	
an seinem Hut	*hat*
an seinem Wagen	*car*
an seinem Hupen	*horn blowing*
an seinem roten Haar	*red hair*

4 Es sind noch -- [ ] -- hier oben.

viele Gläser	
viele Tassen	*cups*
zwei Tische	*tables*
zwei Kuchen	*cakes*
ein paar Teller	
ein paar Flaschen	*bottles*

5 Vorsicht, Joachim, -- [ ] --.

wenn du herunterkommst	
wenn du spazieren gehst	*go for a walk*
wenn du weiter nach hinten gehst	*go further back*
wenn du die Gläser herunterbringst	*bring down*
wenn du die Flaschen herunterbringst	
wenn du durch die Tür kommst	*come through the doorway*

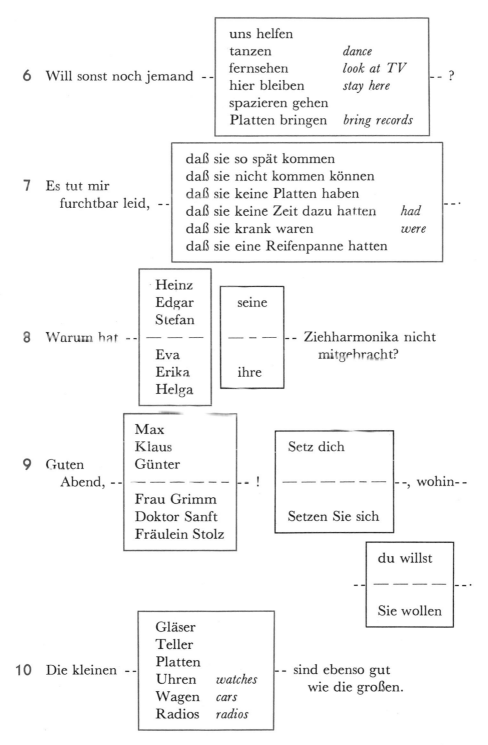

6 Will sonst noch jemand --

uns helfen	
tanzen	*dance*
fernsehen	*look at TV*
hier bleiben	*stay here*
spazieren gehen	
Platten bringen	*bring records*

-- ?

7 Es tut mir furchtbar leid, --

daß sie so spät kommen	
daß sie nicht kommen können	
daß sie keine Platten haben	
daß sie keine Zeit dazu hatten	*had*
daß sie krank waren	*were*
daß sie eine Reifenpanne hatten	

--.

8 Warum hat --

Heinz Edgar Stefan	seine
Eva Erika Helga	ihre

-- Ziehharmonika nicht mitgebracht?

9 Guten Abend, --

Max Klaus Günter
Frau Grimm Doktor Sanft Fräulein Stolz

-- !

Setz dich
Setzen Sie sich

--, wohin--

du willst
Sie wollen

--.

10 Die kleinen --

Gläser	
Teller	
Platten	
Uhren	*watches*
Wagen	*cars*
Radios	*radios*

-- sind ebenso gut wie die großen.

Fragen

Wie?	How?	Wen?	Whom?
Wann?	When?	Wem?	To whom, for whom?
Wo?	Where?	Warum?	Why?
Was?	What?	Wohin?	Where to?
Wer?	Who?	Woher?	Where from?

Die Woche

der Sonntag	Sunday	am Sonntag	on Sunday
der Montag	Monday	am Montag	on Monday
der Dienstag	Tuesday	am Dienstag	on Tuesday
der Mittwoch	Wednesday	am Mittwoch	on Wednesday
der Donnerstag	Thursday	am Donnerstag	on Thursday
der Freitag	Friday	am Freitag	on Friday
der Samstag / der Sonnabend	Saturday	am Samstag / am Sonnabend	on Saturday

CONVERSATIONS

1 Both Dietrich and Christoph have been sent to rake their front lawns as Saturday morning chores.

DIETRICH Schönes Herbstwetter heute, nicht?

CHRISTOPH Na, es ist heute ein bißchen kalt. Aber zu Mittag kann man doch wieder Tennis spielen.

DIETRICH Ich spiele ja nicht Tennis. Ich schwimme gern.

CHRISTOPH Willst du denn im November noch schwimmen gehen?

DIETRICH Ja. Natürlich nicht draußen im Freien. Aber nicht weit von uns ist ein Schwimmbad. Da schwimme ich immer am Samstag – beinahe den ganzen Tag.

2 Kätchen calls Annette on the phone.

KÄTCHEN Sag mal, willst du nicht Samstag abend zu mir kommen?

ANNETTE Ja, sehr gerne. Was ist denn los?

KÄTCHEN Wir haben jetzt ein Spielzimmer unten im Keller. Da können wir ein paar Platten spielen und vielleicht auch etwas tanzen.

ANNETTE Wer kommt sonst noch?

KÄTCHEN O, Friedrich und Lothar. Und vielleicht auch Martin und Ulrike.

ANNETTE Kätchen, wie kommt man denn zu dir? Ich weiß nur, du wohnst jetzt am Buchenweg. Aber was ist deine Nummer?

KÄTCHEN Achtunddreißig. Es ist nicht weit vom Großen Krankenhaus. Man kommt mit dem Bus, Nummer Siebzehn. Der geht beinahe bis vor unser Haus.

3 Franz sits down on a phonograph record.

HEINZ Vorsicht! – Na, jetzt ist die Platte kaputt!

FRANZ O, das tut mir furchtbar leid. Was war denn auf der Platte?

HEINZ „Ich hab' dich im Frühling am Flusse gefunden.“

FRANZ Das ist wirklich schade.

HEINZ Ach, es macht nichts. Wir können sonst noch etwas hören.

FRANZ Was für Platten hast du sonst noch?

HEINZ O, viele! Und Tilo hat auch ein paar mitgebracht.

4 Some of the boys want to hear Albert's new accordion.

REINHOLD Wer ist sonst noch da draußen?

ALBERT Kannst du sie nicht an ihrer Stimme erkennen? Erna Schmidt.

REINHOLD Es ist ebenso viel Lärm da draußen wie hier im Spielzimmer. Gehen wir ins Eßzimmer. Da können wir deine Ziehharmonika besser hören.

ALBERT Wenn du willst. Wo ist denn die Lampe hier? O, hier ist sie.

REINHOLD Es ist hier wirklich viel besser, nicht?

5 Mr. Goerdeler meets his landlady in the hall, and has another complaint to make.

HERR GOERDELER	Warum ist am Morgen immer so viel Lärm hinter dem Haus?
FRAU LICHTI	Lärm? Ich höre keinen Lärm.
HERR GOERDELER	Das können Sie doch nicht sagen. Hören Sie denn nicht den Mann mit den Flaschen?
FRAU LICHTI	Ach der? Ja sehen Sie, meine Kinder trinken immer gerne viel Milch. In den Sommermonaten sind es beinahe sechs Flaschen an einem einzigen Tag.
HERR GOERDELER	Ja, aber der Lärm! Muß der Mann so viel Lärm machen?
FRAU LICHTI	Vielleicht will er schnell machen, und dann stößt er mit den Flaschen an den Wagen.
HERR GOERDELER	Ich frage ja nicht, wie er es macht. Ich frage, warum er es tut.
FRAU LICHTI	Ja, das weiß ich nicht. Aber ich will es ihm morgen sagen.

6 Mr. Benz has had a hard day at the office.

HERR BENZ	Uff! Das war heute aber furchtbar! Was für ein Tag!
FRAU BENZ	Wieso denn, Heinrich? Bist du müde?
HERR BENZ	Müde? Ich bin ganz kaputt! Den ganzen Tag am Fernsprecher. Das Telefonfräulein hatte auch furchtbar viel zu tun.
FRAU BENZ	Wer ist jetzt das Telefonfräulein bei euch?
HERR BENZ	Ach, Frau Weber natürlich! Weißt du das nicht? Man kann sie doch an ihrer Stimme erkennen! – Wann können wir essen?
FRAU BENZ	Nur noch zehn Minuten, dann können wir essen. Setz dich doch noch etwas hin, auf deinen Stuhl. – Und hier ist dein Buch – und deine Hausschuhe.
HERR BENZ	Danke! – War jemand heute nachmittag hier?
FRAU BENZ	Nur mein Onkel Alfred und meine Tante Christine. Du weißt ja, sie wohnen jetzt nicht weit von uns. – Sie sehen doch schon sehr alt aus.

HERR BENZ Was haben sie zu sagen?

FRAU BENZ Nicht viel. Aber Tante Christine hat eine schöne neue Tasche!

HERR BENZ So?

FRAU BENZ Ja. Du darfst mir auch bald eine neue Tasche kaufen.

HERR BENZ Gerne. – Können wir bald essen?

7 The boys are in the kitchen waiting for Gert, a notorious joker.

KURT Seid ihr alle hier, oder fehlt noch jemand?

EUGEN Gert ist noch nicht hier. Aber der kommt bald. Er hat jetzt ein Fahrrad.

HERMANN Vielleicht ist er noch im Schwimmbad?

KURT Was, jetzt mitten im Winter?

HERMANN Das macht nichts. Er schwimmt ja so gerne. Er und sein Bruder, die gehen immer zusammen, auch wenn es kalt ist.

EUGEN Das möchte ich nicht. Schwimmen macht mich müde.

KURT Ja, das kann ich glauben, daß es dich müde macht!

HERMANN Hört mal, da draußen ist jemand.

(Stimme draußen) Kurt! Eugen! Hermann!

EUGEN Das ist Gert. Man kann ihn immer an seiner Stimme erkennen.

GERT (draußen) Kommt doch alle herunter! Hier auf der Straße liegt jemand im Schnee. Ich kann ihn nicht erkennen, aber er sieht sehr krank aus. Sein Kopf und seine Hände sind ganz kalt. Macht doch schnell!

HERMANN Glaubt ihr das wirklich?

KURT Hinaus! Wir müssen ihm doch helfen! (Die Jungen gehen alle durch die eine Tür hinaus, Gert kommt durch die zweite Tür herein.)

GERT Das freut mich aber! – All der Kuchen!

8 The ladies interrupt their shopping for a mid-afternoon snack, and meet a sympathetic waiter.

FRAU GITTINGER Wollen wir nicht weiter nach hinten gehen? Hier ist so furchtbar viel Lärm.

FRAU REICHERT Ja, das stimmt. Ich möchte mich auch etwas weiter vom Orchester hinsetzen.

FRAU GITTINGER Da sind noch zwei Stühle und ein kleiner Tisch.

FRAU REICHERT Ja, setzen wir uns doch dahin!

KELLNER Grüß Gott, Frau Gittinger! Grüß Gott, Frau Reichert! Warum setzen Sie sich nicht auf das kleine Sofa hier? So, bitte sehr! Wie geht es Ihnen heute? Und wie geht's dem Herrn Professor? Hoffentlich doch gut!

FRAU REICHERT Danke sehr! Er hat furchtbar viel zu tun.

KELLNER Das tut mir aber leid. Was darf ich Ihnen bringen?

FRAU REICHERT Mir? Nur eine Tasse Tee, bitte.

FRAU GITTINGER Was? Sie möchten nichts essen? Ich bin furchtbar hungrig. Ich möchte eine Tasse Kaffee, mit Schlagsahne, und ein paar kleine Kuchen.

KELLNER Möchten Sie sich etwas aussuchen?

FRAU GITTINGER Ja gerne. Der Kuchen da sieht wirklich schön aus – und dann möchte ich etwas von dem hier – und der da, weiß ich, der schmeckt ausgezeichnet. Beinahe möchte ich den ganzen Teller haben!

KELLNER Ja, warum nicht? Wenn es Ihnen schmeckt.

FRAU REICHERT Vorsicht, Frau Gittinger! Vielleicht wäre es besser, wenn Sie nur einen kleinen Kuchen essen.

FRAU GITTINGER Ach, das macht nichts! Sie sehen alle so schön aus, und sie schmecken alle so gut!

FRAU REICHERT Das weiß ich. Aber was sagt denn der Doktor?

FRAU GITTINGER O, er sagt, ich sehe gesund aus, und ich darf essen, was ich will.

FRAU REICHERT Das hab' ich mir gedacht!

KELLNER Möchten Sie sonst noch etwas?

FRAU REICHERT Nein, danke – nur die Tasse Tee.

9 The landlady comes up the stairs and knocks loudly on the door. Hugo Gerstenmaier and his guests answer her sarcastically.

FRAU EBERMAIER Guten Abend! Verzeihung, darf ich fragen, was Sie hier tun?

GERSTENMAIER O, wir hören uns nur ein paar Platten an. [1]

FRAU EBERMAIER Das geht aber nicht. Man kann den Lärm ja schon draußen auf der Straße hören.

GERSTENMAIER Das tut mir wirklich leid.

FRAU EBERMAIER Mir auch. Aber so spät darf man hier keine Platten mehr spielen.

GERSTENMAIER Wo können wir sie denn spielen? Im Keller vielleicht?

FRAU EBERMAIER Nein, im Keller geht's auch nicht. Da wohnen die Schmidts, und die sind jetzt zu Bett. – Aber vielleicht weit draußen im Freien, wo man Sie nicht so hören kann.

GERSTENMAIER Ja, das wäre viel besser! Kommt, Fritz und Eberhard, wir wollen in den Friedrichspark fahren. Da können wir unsere Platten spielen – wenn es nicht regnet.

EBERHARD Und wenn es nicht zu kalt ist!

FRITZ Und wenn wir eine Steckdose finden können! [2]

GERSTENMAIER Auf Wiedersehen, Frau Ebermaier!

[1] wir hören uns Platten an we're listening to records [2] Steckdose wall plug

1. Wer kommt nach oben?
2. Was tun die Jungen?
3. Wo kann man den Lärm schon hören?
4. Was darf man so spät nicht mehr tun?
5. Auch wo darf man jetzt keine Platten spielen?
6. Nur wo darf man so spät Schallplatten spielen?
7. Was müssen die Jungen tun, wenn sie Platten spielen wollen?
8. Was können sie aber wirklich nicht?
9. Warum können sie das nicht?
10. Wie ist es vielleicht im Park?
11. Was können sie im Park nicht finden?

10 Mrs. Volkert and Mrs. Bieberich happen to see each other at the grocery store.

FRAU VOLKERT Guten Tag, Frau Bieberich!

FRAU BIEBERICH Guten Tag, Frau Volkert! Müssen Sie auch Einkäufe machen?

FRAU VOLKERT Ach ja, wir haben zu Hause nichts mehr zu essen.

FRAU BIEBERICH Ja, ja, die Kinder sind immer so hungrig.

FRAU VOLKERT O nein, nicht die Kinder. Mein Mann möchte den ganzen Tag etwas essen.

FRAU BIEBERICH Ist Ihr Mann nicht immer unterwegs?

FRAU VOLKERT Nein, durchaus nicht. Seit dem ersten September ist er morgens immer zu Hause.

FRAU BIEBERICH Und was tut er zu Hause?

FRAU VOLKERT Nichts! Er legt sich hin bis morgens um elf.

FRAU BIEBERICH Und was tut er dann?

FRAU VOLKERT Ja, um zwölf ist er wieder hungrig.

FRAU BIEBERICH Und dann will er wieder essen und trinken, nicht wahr?

FRAU VOLKERT Ja, Sie kennen ihn schon! Um zwei geht er in die Stadt, ins Kino, oder er geht kegeln, mit Freunden von ihm – was weiß ich! [1]

FRAU BIEBERICH Und wann kommt er nach Hause?

FRAU VOLKERT Das kann ich nicht wissen. [2] Heute um achtzehn Uhr und morgen um zwanzig Uhr.

FRAU BIEBERICH Und dann ist er wieder hungrig! Frau Volkert, ich will Ihnen etwas sagen. Haben Sie heute nicht noch etwas zu kaufen?

FRAU VOLKERT O ja. Schuhe und eine neue Jacke.

FRAU BIEBERICH Wollen wir nicht zusammen gehen und etwas Neues aussuchen?

FRAU VOLKERT Ja, das könnten wir zusammen tun. – O, das ist schön. Ich muß noch viel Einkäufe machen. In vierzehn Tagen ist Weihnachten.

FRAU BIEBERICH Ja, und dann sind Sie nicht zu Hause, wenn Ihr Mann wieder etwas zu essen haben will.

FRAU VOLKERT So? Geht das wirklich? Dann müssen wir aber schnell machen. Um sieben Uhr muß ich wieder zu Hause sein.

[1] kegeln bowling [2] wissen know

1. Was muß Frau Volkert tun?
2. Warum muß sie Einkäufe machen?
3. Sind ihre Kinder immer so hungrig?
4. Was möchte ihr Mann immer tun?
5. Ist er immer unterwegs?
6. Was tut er morgens immer?
7. Was tut er zu Hause?
8. Wie lange legt er sich hin?
9. Wann ist er wieder hungrig?
10. Was will er dann tun?
11. Was tut er um zwei?
12. Was tut er mit seinen Freunden?
13. Was kann Frau Volkert nicht wissen?
14. Wie ist er, wenn er nach Hause kommt?

TOPICS FOR REPORTS

1

Wir haben jetzt ein neues Haus. ..... *Ist es groß oder klein?* ..... *Wie weit ist es von hier?* ..... *Wie viele Schlafzimmer habt ihr jetzt?* ..... *Ist dein Schlafzimmer oben oder unten?*

2

Mein Onkel hat einen neuen Wagen. ..... *Seit wann hat er den Wagen?* ..... *Ist es ein kleiner oder ein großer Wagen?* ..... *Wie heißt dein Onkel?* ..... *Wann darfst du mit ihm hinausfahren?* .....

3

Meine Freunde und ich essen gerne draußen im Freien. .... *Wohin geht ihr gerne?* ..... *Ist das sehr weit von der Stadt?* ..... *Fahrt ihr im Wagen oder mit dem Fahrrad hinaus?* ..... *Kann man da schwimmen oder Tennis spielen?* .....

4

Meine Freundin ist leider wieder krank. ..... *Wie heißt sie?* ..... *Wie lange ist sie schon krank?* ..... *Ist sie schon wieder zu Hause oder noch im Krankenhaus?* ..... *Geht es ihr heute ein bißchen besser?*

5

Morgen kommt unsere Tante mit ihrer Familie zu uns zu Besuch. ..... *Wie viele Kinder hat sie?* ..... *Wie viele von ihnen sind Jungen?* ..... *Wie viele von ihnen sind Mädchen?* ..... *Wie heißen deine Vettern?* ..... *Wie alt sind deine Kusinen?*

II
Reading and Review

1 Mrs. Bergmüller has dropped in for a cup of coffee.

FRAU BERGMÜLLER Ist Ihr Mann immer noch unterwegs?

FRAU THALMAYER Ja, er kommt erst in acht Tagen wieder nach Hause.

FRAU BERGMÜLLER Wie fährt er, mit dem Zug oder mit dem Wagen? [1]

FRAU THALMAYER Mit dem Motorrad! Wir haben keinen Wagen.

FRAU BERGMÜLLER Und wenn das Wetter schlecht ist? Dann ist er doch nicht den ganzen Tag auf der Straße?

FRAU THALMAYER O doch. [2] Nur fährt er dann mit dem Zug oder mit dem Autobus. Aber dann kann er seine Kunden besuchen, aber nicht alle seine Freunde, und die möchte er auch wieder sehen. [3]

FRAU BERGMÜLLER Nun, hoffentlich bleibt er gesund! [4]

FRAU THALMAYER Ja, wenn das Wetter schön bleibt.

FRAU BERGMÜLLER Bitte, grüßen Sie ihn von mir und meinem Mann!

FRAU THALMAYER Danke schön! Es freut mich, wenn er bald wieder zu Hause ist.

FRAU BERGMÜLLER Uns auch.

[1] mit dem Wagen by car
[2] O doch. Oh, on the contrary, he is!
[3] Kunden customers
[4] Nun, Well,

1. Wo ist Herr Thalmayer immer noch?
2. Wie fährt er, mit dem Zug oder mit dem Wagen?
3. Was hat Herr Thalmayer nicht?
4. Wie fährt er, wenn das Wetter schlecht ist?
5. Was kann er aber dann nicht tun?

2 Lottchen finally loses patience with Brigitta.

LOTTCHEN Was tust du am Samstag?

BRIGITTE Am Morgen habe ich Orchesterprobe, dann komme ich schnell nach Hause. Wir essen um halb zwölf.

LOTTCHEN Warum eßt ihr schon um halb zwölf?

BRIGITTE Na, meine Mutter und ich gehen um eins ins Kino.

LOTTCHEN Aber das ist ein Uhr, und ihr eßt schon um halb zwölf!

BRIGITTE Ich bin aber sehr müde nach der Probe, und ich muß mich von viertel nach zwölf bis viertel vor eins noch etwas hinlegen.

LOTTCHEN Ach so! Und was tust du Samstag abend?

BRIGITTE Wir essen um halb sieben, und um acht Uhr gehe ich ins Bett.

LOTTCHEN Ach so. Ich weiß schon. Deshalb bist du immer so blaß![1]

[1] deshalb that's why

1. Was hat Brigitte am Samstag morgen?
2. Was tut sie nach der Orchesterprobe?
3. Wann ißt sie?
4. Wie ist sie nach der Probe?
5. Was muß sie dann tun?
6. Was tun sie und ihre Mutter um eins?
7. Wann ißt sie am Samstag abend?
8. Wann geht sie zu Bett?

3 Sunday night is a "school night."

GRETE-MARIE Was tust du Montag morgen?

HANNELORE Am Montag bin ich schon um acht in der Schule.

GRETE-MARIE Schon um acht? Warum denn?

HANNELORE Dann haben wir Orchesterprobe. —Wann mußt du zur Schule gehen?

GRETE-MARIE Erst um neun. Um acht bin ich immer noch ein bißchen müde.

HANNELORE Wann gehst du denn zu Bett?

GRETE-MARIE O, ich muß mich immer schon um neun Uhr hinlegen. Wann mußt du dich hinlegen? Erst um zehn?

HANNELORE Nein, auch um neun. Sonst sagt meine Mutter, ich sehe am Montag morgen immer so blaß aus. [1]

[1] sonst otherwise

1. Wann ist Hannelore am Montag morgen in der Schule?
2. Warum ist sie dann schon in der Schule?
3. Wann geht Grete-Marie zur Schule?
4. Wann geht sie am Sonntag abend zu Bett?
5. Wann muß Hannelore sich hinlegen?
6. Wie sieht sie sonst am Montag morgen aus?

Sports and Games

"What are you doing tonight?
Wouldn't you like to watch television at our house?"
"No, sorry, we aren't allowed to.
We've got to stay home and study (work)."
"Oh, why do you always want to study?"

"Don't you feel like going skiing?"
"Sorry, but I don't know how to yet."
"What? You can't ski?
You really ought to learn how."

"Do you know how to play chess?"
"No, I don't care much for it.
But my brother Karl can play very well.
He won a prize recently."

"When can we hear some music again?"
"Berta has a couple of new records."
"Really? When can we listen to them?"
"I'm going over to her house this evening.
Peter and Inge will be there, too.
They always enjoy dancing so much, you know.
Why don't you come along?"

Sport und Spiel

1 „Was tut ihr heute abend?
2 Wollt ihr nicht bei uns fernsehen?“
3 „Nein, leider dürfen wir das nicht.
4 Wir müssen zu Hause bleiben und arbeiten.“
5 „Ach, warum wollt ihr immer arbeiten?“

6 „Hast du nicht Lust, Ski zu laufen?“
7 „Das kann ich leider noch nicht.“
8 „Was! Du kannst nicht Ski laufen?
9 Das solltest du eigentlich lernen.“

10 „Kannst du Schach spielen?“
11 „Nein, dafür hab’ ich nicht viel übrig.
12 Aber mein Bruder Karl kann sehr gut spielen.
13 Er hat neulich einen Preis gewonnen.“

14 „Wann können wir mal wieder Musik hören?“
15 „Berta hat ein paar neue Schallplatten.“
16 „So? Wann können wir sie uns anhören?“
17 „Ich gehe heute abend zu ihr.
18 Peter und Inge werden auch da sein.
19 Sie tanzen ja immer so gerne.
20 Kommt doch mit!“

QUESTION-ANSWER PRACTICE

1
HERMANN Hast du Lust, heute abend Schach zu spielen?
GÜNTHER Nein, ich will zu Hause bleiben und fernsehen.

2
HERMANN Ach, warum willst du immer fernsehen?
GÜNTHER Na, für Schach hab' ich nicht viel übrig.

3
HERMANN Kannst du gut spielen?
GÜNTHER Nein, aber mein Bruder kann sehr gut spielen. Er hat neulich einen Preis gewonnen.

4
HERMANN Kannst du Ski laufen?
GÜNTHER Nein, das kann ich leider noch nicht. Ich sollte es eigentlich lernen.

5
MARIANNE Wollt ihr nicht bei uns fernsehen?
WALTRAUD Nein, leider dürfen wir das nicht.

6
MARIANNE Warum dürft ihr das nicht?
WALTRAUD Wir müssen zu Hause bleiben und arbeiten.

7
MARIANNE Warum wollt ihr immer arbeiten?
WALTRAUD Wir wollen es nicht—wir müssen es.

8
GRETE Wann können wir mal wieder Musik hören?
TRUDE Helga hat ein paar neue Schallplatten.

9
GRETE Wann können wir sie uns anhören?
TRUDE Hans und ich gehen heute abend zu ihr. Komm doch mit!

10
GRETE Wird sonst noch jemand da sein?
TRUDE Ja, Peter und Inge werden auch da sein.

PATTERN PRACTICE

1

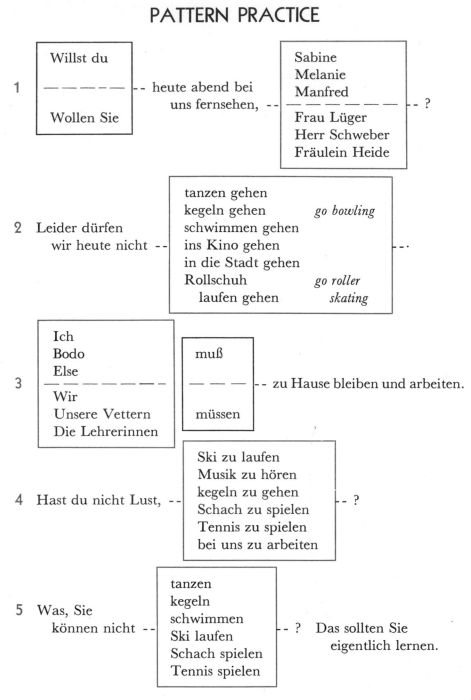

Willst du — — — — — — Wollen Sie	-- heute abend bei uns fernsehen, --	Sabine Melanie Manfred — — — — — — — Frau Lüger Herr Schweber Fräulein Heide	-- ?	

2

Leider dürfen wir heute nicht --	tanzen gehen kegeln gehen *go bowling* schwimmen gehen ins Kino gehen in die Stadt gehen Rollschuh laufen gehen *go roller skating*	--.

3

Ich Bodo Else — — — — — — — — Wir Unsere Vettern Die Lehrerinnen	muß — — — müssen	-- zu Hause bleiben und arbeiten.

4

Hast du nicht Lust, --	Ski zu laufen Musik zu hören kegeln zu gehen Schach zu spielen Tennis zu spielen bei uns zu arbeiten	-- ?

5

Was, Sie können nicht --	tanzen kegeln schwimmen Ski laufen Schach spielen Tennis spielen	-- ? Das sollten Sie eigentlich lernen.

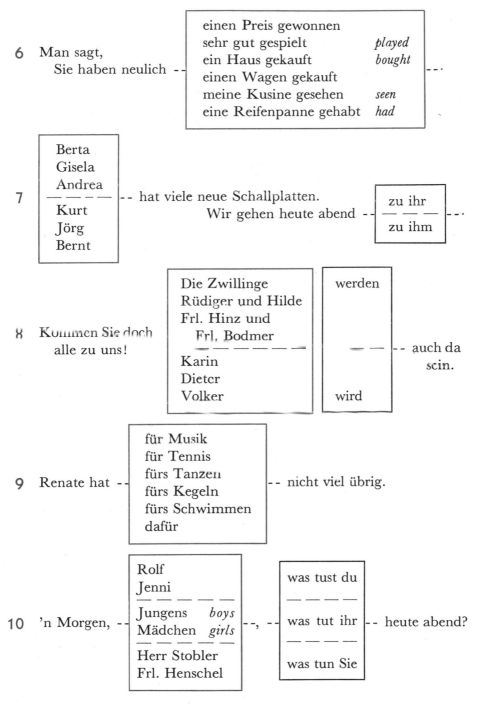

6 Man sagt,
Sie haben neulich -- [einen Preis gewonnen / sehr gut gespielt *played* / ein Haus gekauft *bought* / einen Wagen gekauft / meine Kusine gesehen *seen* / eine Reifenpanne gehabt *had*] --.

Man sagt, Sie haben neulich		
	einen Preis gewonnen	
	sehr gut gespielt	*played*
	ein Haus gekauft	*bought*
	einen Wagen gekauft	
	meine Kusine gesehen	*seen*
	eine Reifenpanne gehabt	*had*

7 [Berta / Gisela / Andrea — — — — Kurt / Jörg / Bernt] -- hat viele neue Schallplatten.
Wir gehen heute abend -- [zu ihr — — — zu ihm] --.

8 Kommen Sie doch alle zu uns! [Die Zwillinge / Rüdiger und Hilde / Frl. Hinz und Frl. Bodmer — — — — — — Karin / Dieter / Volker] [werden — — wird] -- auch da sein.

9 Renate hat -- [für Musik / für Tennis / fürs Tanzen / fürs Kegeln / fürs Schwimmen / dafür] -- nicht viel übrig.

10 'n Morgen, -- [Rolf / Jenni — — — — — Jungens *boys* / Mädchen *girls* — — — — — Herr Stobler / Frl. Henschel] --, -- [was tust du — — — — was tut ihr — — — — was tun Sie] -- heute abend?

Wie oft?

always	immer
frequently	häufig
usually	gewöhnlich
often	oft
sometimes	manchmal
seldom	selten
again	wieder
never	nie

Buchstaben

A	a	"ah"
B	b	"beh"
C	c	"tseh"
D	d	"deh"
E	e	"eh"
F	f	"eff"
G	g	"geh"
H	h	"hah"
I	i	"ieh"
J	j	"jott"
K	k	"kah"
L	l	"ell"
M	m	"emm"
N	n	"enn"
O	o	"oh"
P	p	"peh"
Q	q	"kuh"
R	r	"err"
S	s	"ess"
T	t	"teh"
U	u	"uh"
V	v	"fau"
W	w	"weh"
X	x	"iks"
Y	y	"üpsilon"
Z	z	"tsett"
Ä	ä	"ah umlaut"
Ö	ö	"oh umlaut"
Ü	ü	"uh umlaut"
	ß	"ess-tsett"

CONVERSATIONS

1 Trine and Bärbel are walking home from the bus.

TRINE Was tust du heute abend? Hast du Zeit, dir bei mir ein paar neue Schallplatten anzuhören?

BÄRBEL Ja, gerne. Aber leider darf ich das nicht. Meine Mutter ist krank, und da muß ich zu Hause bleiben.

TRINE O, das ist schade. Vielleicht ist sie am Samstag wieder gesund, und du kannst dann zu mir kommen. Aber schönen Gruß und gute Besserung.

BÄRBEL Danke, auf Wiedersehen.

2 Rudolf would be willing to go swimming, except for one thing.

GREGOR Wann können wir zusammen schwimmen gehen?

RUDOLF Leider können wir nicht zusammen schwimmen gehen.

GREGOR Warum können wir das nicht?

RUDOLF Ich kann nicht schwimmen.

GREGOR Ach so!

3 Marianne phones Friederike to ask for suggestions.

MARIANNE Am Samstag kommt meine Kusine zu uns. Was können wir am Nachmittag tun?

FRIEDERIKE Wie alt ist deine Kusine?

MARIANNE Sie ist vierzehn Jahre alt.

FRIEDERIKE Vielleicht können wir schwimmen gehen.

MARIANNE Leider kann sie nicht schwimmen.

FRIEDERIKE Schade. Spielt sie Tennis?

MARIANNE Nein, das kann sie auch nicht. Sie sagt, sie ist immer zu müde.

FRIEDERIKE Dann können wir uns vielleicht ein paar neue Schallplatten anhören.

MARIANNE Auch das nicht. Für Musik hat sie nicht viel übrig.

FRIEDERIKE Können wir nicht eine Tasse Tee trinken?

MARIANNE Durchaus nicht. Sie trinkt immer nur Milch.

FRIEDERIKE Na, was tut sie denn am Samstag nachmittag?

MARIANNE Sie bleibt zu Hause und arbeitet. Oder sie geht in die Stadt und macht Einkäufe.

FRIEDERIKE Was für Einkäufe?

MARIANNE Bücher, natürlich.

4 A big party at Monika's house.

STEFAN Es freut mich so, daß wir heute abend mal wieder Musik hören können.

THOMAS Ja, sind Monikas Schallplatten nicht wirklich ausgezeichnet?

STEFAN Ja, ich hab' auch ein paar mitgebracht.

THOMAS Welche denn?

STEFAN Du kennst sie doch nicht: „Tischtelefon" und „Reifenpanne im Schnee."

THOMAS O, die kenne ich doch! Du hast sie ja neulich bei Kurt Mahler gespielt.

STEFAN Ja, das stimmt. Wie findest du sie?

THOMAS O, es geht. Ich hab' nicht viel für sie übrig. –

STEFAN Sag mal, Thomas. Wer ist denn das da neben Monika?

THOMAS Was, die kennst du noch nicht? Das ist doch Monikas Freundin aus München.

STEFAN O ja, die hat doch beim Skilaufen einen Preis gewonnen.

THOMAS Ja. Und sie kann auch sehr schön Klavier spielen – und Ziehharmonika.

STEFAN Du – die möchte ich kennenlernen. Aber wie macht man das?

THOMAS Na, du gehst zu ihnen hin und sagst: Verzeihung, ich heiße Stefan Reuter. Darf ich mich neben Ihnen hinsetzen?

STEFAN Nein, so geht es doch nicht.

THOMAS Oder du sagst: Verzeihung, ich höre, Sie spielen sehr schön Klavier. Das kann ich auch.

STEFAN Nein, so geht das auch nicht. –

THOMAS O, o, hier kommt Monika mit ihrer Freundin.

MONIKA Aber warum kommt ihr nicht und trinkt ein Glas Limonade? Hier ist auch ein Teller Kuchen. Waltraud, ich glaube, du kennst meinen Freund Stefan noch nicht. – Dies ist Stefan Reuter – Waltraud Kuhn, meine Freundin aus München.

WALTRAUD Grüß Gott!

STEFAN Es freut mich sehr! – Schönes Wetter heute, nicht wahr?

WALTRAUD Glaubst du? Es regnet doch schon den ganzen Tag!

STEFAN Ja, aber –

MONIKA Möchtet ihr nicht ein Glas Limonade?

STEFAN O gerne. Darf ich dir ein Glas bringen?

WALTRAUD Gehen wir doch alle zusammen! Kommt doch mit!

THOMAS Darf ich auch mitkommen?

MONIKA Wenn du Lust hast.

5 Monika and Amalie meet at the store.

MONIKA Grüß Gott, Amalie. Hast du Lust, ins Kino zu gehen?

AMALIE Ich möchte schon gerne mit. Aber ich muß meine Eltern fragen. Wann wollt ihr gehen?

MONIKA Um halb zwei. Geht das?

AMALIE O, wir essen am Samstag erst um ein Uhr.

MONIKA So? Dann können wir um zwei Uhr gehen. Vielleicht kann mein Vetter Kurt auch mitkommen.

AMALIE Dein Vetter Kurt? Ich kenne ihn noch nicht.

MONIKA O, er ist erst neun Jahre alt. Er will immer ins Kino gehen.

AMALIE Neun Jahre alt? Kann er nicht zu Hause bleiben und fernsehen?

6 Grete telephones Klara.

GRETE O, Klara, kannst du mir helfen?

KLARA Sehr gerne. Was ist denn los?

GRETE Du weißt, wir wollen uns heute abend etwas Musik anhören und tanzen. Aber wir haben nur ein paar alte Schallplatten. Kannst du drei oder vier neue Platten mitbringen?

KLARA O ja, sehr gerne. Ich komme dann um dreiviertel acht zu euch.

GRETE Aber hör mal, Klara. Hat Marie vielleicht ein paar neue Platten – oder Elisabeth?

KLARA Elisabeth nicht, aber ich weiß, Marie hat neulich fünf neue Platten gekauft.

GRETE Gut. Dann will ich mit Marie telefonieren. Auf Wiedersehen, bis heute abend.

7 The boys are discussing the school winners at the Track and Field Events.

EMIL Wer hat denn gestern die Preise gewonnen?

HEINZ Hans Seiler hat den Tennispreis gewonnen und Eugen Hartmann den Schwimmpreis.

EMIL Kennst du Hans Seiler? Ich kenn' ihn nicht.

HEINZ O ja, sehr gut. Er ist doch ein Kind von den Seilers draußen in Friedrichstadt. Sie wohnen in dem kleinen Haus am Fluß, weißt du, mitten im Park.

EMIL Ach da? Dann ist er gewiß den ganzen Tag im Wasser!

HEINZ Nein, durchaus nicht. Er kann ja nicht schwimmen!

EMIL Und Eugen Hartmann wohnt auch am Wasser?

HEINZ Nein. Seine Eltern wohnen sehr weit vom Fluß! Weißt du, wo? Neben einem Tennisplatz!

EMIL Und wie kommt Eugen zum Schwimmbad?

HEINZ Er muß dahin fahren, mit dem Fahrrad, siebzig Minuten lang.

EMIL Was? Jeden Tag siebzig Minuten lang? Dann ist er ja den ganzen Tag unterwegs!

HEINZ Ja, beinahe.

EMIL Ist er dann nicht müde beim Schwimmen?

FRITZ Nein, durchaus nicht. Wißt ihr nicht, wie sie es machen?

HEINZ Nein. Wie denn?

FRITZ Nun, Eugen Hartmann hat jetzt ein Schlafzimmer bei den Seilers, und Hans Seiler wohnt seit drei Monaten bei Herrn und Frau Hartmann.

EMIL Ach so! Dann sind sie also immer da, wo sie Probe haben.

8 After the play rehearsal Friday afternoon.

UTE Wann können wir mal wieder Rollschuh laufen gehen?

INGE Das weiß ich nicht. Heute abend gehen meine Eltern in die Stadt, und ich muß zu Hause bleiben, bei meinem kleinen Bruder.

UTE Ich kann heute auch nicht. Aber geht es vielleicht morgen abend?

INGE Ja, vielleicht. Kann dein Vetter Erich mitkommen?

UTE O, der kann doch nicht gut Rollschuh laufen.

INGE So? Dann sollte er es eigentlich lernen.

9 Joachim Bilfinger is in the front hall at the foot of the stairs, waiting for his wife. . . . He is anxious to leave for the party.

JOACHIM Laura, es ist schon viertel nach fünf. Kannst du nicht ein bißchen schneller machen? Der Zug fährt in fünfunddreißig Minuten nach Blachfeld hinaus.

LAURA Ja, ja. Ich komme ja schon. Aber warum sagst du Zug? Können wir denn nicht mit dem Wagen fahren?

JOACHIM Nein, der Wagen hat eine Reifenpanne. Und ich glaube, er ist auch sonst beinahe kaputt.

LAURA Ach, das hab' ich mir gedacht. Immer wenn wir einen Besuch machen wollen, geht der Wagen nicht!

JOACHIM Ja, bei dem kalten Novemberwetter kann man das ja nicht vorher wissen.[1] — Ich hab' doch neulich noch am Auto gearbeitet. Ich weiß nicht, was heute mit dem Wagen los ist.

LAURA Joachim, kannst du mir vielleicht helfen? Ich kann meine Tasche nicht finden.

JOACHIM Aber hier ist sie auch nicht, nicht im Wohnzimmer und auch nicht in der Küche. Liegt sie vielleicht auf dem Tisch neben deinem Bett?

LAURA Ah, hier ist sie schon. Hier auf dem Sofa. Und hier sind auch die Schlüssel.

JOACHIM Na gut! — Können wir jetzt gehen? Du siehst wirklich sehr schön aus.

LAURA (an der Tür) Ach, jetzt regnet es auch noch!

JOACHIM Vorsicht, Laura, wenn du hinausgehst. — Jetzt werden wir natürlich viel zu spät kommen. Ach, warum muß deine Freundin immer bei Regenwetter Geburtstag haben?

[1] vorher wissen know in advance

1. Wohin wollen Herr und Frau Bilfinger heute nachmittag fahren?
2. Wie kommen sie nach Blachfeld?
3. Warum können sie nicht mit dem Wagen fahren?
4. Wann geht ihr Wagen nicht?
5. Was weiß Herr Bilfinger nicht?
6. Was kann Laura nicht finden?
7. Wo liegt die Tasche nicht?
8. Wo liegt sie denn?

IIIIIII

10 Benno Bach leaves after a short visit with friends of his parents.

FRAU BENDER Ach, müssen Sie schon gehen? Können Sie nicht noch etwas bleiben?

BENNO BACH Nein, ich habe jetzt keine Zeit. Ich muß wirklich gehen. Draußen regnet es, und am Abend ist es immer schon kalt. Bei diesem Winterwetter kann man nicht wissen, wie es morgen aussieht.

FRAU BENDER Ja, ich weiß, Sie müssen wieder zu Ihren Büchern. Nun, grüßen Sie Ihre Geschwister! Sie wohnen doch immer noch bei Ihren Brüdern? Ist Ihre Schwester jetzt nicht verheiratet?

BENNO BACH Ja, sie ist seit August verheiratet. – (Sucht in seinen Taschen.) [1]

FRAU BENDER Aber was ist los? Kann ich Ihnen helfen?

BENNO BACH Ja, wo sind meine zwei Bücher? Ich kann sie nicht finden. Ich hatte doch zwei kleine Bücher mitgebracht.

FRAU BENDER Ah, ich glaube, die liegen noch im Wohnzimmer unter der Lampe. Ja, das stimmt. Da liegen sie ja. – Arthur, willst du nicht herunterkommen? Benno muß jetzt nach Hause fahren.

HERR BENDER (kommt herunter) So? Sie müssen wirklich schon nach Hause? Das ist sehr schade. Aber kommen Sie doch bald wieder. Dann können wir auch Samstag nachmittag zusammen spazieren gehen. [2] – Fahren Sie mit dem Motorrad?

BENNO BACH Nein, mit dem Wagen. Es ist ja nur ein kleiner Wagen –

HERR BENDER Aber das macht nichts. Die kleinen sind ebenso gut wie die großen.

BENNO BACH Das stimmt. Wissen Sie, vor drei Tagen hatte ich eine Reifenpanne. [3] Da konnte ich so schnell machen und in zehn Minuten wieder weiter fahren.

HERR BENDER Hoffentlich haben Sie heute abend keine Reifenpanne.

BENNO BACH Ja, das wäre nicht schön. – Vielen Dank für das Essen, Frau Bender![4] Es hat ausgezeichnet geschmeckt. (Er geht an die Tür.)

FRAU BENDER Danke schön! Und kommen Sie bald wieder zu Besuch! Und wenn Sie zu Ihren Eltern fahren, grüßen Sie sie von uns!

BENNO BACH Danke sehr! – Auf Wiedersehen!

DIE BENDERS Auf Wiedersehen!

[1] sucht searches; Taschen pockets
[2] spazieren gehen go for a walk
[3] wissen know; vor drei Tagen three days ago
[4] für das Essen for the meal

1. Was muß Benno tun?
2. Was kann er nicht tun?
3. Was muß er wirklich tun?
4. Warum muß er jetzt gehen?
5. Wen soll er grüßen?
6. Bei welchen Geschwistern wohnt er noch?
7. Seit wann ist seine Schwester verheiratet?
8. Was hatte Benno mitgebracht?
9. Wer findet die Bücher für Benno?

TOPICS FOR REPORTS

1

Seit vorgestern wohnt neben uns eine Familie mit Zwillingen! . . . . *Sind die Zwillinge Jungen oder Mädchen?* . . . . . *Wie heißen sie?* . . . . . *Wie alt sind sie?* . . . . . *Haben sie ein Spielzimmer im Keller?*

2

Ich hoffe, das Wetter wird Sonntag schön sein. . . . . . *Was willst du dann tun?* . . . . . *Um wieviel Uhr willst du das tun?* . . . . . *Wer wird mit dir gehen?* . . . . . *Was werdet ihr tun, wenn das Wetter nicht schön ist?*

3

Ein Freund von mir hat viele neue Schallplatten. . . . . . *Welcher Freund ist das?* . . . . . *Weißt du, wieviel Platten er hat?* . . . . . *Kauft er große und auch kleine Platten?* . . . . . *Weißt du, wo er sie kauft?* . . . . . *Wann kannst du bei ihm Musik hören?*

4

Übermorgen werde ich Ski laufen. . . . . . *Kannst du schon gut Ski laufen?* . . . . . *Seit wann kannst du das?* . . . . . *Wohin gehst du, um Ski zu laufen?* . . . . . *Ist das weit von hier?* . . . . . *Wie lange wirst du unterwegs sein?* . . . . . *Wirst du mit dem Autobus oder mit dem Zug fahren?* . . . . . *Wer geht mit dir?*

5

Heute abend gehen wir zu unserer Freundin. . . . . . *Wie heißt sie?* . . . . *Wo wohnt sie?* . . . . . *Ist das ihre neue Adresse?* . . . . . *Wie weit ist das von deinem Haus?* . . . . . *Wer wird sonst noch da sein?* . . . . . *Was werdet ihr da tun?* . . . . . *Wann wirst du nach Hause kommen?*

At the Telephone

1 "Hello. This is Karlheinz.
2 May I speak to Alfred, please?"
3 "I'm sorry, Alfred's not home.
4 Shall I give him a message?"
5 "Would you tell him to call me—
6 —when he gets home?"
7 "I'll tell him you called."
8 "Many thanks, Mrs. Kropp. Good-bye."

9 "Hello? This is Mrs. Benz. Who is calling, please?"
10 "This is Alfred. May I speak to Karlheinz?"
11 "Yes, certainly. One moment, please."

12 "Alfred? Are you free this evening?
13 Have you done your homework yet?"
14 "Yes, fortunately.
15 I've just finished."
16 "That's pretty unusual, isn't it?"

17 "Would you like to go to the Olympia (movie theater) with me?"
18 "I surely would. 'Men of the Deep'. Supposed to be really terrific.
19 Why don't you come by our place at half past seven?
20 I'll wait inside until yòu honk."

Am Fernsprecher

1 „Hallo! Hier Karlheinz.
2 Kann ich bitte Alfred sprechen?"
3 „Alfred ist leider nicht zu Hause.
4 Soll ich ihm etwas ausrichten?"
5 „Würden Sie ihm sagen, er soll mich anrufen,
6 wenn er nach Hause kommt?"
7 „Ich will ihm sagen, daß du angerufen hast."
8 „Vielen Dank, Frau Kropp. Auf Wiederhören."

9 „Hallo? Hier Frau Benz. Wer dort, bitte?"
10 „Hier Alfred. Ist Karlheinz zu sprechen?"
11 „Ja gewiß. Einen Augenblick, bitte."

12 „Alfred? Bist du heute abend frei?
13 Hast du deine Hausaufgaben schon gemacht?"
14 „Ja, glücklicherweise.
15 Ich bin eben damit fertig geworden."
16 „Das ist ziemlich ungewöhnlich, nicht?"

17 „Willst du mit in die Olympia-Lichtspiele?"
18 „Aber gewiß. ‚Männer der Tiefe.' Soll ganz toll sein.
19 Komm doch, bitte, um halb acht bei uns vorbei.
20 Ich werde drinnen warten, bis du hupst."

QUESTION-ANSWER PRACTICE

1
FRAU BENZ Ist Frau Grimm zu sprechen?
FRAU MEYER Sie ist leider nicht zu Hause.

2
FRAU MEYER Soll ich ihr etwas ausrichten?
FRAU BENZ Ja, bitte, sagen Sie ihr, Frau Benz hat angerufen.

3
HANS-JOACHIM Kann ich bitte Karlheinz oder Willi sprechen?
HERR DIETZ Ja, Karlheinz ist zu Hause. Einen Augenblick, bitte.

4
HANS-JOACHIM Hallo Karlheinz. Seid ihr heute abend frei?
KARLHEINZ Ja, glücklicherweise sind wir frei.

5
HANS-JOACHIM Habt ihr eure Hausaufgaben schon gemacht?
KARLHEINZ Ja, wir sind eben damit fertig geworden.

6
HANS-JOACHIM Wollt ihr mit in die Regina-Lichtspiele?
KARLHEINZ Aber gewiß. „Männer der Tiefe." Soll ganz toll sein.

7
PETRA Helga? Bist du heute abend frei?
HELGA Ja, glücklicherweise.

8
PETRA Willst du mit ins Kino? «Lärm im Glas."
HELGA Ja, gerne. Soll ganz ungewöhnlich sein.

9
PETRA Wann soll ich vorbeikommen?
HELGA Komm doch, bitte, um halb acht vorbei.

10
PETRA Wo wirst du auf mich warten?
HELGA Ich werde drinnen warten, bis du hupst.

PATTERN PRACTICE

1

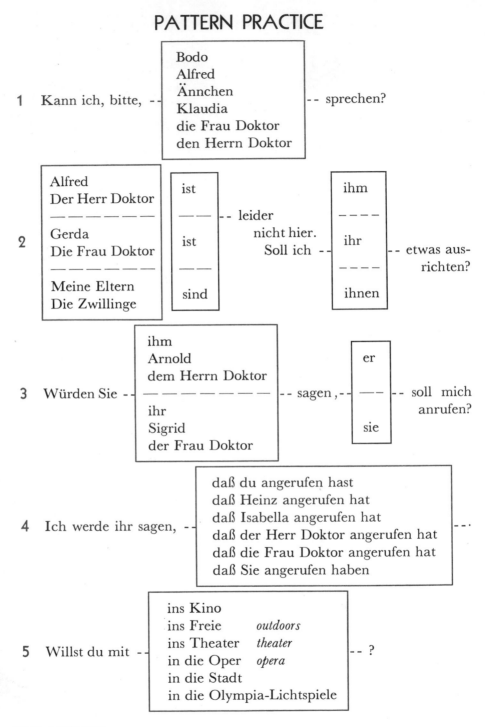

Kann ich, bitte, --	Bodo Alfred Ännchen Klaudia die Frau Doktor den Herrn Doktor	-- sprechen?

2

Alfred Der Herr Doktor	ist	-- leider nicht hier. Soll ich --	ihm	-- etwas ausrichten?
Gerda Die Frau Doktor	ist		ihr	
Meine Eltern Die Zwillinge	sind		ihnen	

3

Würden Sie --	ihm Arnold dem Herrn Doktor	-- sagen, --	er	-- soll mich anrufen?
	ihr Sigrid der Frau Doktor		sie	

4

Ich werde ihr sagen, --	daß du angerufen hast daß Heinz angerufen hat daß Isabella angerufen hat daß der Herr Doktor angerufen hat daß die Frau Doktor angerufen hat daß Sie angerufen haben	--.

5

Willst du mit --	ins Kino ins Freie ins Theater in die Oper in die Stadt in die Olympia-Lichtspiele	 *outdoors* *theater* *opera* 	-- ?

6 Hat --

Edgar Volker Dietmar	seine
Uta Ilse Leni	ihre

-- Hausaufgaben schon gemacht?

7 Meine Kusine ist wieder krank. Ich soll ihr --

- etwas kaufen
- etwas aussuchen
- etwas ausrichten
- etwas zu essen bringen *take*
- etwas zu trinken bringen
- ihre Hausaufgaben bringen

---.

8 Komm doch, bitte, --

- um dreiviertel sieben
- um sieben Uhr
- um viertel nach sieben
- um halb acht
- morgen früh *tomorrow morning*
- in einer halben Stunde *half hour*

-- bei uns vorbei.

9

Wir Jörg und ich Uta und Leni	werden
Gisela Frau Dutten Fräulein Molk	wird

-- drinnen bleiben, bis Sie hupen.

10 Er wird warten, --

- bis Sie hupen
- bis Sie anrufen
- bis Sie vorbeikommen
- bis Sie nach Hause kommen
- bis Sie frei sind
- bis Sie fertig geworden sind

---.

CONVERSATIONS

1 Hannelore calls up Paula Dietz to invite her to a Saturday evening party.

HERR DIETZ Hallo! Hier Dietz. Wer dort, bitte?

HANNELORE Hier Hannelore. Darf ich Paula sprechen?

HERR DIETZ Ja gewiß. Einen Augenblick, bitte. – Paula, komm doch herunter! Hannelore ist am Fernsprecher. (Paula kommt.)

PAULA Danke, Vati! – Hallo, Hannelore! Was ist denn los?

HANNELORE Paula, meine Vettern, Konrad und Martin Köpke, kommen am Samstag abend zu uns. Kannst du auch zu uns kommen?

PAULA Ja gewiß. Konrad hab' ich neulich schon kennengelernt. Er ist ein netter Kerl. – Wann soll ich da sein?

HANNELORE Um halb acht, wenn du willst.

PAULA Darf ich vielleicht etwas später kommen? Erst um dreiviertel acht?

HANNELORE Ja gewiß.

PAULA Soll ich etwas mitbringen?

HANNELORE Ja, bitte, bring ein paar Schallplatten mit.

PAULA Gut. Ich habe auch ein paar neue.

HANNELORE Jetzt muß ich aber noch Klaus und Elsbeth anrufen. Hoffentlich können sie kommen.

PAULA Ja, hoffentlich. Auf Wiederhören.

HANNELORE Auf Wiederhören, bis Samstag abend.

2 The phone rings for the fourth time in half an hour.

KONRAD Hallo! Hier Konrad Hardenberg. Wer dort, bitte?

LUISE Hier Luise Kistner. Ist Elsbeth zu sprechen?

KONRAD Elsbeth? Elsbeth? Ich kenne keine Elsbeth! Hier ist neunzehn fünfundvierzig null eins.

LUISE O, Verzeihung!

3 At lunch, Käte and Ingrid talk about plans for the evening.

KÄTE Wohin geht ihr heute nach der Orchesterprobe?

INGRID Wir müssen zu Hause bleiben und unsere Hausaufgaben machen.

KÄTE	Ist das nicht ungewöhnlich? Was ist denn los?
INGRID	Wir haben furchtbar viel zu tun. Du nicht auch?
KÄTE	Nein, glücklicherweise nicht.

4 Emil and August meet in the corridor.

EMIL	Grüß Gott, August. Wo warst du gestern abend?
AUGUST	Wieso?
EMIL	Ich habe nämlich angerufen, und da warst du nicht zu Hause.
AUGUST	Das stimmt. Ich war in der Stadt, im Kino.
EMIL	Wie war es?
AUGUST	Toll! Wirklich ausgezeichnet. Schade, daß du nicht da warst.
EMIL	Ja. Es tut mir auch leid.

5 Mr. Brüning and Mr. Sachse have made plans for the two families to leave the next day for an outing together.

HERR BRÜNING	Wann kommen Sie denn bei uns vorbei?
HERR SACHSE	Sollen wir sagen, um dreiviertel neun?
HERR BRÜNING	Ja gewiß, das geht ausgezeichnet.
HERR SACHSE	Gut. Wenn es regnet, bleiben Sie nur drinnen, und warten Sie, bis ich hupe.

6 Part of a telephone conversation.

INGEBORG	Was tust du zu Weihnachten?
CHRISTINE	Ich werde bis Donnerstag zu Hause bleiben. Aber am achtundzwanzigsten Dezember gehe ich Ski laufen.
INGEBORG	Dann bist du zu Silvester nicht zu Hause?
CHRISTINE	Nein, dann bin ich unterwegs. Am Tag nach Weihnachten kommen mein Onkel und meine Tante zu Besuch. Und mit ihnen werde ich auf ein paar Tage hinausfahren. Willst du nicht mit?
INGEBORG	Ich möchte schon. Aber ich glaube, es geht nicht. Mein Bruder und seine Frau kommen zu Weihnachten immer zu uns. Sie bleiben immer bis zu meinem Geburtstag hier, bis zum siebten Januar.
CHRISTINE	Und am vierten haben wir schon wieder Schule. Kannst du mich nicht am dritten anrufen?
INGEBORG	Ja gerne. Auf Wiederhören.

7 An impatient patient meets an unreceptive receptionist.

AUGUSTIN Verzeihung! Kann ich vielleicht Doktor Eisenzahn sprechen?

FRÄULEIN Einen Augenblick, bitte. Er ist jetzt noch nicht frei. Können Sie ein paar Minuten warten? Bitte, setzen Sie sich doch dort auf das Sofa. Vielleicht wird er um halb drei frei sein.

AUGUSTIN So? Wenn es sein muß. Darf ich mich etwas hinlegen?

FRÄULEIN Noch nicht. Sagen Sie mir erst, bitte, wie Sie heißen und wo Sie wohnen.

AUGUSTIN Augustin Pechner, Zwingerstraße dreizehn.

FRÄULEIN Haben Sie Telefon?

AUGUSTIN Ja, Nummer Vier-Neun-Drei-Sechs-Sieben-Fünf.

FRÄULEIN Und wie alt sind Sie?

AUGUSTIN Achtundzwanzig.

FRÄULEIN Wo arbeiten Sie?

AUGUSTIN Ich bin bei den Atlas-Lichtspielen.

FRÄULEIN Gut. So, nun sagen Sie mir, was Ihnen fehlt.

AUGUSTIN Ach, Fräulein, es geht mir durchaus nicht gut. Ich bin immer so müde. Seit drei Monaten – seit dem Herbst – habe ich keine Lust zu essen. Das Essen schmeckt mir nicht mehr. Wenn ich mich hinlege, höre ich immer Stimmen hinter mir – ganz in der Tiefe. Und wenn ich nach draußen gehe, stoße ich meinen Kopf immer an der Tür.

FRÄULEIN Das ist etwas ungewöhnlich. Sind Sie verheiratet?

AUGUSTIN Nein, unverheiratet.

FRÄULEIN Arbeiten Sie vielleicht zu viel? Oder trinken Sie abends zu viel Kaffee?

AUGUSTIN Nein, nur Wasser. Für Kaffee hab' ich nicht viel übrig.

FRÄULEIN Herr Pechner, ich weiß nicht, was mit Ihnen los ist. Sie sehen ziemlich gesund aus. – Kommen Sie doch morgen um zehn wieder bei uns vorbei.

AUGUSTIN Wieso morgen? Ich möchte heute mit Doktor Eisenzahn sprechen! Ist er denn heute nicht mehr zu sprechen?

FRÄULEIN Leider nicht. Sehen Sie, es ist jetzt schon zwei Uhr vierzig. Um dreiviertel drei kommt schon wieder jemand, und um drei muß er ins Krankenhaus. Und wann er damit fertig wird, das weiß ich wirklich nicht.

AUGUSTIN Dann muß man warten, bis er wieder kommt?

FRÄULEIN Ja, es sieht so aus. Ich will ihm ausrichten, daß Sie hier waren. –

AUGUSTIN Nun, dann werde ich morgen um zehn wieder kommen, wenn ich dann nicht auch im Krankenhaus bin.

8 Alfred comes home and is rushing upstairs.

ALFRED Tag, Mutti. Hat jemand angerufen?

MUTTER Ja – Karlheinz.

ALFRED So? Was will er denn? Vielleicht will er mit mir in die Olympia-Lichtspiele.

MUTTER Das weiß ich nicht.

ALFRED O ja. Da spielt man jetzt „Männer der Tiefe." Soll ganz toll sein. Mutti, ich darf doch gehen, nicht?

MUTTER Ja, aber erst, wenn du deine Hausaufgaben gemacht hast.

ALFRED O, ich bin beinahe damit fertig.

MUTTER Dann mache sie erst ganz fertig. – Wo sind denn deine Bücher? Hast du sie wieder gefunden?

ALFRED Aber gewiß. Ich habe sie mit nach Hause gebracht. Sie liegen drinnen in meinem Zimmer.

MUTTER Na, dann mache nur schnell. Und wenn du fertig bist, kannst du ja Karlheinz wieder anrufen.

9 Miss Brauer, a feature writer for the newspaper, has come to get a human-interest story from the high-school principal.

FRL. BRAUER Ich höre, Ihre Schüler gehen nach der Schule immer kegeln?

HERR HENNINGS So? Davon weiß ich nichts. [1]

FRL. BRAUER Dann sagen Sie mir bitte: Was tun Ihre Schüler nach der Schule?

HERR HENNINGS Das weiß ich nicht. Sie gehen nach Hause, natürlich.

FRL. BRAUER Das habe ich mir gedacht. Aber ich möchte eigentlich wissen, was sie dann tun. [2] Setzen sie sich alle mit ihren Büchern zu Hause hin und arbeiten?

HERR HENNINGS Hoffentlich. Das möchte ich glauben.

FRL. BRAUER Schön. Sie arbeiten also alle mit ihren Büchern? Und wie viele gehen ins Kino?

HERR HENNINGS Ins Kino? Aber Fräulein Brauer, was glauben Sie? In unserer Schule müssen die Kinder arbeiten. Unsere Schüler und Schülerinnen gehen erst am Samstag nachmittag ins Kino.

FRL. BRAUER So, so! Mein Vater hat immer gesagt: Man kann die Kinder an ihrem Spiel erkennen. – Und Ihre Schüler bleiben nachmittags alle zu Hause?

HERR HENNINGS In den Wintermonaten, glaube ich, ja.

FRL. BRAUER Und im Frühling?

HERR HENNINGS Wenn das Wetter schön ist, dann sind vielleicht ein paar von ihnen draußen im Freien.

FRL. BRAUER Nicht alle?

HERR HENNINGS Nein, durchaus nicht. Ein paar, zehn, fünfzehn.

FRL. BRAUER Und was tun sie dann?

HERR HENNINGS O, das weiß ich nicht. Ein paar spielen Tennis hinter der Schule oder vielleicht auch ein bißchen Fußball auf der Straße oder am Fluß. Aber nicht viele von ihnen tun das. –

[1] davon about that [2] wissen know

FRL. BRAUER — Ich glaube, ich höre ein Motorrad da draußen vor der Schule. Hat hier jemand ein Motorrad?

HERR HENNINGS — Nein, nein. Das glaube ich nicht. Das macht zu viel Lärm. Und wer viel Lärm macht, darf nicht in unserer Schule bleiben.

FRL. BRAUER — Ach so! Was tun Ihre Schüler sonst noch?

HERR HENNINGS — Fräulein Brauer, es ist, wie ich Ihnen sage. Unsere Schüler arbeiten. Sie wissen, was das heißt – arbeiten.[3] Für Spiel und Sport haben sie nicht viel übrig.

FRL. BRAUER — Sie spielen keine Schallplatten, sie spielen nicht Schach, sie gehen nicht Ski laufen, sie gehen nicht tanzen? – Das müssen sehr gute Schüler sein.

HERR HENNINGS — Ja, das muß ich sagen! Wenn der Sommer kommt, dann werden sie alle einen Preis gewinnen!

FRL. BRAUER — Das kann ich glauben. – Nun,[4] vielen Dank, Herr Hennings. Ich hab' viel bei Ihnen gelernt.

HERR HENNINGS — O, bitte sehr. Es freut mich, Sie kennen zu lernen! – Auf Wiedersehen!

[3] was das heißt what that means [4] nun well

[Answer these questions, in complete sentences, *as though* you were the model student of all model students, as Mr. Hennings imagines them.]

1. Was tust du nach der Schule?
2. Was tust du zu Hause nach der Schule?
3. Wann gehst du ins Kino?
4. Wo bist du sonst am Nachmittag?
5. Wann sind ein paar Schüler oder Schülerinnen draußen im Freien?
6. Aber wo bist du?
7. Was tun ein paar Schüler oder Schülerinnen hinter der Schule?
8. Aber was tust du?
9. Was tun ein paar Schüler auf der Straße?
10. Aber was tust du?
11. Warum fährst du nicht Motorrad?
12. Warum möchtest du kein Motorrad haben?
13. Wieviel hast du für Spiel und Sport übrig?
14. Du spielst doch Schallplatten?
15. Spielst du nicht Schach?
16. Gehst du Ski laufen?
17. Du gehst aber doch tanzen?
18. Was bist du eigentlich?
19. Was wirst du gewinnen, wenn der Sommer kommt?

TOPICS FOR REPORTS

1

Hannelore und ich gehen heute abend ins Kino. ..... *Habt ihr eure Hausaufgaben schon gemacht?* ..... *In welche Lichtspiele geht ihr?* ..... *In welcher Straße ist das?* ..... *Um wieviel Uhr wollt ihr gehen?*

2

Ein Freund von mir kann sehr gut Schach spielen. ..... *Wie heißt er?* ..... *Wie alt ist er?* ..... *Seit wann kann er Schach spielen?* ..... *Hat er schon einen Schachpreis gewonnen?* ..... *Hast du für Schach etwas übrig?* ..... *Willst du aber noch lernen, wie man besser spielt?*

3

Heute abend muß ich noch meine Hausaufgaben machen. ..... *Um wieviel Uhr machst du gewöhnlich deine Hausaufgaben?* ..... *In welchem Zimmer machst du gewöhnlich deine Hausaufgaben?* ..... *Machst du sie mit einem Freund oder mit einer Freundin?* ..... *Hörst du dir Musik an, wenn du arbeitest?*

4

Meine Kusine wohnt jetzt nicht weit von uns. ..... *Wie heißt sie?* ..... *In welcher Straße wohnt sie jetzt?* ..... *Was ist ihre Hausnummer?* ..... *Hat deine Kusine schon Fernsprecher?* ..... *Weißt du, was ihre Telefonnummer ist?*

5

Wir gehen nächsten Freitag abend, unseren Onkel zu besuchen. ..... *Wer geht mit euch?* ..... *Gehen deine Geschwister auch mit?* ..... *Wie heißt dein Onkel?* ..... *Wo wohnt er?* ..... *Ist das weit von hier?* ..... *Was werdet ihr bei eurem Onkel tun?*

III
Reading and Review

1 Closing time at the drug store.

IRMGARD Was sollen wir jetzt tun? [1]

GÜNTHER Wollt ihr vielleicht bei uns Tischtennis spielen?

DIETER Kommt doch alle zu uns! Meine Eltern haben jetzt Farbfernsehen zu Hause. [2]

IRMGARD Was? Ihr habt jetzt Farbfernsehen?

HUBERT Du bist ein netter Kerl, Dieter, aber ihr wohnt so weit draußen.

ERIKA Wißt ihr was? Gehen wir doch zu Jürgen! Er und seine Schwester haben jetzt ein Spielzimmer im Keller. Sie haben ein Klavier da unten und auch viele neue Platten.

HUBERT Jürgen ist aber vielleicht nach acht nicht mehr zu Hause. Da müssen wir schnell machen.

GÜNTHER Ich will euch gerne hinausfahren. Ich habe heute nämlich unsern Wagen hier.

IRMGARD Ja, das wäre schön.

HUBERT Gut. Also los! [3]

[1] sollen shall [2] Farbfernsehen color TV
[3] Also los! Let's get going!

1. Was möchte Günther tun?
2. Was möchte Dieter tun?
3. Was haben Dieters Eltern jetzt zu Hause?
4. Warum will Hubert nicht fernsehen?
5. Was will Erika tun?
6. Warum möchte sie zu Jürgen gehen?
7. Wird aber Jürgen den ganzen Abend zu Hause sein?
8. Was müssen sie tun, wenn sie zu Jürgen gehen wollen?
9. Was will Günther gerne tun?
10. Warum kann er das tun?

2 Lore is staying at Hilde's house. Werner has just called up Hilde.

WERNER Glaubst du, deine Kusine möchte heute abend mit in die Regina-Lichtspiele?

HILDE O, das wäre schön. Ich werde fragen, ob sie Zeit hat. Einen Augenblick, bitte. —Lore, bist du heute abend frei?

LORE Nein, eigentlich nicht. Warum fragst du denn?

HILDE Ein paar von uns wollen ins Kino gehen, und wir haben uns gedacht, daß du vielleicht mitkommen möchtest.

LORE Leider kann ich nicht. Erich Wallner hat angerufen. Bei ihm wird man heute abend Musik machen, und ich habe ihm gesagt, ich würde meine Ziehharmonika mitbringen.

HILDE O, das ist schade. —Werner, sie kann nicht mit. Sie muß zu Wallners.

WERNER Das tut mir leid. Der Film soll ganz toll sein. [1] Sag ihr, bitte, wir hoffen, daß sie bald mit uns ins Kino gehen kann. [2]

HILDE Ja, das wollen wir hoffen. Auf Wiederhören, bis heute abend.

[1] Film film [2] hoffen hope

1. Was kann Lore heute abend nicht tun?
2. Warum kann sie nicht mitkommen?
3. Warum will sie zu Erich Wallner?
4. Was wird sie mitbringen?
5. Was hofft Werner?

3 Petra answers the phone. It's Trude, with some good news.

TRUDE Petra, hast du deine Hausaufgaben schon gemacht?

PETRA Noch nicht ganz.

TRUDE Wann wirst du damit fertig sein?

PETRA O, vielleicht in zwei Stunden. Warum fragst du?

TRUDE Meine Eltern wollen heute abend mit mir ins Theater gehen, in die Oper. [1] Sie haben neulich vier Karten gewonnen. [2] Möchtest du vielleicht mit uns gehen? —Wenn du Lust hast?

PETRA Aber gewiß, Trude, gerne. Es freut mich sehr, daß ihr an mich gedacht habt.

TRUDE O, bitte sehr. Weißt du, was man spielt? „Tannhäuser," mit Gustav Zilken als Tannhäuser.[3]

PETRA O, das ist schön. Eigentlich ist seine Stimme ja ein bißchen kalt. Aber er ist doch ebenso gut wie Edwin Schmoll, vielleicht auch noch besser.

TRUDE Das glaube ich auch. Ich hab' immer viel für Gustav Zilken übrig. Er sieht auch so schön aus! – Wann sollen wir bei euch vorbeikommen? Vielleicht um fünf Minuten vor halb acht?

PETRA Ja, das wäre schön. Soll ich vor dem Hause auf der Straße warten?

TRUDE Warte doch drinnen, bis wir vorbeikommen und hupen.

PETRA Ich werde euch gewiß hören. Euren Wagen kann man ja an seiner Hupe erkennen.

TRUDE Und an seinem Lärm! Hoffentlich bist du dann mit deinen Hausaufgaben fertig.

PETRA O, ich werde schnell machen! Und danke schön, daß du angerufen hast.

TRUDE Bitte sehr! Es freut mich, daß du mit uns kommst.

[1] Theater theater; Oper opera [2] Karten tickets
[3] als as

1. Was hat Petra noch nicht gemacht?
2. Wann wird sie damit fertig sein?
3. Wer will heute abend in die Oper gehen?
4. Was möchte Petra gerne tun?
5. Was spielt man denn?
6. Wieviel hat Trude für Zilken übrig?
7. Wann werden Trudes Eltern vorbeikommen?
8. Wie lange soll Petra drinnen warten?

An Excursion

1 "Where will you be this week end, Monika?"
2 "Oh, at home, as usual."
3 "Say, would you like to go along to our cabin in the woods?"
4 "What? You have a cabin? Where?"
5 "On the lake. Fifty kilometers from here.
6 My brother Kurt and my sister-in-law—
7 —have bought a week-end cabin, you see.
8 They plan to drive there on Friday."
9 "That would be grand.
10 We're off until Tuesday, you know."

11 "Fritz and his sister are coming too."
12 "On their bicycles?"
13 "No, they'll ride with us.
14 Kurt has a station wagon now, you know."

15 "Wonderful. When do we leave?"
16 "On Friday, at six in the morning."
17 "Can't we leave by Thursday?"
18 "No, Kurt will still be traveling on Wednesday.
19 The whole thing will be lots of fun."
20 "Yes, I think so, too. Many thanks."

Ein Ausflug

„Wo bist du zum Wochenende, Monika?“
„Na, zu Hause, wie gewöhnlich.“
„Sag mal, möchtest du mit zur Waldhütte?“
„Was? Ihr habt eine Waldhütte? Wo denn?“
„Am See. Fünfzig Kilometer von hier.
Mein Bruder Kurt und meine Schwägerin—
—haben nämlich ein Wochenendhäuschen gekauft.
Sie wollen am Freitag hinfahren.“
„Das wäre großartig.
Wir haben ja bis Dienstag frei.“

„Fritz und seine Schwester werden auch kommen.“
„Mit dem Fahrrad?“
„Nein, sie werden mit uns fahren.
Kurt hat ja jetzt einen Combi.“

„Wunderbar. Wann werden wir losfahren?“
„Am Freitag früh um sechs Uhr.“
„Geht's nicht schon am Donnerstag?“
„Nein, Kurt ist Mittwoch noch auf Reisen.
Die Sache wird viel Spaß machen.“
„Ja, das mein' ich auch. Vielen Dank!“

QUESTION-ANSWER PRACTICE

1
WERNER Walter, bist du zum Wochenende frei?
WALTER Ja, es ist ziemlich ungewöhnlich, aber ich bin frei.

2
WERNER Möchtest du mit zur Waldhütte?
WALTER Ja, gerne.

3
WALTER Wo ist denn eure Waldhütte?
WERNER Am Mohnsee. Hundert Kilometer von hier.

4
WERNER Kannst du schon Freitag nachmittag hinfahren?
WALTER Ja, das wäre wunderbar.

5
WALTER Müssen wir nicht schon am Samstag abend wieder zu Hause sein?
WERNER Nein, wir haben ja bis Dienstag frei.

6
WALTER Wird sonst noch jemand mitkommen?
WERNER Ja, Erika und ihr Bruder werden auch kommen.

7
WALTER Mit dem Fahrrad?
WERNER Nein, sie werden mit uns fahren. Wir haben ja jetzt einen Combi.

8
WALTER Wird dein Bruder auch kommen?
WERNER Nein, er ist noch auf Reisen.

9
WALTER Um wieviel Uhr werden wir losfahren?
WERNER Am Freitag um siebzehn Uhr.

10
WALTER Wird's nicht Spaß machen?
WERNER Das will ich meinen!

PATTERN PRACTICE

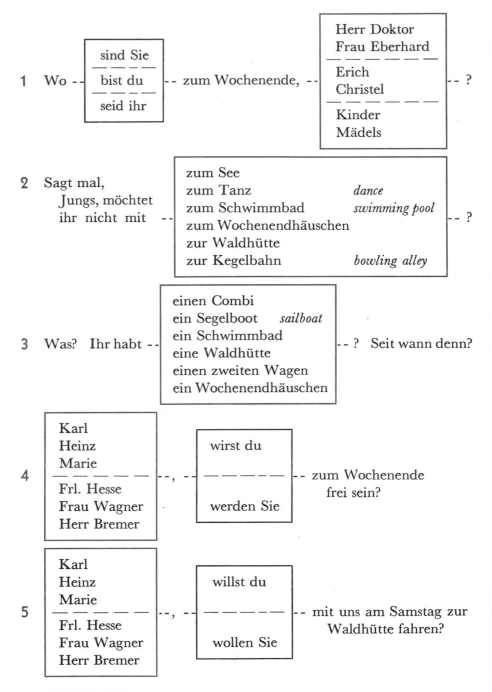

1 Wo -- [sind Sie / bist du / seid ihr] -- zum Wochenende, -- [Herr Doktor, Frau Eberhard / Erich, Christel / Kinder, Mädels] -- ?

1	Wo --	sind Sie — — — — bist du — — — — seid ihr	-- zum Wochenende, --	Herr Doktor Frau Eberhard — — — — — — Erich Christel — — — — — — Kinder Mädels	-- ?

2	Sagt mal, Jungs, möchtet ihr nicht mit --	zum See zum Tanz *dance* zum Schwimmbad *swimming pool* zum Wochenendhäuschen zur Waldhütte zur Kegelbahn *bowling alley*	-- ?

3	Was? Ihr habt --	einen Combi ein Segelboot *sailboat* ein Schwimmbad eine Waldhütte einen zweiten Wagen ein Wochenendhäuschen	-- ? Seit wann denn?

4	Karl Heinz Marie — — — — — Frl. Hesse Frau Wagner Herr Bremer	--, --	wirst du — — — — — werden Sie	-- zum Wochenende frei sein?

5	Karl Heinz Marie — — — — — Frl. Hesse Frau Wagner Herr Bremer	--, --	willst du — — — — — wollen Sie	-- mit uns am Samstag zur Waldhütte fahren?

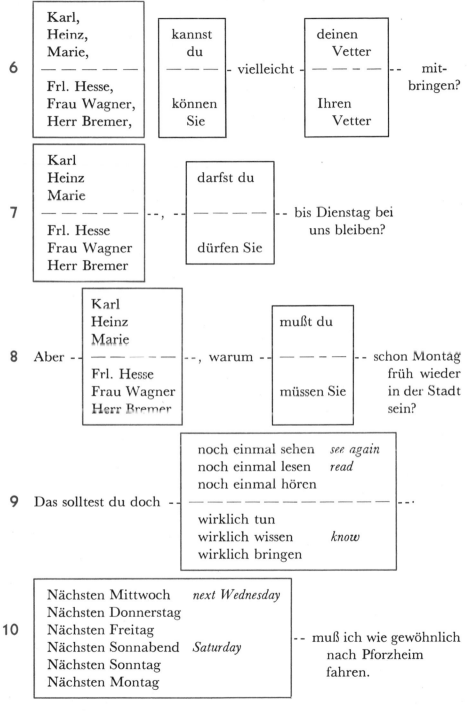

6	Karl, Heinz, Marie, — — — — — Frl. Hesse, Frau Wagner, Herr Bremer,	kannst du — — — können Sie	vielleicht	deinen Vetter — — — — — Ihren Vetter	mitbringen?

7	Karl Heinz Marie — — — — — Frl. Hesse Frau Wagner Herr Bremer	,	darfst du — — — — — dürfen Sie	bis Dienstag bei uns bleiben?

8	Aber	Karl Heinz Marie — — — — — Frl. Hesse Frau Wagner Herr Bremer	, warum	mußt du — — — — müssen Sie	schon Montag früh wieder in der Stadt sein?

9	Das solltest du doch	noch einmal sehen *see again* noch einmal lesen *read* noch einmal hören — — — — — — — — — — wirklich tun wirklich wissen *know* wirklich bringen	.

10	Nächsten Mittwoch *next Wednesday* Nächsten Donnerstag Nächsten Freitag Nächsten Sonnabend *Saturday* Nächsten Sonntag Nächsten Montag	muß ich wie gewöhnlich nach Pforzheim fahren.

CONVERSATIONS

1 Mr. Wildbach meets his friend, Dr. Gruber, the family physician, on the bus.

HERR WILDBACH Guten Tag, Herr Doktor. Wie geht's zu Hause?

HERR DR. GRUBER Ausgezeichnet, danke. Und Ihnen? Hoffentlich ist Ihre Frau schon wieder gesund.

HERR WILDBACH Ja, es geht ihr jetzt wieder gut. Und es geht auch Heinz besser. Er war gestern noch ein bißchen müde. Aber heute kann er wieder zur Schule gehen.

HERR DR. GRUBER Gut! Hat er nicht einen Preis im Schachspiel gewonnen?

HERR WILDBACH O, das war ja nur der zweite Preis.

HERR DR. GRUBER Aber das ist doch wunderbar. Und Heinz ist nur zwölf Jahre alt, nicht? Na, schönen Gruß an ihn. Er ist wirklich ein netter Junge.

2 Katharina meets her friend Henriette in a store down town.

HENRIETTE Übermorgen ist der erste März, und weißt du, welcher Tag das ist?

KATHARINA Ja, der erste März.

HENRIETTE Ja, und das ist doch Amalias Geburtstag.

KATHARINA Wer ist Amalia? Ich kenne keine Amalia!

HENRIETTE Doch, du hast sie schon kennengelernt. Das ist meine Freundin. Sie war schon bei mir zu Besuch.

KATHARINA O ja. Ich kenne sie. Wie alt ist sie jetzt?

HENRIETTE Dreizehn.

KATHARINA Wird sie zu ihrem Geburtstag hier sein?

HENRIETTE Nein, aber ich muß ihr etwas zum Geburtstag kaufen. Willst du mir helfen?

KATHARINA Ja gerne. Hoffentlich finden wir etwas Schönes.

3 Mrs. Keller, the inquisitive neighbor, sees Anneliese waiting on the corner.

FRAU KELLER Was tust du hier, Anneliese? Wartest du auf jemand?

ANNELIESE Ja, ich warte auf meine Freundin, Martha Böddinghaus.

FRAU KELLER Wie heißt die?

ANNELIESE Martha Böddinghaus. Kennen Sie sie nicht?

FRAU KELLER Nein, wohnt sie auch hier?

ANNELIESE Ja, nicht so weit von hier, da unten in dem großen alten Haus, neben den Schröders.

FRAU KELLER Hast du denn nicht zu arbeiten?

ANNELIESE O, ich habe meine Hausaufgaben schon gemacht. Ich bin schon heute morgen damit fertig geworden.

FRAU KELLER Und jetzt wollt ihr ins Kino?

ANNELIESE O nein, durchaus nicht. Marthas Mutter hat Mittwoch Geburtstag. Und da wollten wir zusammen etwas Schönes für sie aussuchen.

FRAU KELLER Was denn?

ANNELIESE Das wissen wir noch nicht. Vielleicht ein schönes Buch oder eine neue Tasche.

FRAU KELLER Wißt ihr denn, was sie haben möchte?

ANNELIESE Glücklicherweise, ja. Martha hat sie gefragt. Wir wollen uns auch ein paar Schallplatten anhören. Denn für Musik hat sie sehr viel übrig.

FRAU KELLER Na, dann habt ihr heute nachmittag viel zu tun.

ANNELIESE Ja, das glaube ich auch. – Ah, hier kommt meine Freundin. Martha, dies ist Frau Keller. Herr und Frau Keller wohnen neben uns.

MARTHA Guten Tag, Frau Keller.

FRAU KELLER Es freut mich sehr.

ANNELIESE Und hier kommt unser Bus. – Auf Wiedersehen, Frau Keller.

FRAU KELLER Auf Wiedersehen.

4 On the way to study hall.

MARTA Hast du Lust, heute nachmittag schwimmen zu gehen?

CHRISTEL Ja, gerne. Aber wo?

MARTA Mein Onkel hat neulich ein Wochenendhäuschen am Fluß gekauft, und da können wir schwimmen gehen.

CHRISTEL Können wir mit dem Fahrrad hinfahren?

MARTA Ja, das Häuschen ist nur fünf Kilometer von hier.

CHRISTEL Meine Mutter ist nicht zu Hause, aber ich werde mit meinem Vater telefonieren.

MARTA Ja, frage ihn! Hoffentlich darfst du mitkommen.

5 Julius calls up Leopold and invites him to come along for the week end.

JULIUS Hallo? Hier Julius. Kann ich mit Leopold sprechen?

LEOPOLD Hier Leopold. Julius, bist du's?

JULIUS Ja. Kannst du meine Stimme nicht erkennen?

LEOPOLD Ich kann dich nicht gut hören. Aber jetzt geht's besser. – Also, was ist los?

JULIUS Sag mal, was tust du morgen und übermorgen?

LEOPOLD Na, eigentlich nichts. Ich muß noch ein bißchen arbeiten. Aber das kann ich auch heute abend tun. Warum fragst du?

JULIUS Hör mal. Möchtest du mit mir und meinem Vetter zum Wochenende nach dem Schwalmsee fahren?

LEOPOLD Nach Halensee?

JULIUS Nein, nicht nach Halensee. Nach dem Schwalmsee.

LEOPOLD Schwalmsee? Den kenne ich nicht. Wo ist denn der?

JULIUS Das weißt du nicht? Na, nicht weit von Bopfingen, nur achtzig Kilometer von hier.

LEOPOLD Achtzig Kilometer! Mit dem Fahrrad?

JULIUS Nein, durchaus nicht.

LEOPOLD Aber wie kommen wir denn hin? Mit dem Autobus? Oder hat dein Vetter einen Wagen?

JULIUS Nein, er hat keinen Wagen. Aber mein Onkel hat vorgestern einen Combi gekauft, und den darf mein Vetter jetzt fahren. Er ist ja schon beinahe neunzehn Jahre alt.

LEOPOLD Werden dein Onkel und deine Tante auch mitkommen?

JULIUS Ich glaube nicht. Mein Onkel ist das ganze Wochenende auf Reisen.

LEOPOLD O, das wird großartig sein. Ich muß erst noch meine Eltern fragen. Die sind aber leider jetzt nicht hier.

JULIUS Kannst du mich bald wieder anrufen?

LEOPOLD Ich weiß, sie werden „Ja" sagen. Wenn sie nach Hause kommen, werde ich dich anrufen. In fünfzehn Minuten?

JULIUS Ja, gut. Ich sollte es eigentlich bald wissen. Schönen Gruß an deine Eltern.

LEOPOLD Vielen Dank! Auf Wiederhören – ich werde dich gewiß vor halb sechs anrufen.

6 Karl-Theodor calls up Manfred's home.

KARL-THEODOR Guten Tag, Herr Strauß! Wie geht's denn dem Manfred? Liegt er immer noch im Krankenhaus?

HERR STRAUSS Ja, leider muß er noch acht Tage im Bett bleiben. Aber in drei Tagen soll er nach Hause kommen, hat der Doktor gesagt.

KARL-THEODOR Das freut mich. Wie geht es ihm? Was macht sein Kopf?

HERR STRAUSS O, er sieht schon viel besser aus. Nicht mehr so blaß.

KARL-THEODOR Darf er fernsehen?

HERR STRAUSS Nein, das geht nicht. Das wäre zu viel Lärm.

KARL-THEODOR Darf er Besuch haben – und wann?

HERR STRAUSS O ja. Montag bis Freitag von vierzehn bis sechzehn Uhr und Samstag und Sonntag beinahe den ganzen Tag.

KARL-THEODOR Wo liegt er denn?

HERR STRAUSS Zimmer Nummer hundertachtundzwanzig. Soll ich ihm etwas ausrichten?

KARL-THEODOR Ja, sagen Sie ihm bitte „Gute Besserung" von allen seinen Freunden. Und morgen werden ein paar von uns bei ihm vorbeikommen.

HERR STRAUSS Gern. Das will ich tun. Vielen Dank. Auf Wiederhören!

KARL-THEODOR Und sagen Sie ihm: „Vorsicht," wenn er wieder Motorrad fährt!

HERR STRAUSS Ja, ja. Das Motorrad – !

7 Why mothers get gray.

MUTTER Aber, Kinder, was ist denn los? Warum eßt ihr nichts? Schmeckt euch das Essen nicht?

PAUL O doch, großartig. Ich bin nur nicht hungrig.

INGE Und ich möchte jetzt nichts essen. Ich muß doch um eins zur Orchesterprobe.

MUTTER Ja, ich weiß. Aber dann solltest du eigentlich ein bißchen essen. Dann kannst du später besser spielen.

INGE Mutti, kannst du mich zur Schule fahren?

MUTTER Mit dem Wagen? Warum fährst du nicht mit dem Fahrrad?

INGE Das geht nicht. Mein Fahrrad ist seit vorgestern kaputt. Paul ist damit gegen das Haus gefahren. [1]

MUTTER So? Stimmt das, Paul?

PAUL Ja, leider. Aber es hat viel Spaß gemacht.

MUTTER Ach, Kinder, muß das sein? Was soll Inge jetzt tun?

PAUL O, sie kann ja gehen! [2] Gehen ist gesund. [3]

MUTTER Aber Paul! Wie kannst du so sprechen? Tut dir das denn nicht ein bißchen leid?

PAUL Verzeihung, Mutti. Ich mache doch nur Spaß.

MUTTER Hoffentlich! Ihr wollt doch gute Geschwister sein. –

INGE Mutti, bist du fertig? In dreißig Minuten muß ich bei der Probe sein.

MUTTER Ich muß heute nachmittag doch ein paar Einkäufe machen. Dann kann ich dich ja vorher zur Schule fahren. [4]

INGE Und kannst du um vier Uhr wieder vorbeikommen?

MUTTER Wenn es geht, gerne. Vielleicht komme ich aber erst um halb fünf.

INGE Das macht nichts, Mutti. Ich werde dann drinnen warten, bis du vorbeikommst.

MUTTER Gut. Jetzt muß ich aber schnell machen. – Will noch jemand ein Glas Milch? Inge? Paul?

INGE Nein, danke. Ich kann jetzt doch nichts mehr trinken.

PAUL Ja, darf ich noch ein Glas Milch haben?

MUTTER So, da ist es, bitte sehr. – O, es wird spät. Paul, hör mal. Du setzt dich jetzt hin und machst deine Hausaufgaben.

PAUL Karl und ich wollten noch etwas Ball spielen, hinter dem Haus. Darf ich das nicht?

MUTTER Das könnt ihr später tun. Du solltest mit deinen Aufgaben fertig sein, wenn Vati nach Hause kommt. – So, jetzt müssen wir aber gehen. Wo sind denn nur die Schlüssel?

INGE Hier sind sie, Mutti. Und hier ist deine Tasche!

MUTTER Vielen Dank, Inge! – Ach, ich hab' so furchtbar viel zu tun!

INGE Mutti? Hilde Schreiber hat eine neue Bluse.[5] Willst du mir nicht auch etwas Schönes mitbringen? Bitte?

[1] gegen against [2] gehen walk [3] Gehen walking
[4] vorher beforehand [5] Bluse blouse

1. Was wollen die Kinder essen?
2. Warum ißt Paul nichts?
3. Warum ißt Inge nichts?
4. Was soll Mutti tun?
5. Warum kann Inge nicht mit dem Fahrrad fahren?
6. Warum ist das Fahrrad kaputt?
7. Was sagt Paul im Spaß?
8. Was muß Mutti heute nachmittag tun?
9. Was kann sie vorher tun?
10. Wann wird sie an der Schule vorbeikommen?
11. Wie lange wird Inge drinnen warten?
12. Was soll Paul jetzt tun?
13. Warum soll er sich jetzt hinsetzen?
14. Was möchte Paul aber noch tun?
15. Wann können Paul und Karl Ball spielen?

TOPICS FOR REPORTS

1

Ein Freund von mir hat jetzt ein Spielzimmer in seinem Keller. ..... *Wohnt er weit von dir?* ..... *Kann man dort Schallplatten spielen?* ..... *Wie groß ist das Spielzimmer?* ..... *Kann man dort tanzen?*

2

Meine Eltern haben ein Wochenendhäuschen gekauft. ..... *Wieviel Kilometer ist es von hier?* ..... *Ist es an einem Fluß oder an einem See?* ..... *Kommen eure Vettern bald zu Besuch?* ..... *Hat euer Onkel jetzt einen Combi?* ..... *Wie weit muß er fahren, wenn er euch im Wochenendhäuschen besuchen will?*

3

Ich höre Musik gern. ..... *Hörst du dir das Radio an?* ..... *Hörst du dir auch Schallplatten an?* ..... *Hast du viele Platten?* ..... *Kannst du Klavier spielen?* ..... *Spielst du in einem Orchester?* ..... *An welchem Tag hast du Orchesterprobe?*

4

Morgen hab' ich wieder Orchesterprobe. ..... *Um wieviel Uhr?* ..... *Wann wirst du nach Hause kommen?* ..... *Sind Freunde und Freundinnen von dir auch im Orchester?* ..... *Habt ihr auch im Sommer Probe?*

5

Ich spiele gern Schach. ..... *Mit wem spielst du gewöhnlich?* ..... *Wo spielt ihr?* ..... *Wann spielt ihr?* ..... *Kannst du sehr gut spielen?* ..... *Hast du noch keinen Preis gewonnen?*

On Saturday

"Urselchen, come on down!
Hurry up, it's getting late!
Rudi's been waiting for you in his car a long time."
"Why don't you tell him to go without me?"

"Hasn't Arthur gotten down yet?"
"He's in the dining room already, having breakfast."

"When did you get up this morning?"
"Much too early—a quarter after eight.
You know we've got rehearsal at nine."
"Haven't you had breakfast yet?"
"I don't feel like having breakfast today."

"Have you seen my ice-skates?"
"Why, they're hanging in the closet in your room."
"Where in the world are my keys?"
"Have you lost them again?"
"Oh, now I know; I left them in the car."

"Where on earth has Barbara been all day?"
"She got home rather early today.
She's sitting upstairs on the bed in her room.
She's been on the telephone for the last half hour."

Am Samstag

„Urselchen, komm doch herunter!
Mach schnell, es wird spät!
Rudi wartet schon lange im Wagen auf dich."
„Sag ihm doch, er soll ohne mich fahren!"

„Ist Arthur noch nicht heruntergekommen?"
„Der sitzt schon im Eßzimmer beim Frühstück."

„Wann bist du heute morgen aufgestanden?"
„Viel zu früh – um viertel nach acht.
Wir haben nämlich um neun Uhr Probe."
„Hast du denn noch nicht gefrühstückt?"
„Ich mag heute kein Frühstück."

„Hast du meine Schlittschuhe gesehen?"
„Die hängen doch im Schrank in deinem Zimmer!"
„Wo stecken denn meine Schlüssel?"
„Hast du sie wieder mal verloren?"
„O, jetzt weiß ich's: ich hab' sie im Wagen gelassen."

„Wo war Barbara eigentlich den ganzen Tag?"
„Sie ist heute etwas früher nach Hause gekommen.
Sie sitzt oben im Schlafzimmer auf dem Bett.
Seit einer halben Stunde sitzt sie am Telefon."

QUESTION-ANSWER PRACTICE

1
GEORG Heinz, bist du noch nicht aufgestanden?
HEINZ Doch, ich bin eben aufgestanden.

2
HEINZ Wartet ihr auf mich?
GEORG Ja, Heinz, komm doch herunter! Mach schnell!

3
HEINZ Wer sitzt da im Wagen?
GEORG Rudi. Der wartet schon lange auf dich.

4
GEORG Soll er denn ohne dich fahren?
HEINZ Nein. Ich komme schon.

5
GEORG Hast du denn schon gefrühstückt?
HEINZ Ich mag heute kein Frühstück.

6
PETER Anna, hast du meine Schlittschuhe gesehen?
ANNA Die hängen doch im Schrank in deinem Zimmer!

7
PETER Wo stecken denn meine Schlüssel?
ANNA Du hast sie im Wagen gelassen.

8
VATER Ist Inge noch nicht heruntergekommen?
MUTTER Die sitzt schon im Eßzimmer beim Frühstück.

9
VATER Wann ist sie heute morgen aufgestanden?
MUTTER Um viertel nach acht. Sie hat nämlich um neun Uhr Probe.

10
VATER Wo ist Barbara eigentlich?
MUTTER Sie sitzt oben im Schlafzimmer auf dem Bett. Seit einer halben Stunde sitzt sie am Telefon.

PATTERN PRACTICE

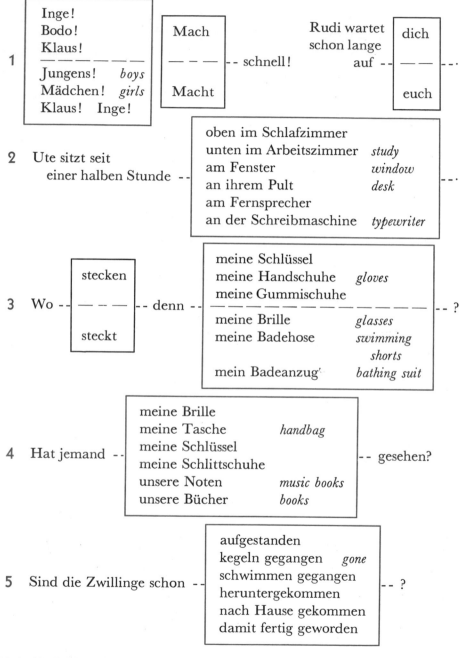

1

Inge! Bodo! Klaus! / Jungens! *boys* Mädchen! *girls* Klaus! Inge!	Mach / Macht	schnell!	Rudi wartet schon lange auf	dich / euch	.

Inge!
Bodo!
Klaus!
— — — — — — —
Jungens! *boys*
Mädchen! *girls*
Klaus! Inge!

Mach
— — —
Macht

-- schnell! Rudi wartet schon lange auf --

dich
— —
euch

-- .

2 Ute sitzt seit einer halben Stunde --

oben im Schlafzimmer
unten im Arbeitszimmer *study*
am Fenster *window*
an ihrem Pult *desk*
am Fernsprecher
an der Schreibmaschine *typewriter*

-- .

3 Wo --

stecken
— — —
steckt

-- denn --

meine Schlüssel
meine Handschuhe *gloves*
meine Gummischuhe
— — — — — — — — — — — —
meine Brille *glasses*
meine Badehose *swimming shorts*
mein Badeanzug *bathing suit*

-- ?

4 Hat jemand --

meine Brille
meine Tasche *handbag*
meine Schlüssel
meine Schlittschuhe
unsere Noten *music books*
unsere Bücher *books*

-- gesehen?

5 Sind die Zwillinge schon --

aufgestanden
kegeln gegangen *gone*
schwimmen gegangen
heruntergekommen
nach Hause gekommen
damit fertig geworden

-- ?

6 -- , -- noch nicht gefrühstückt?

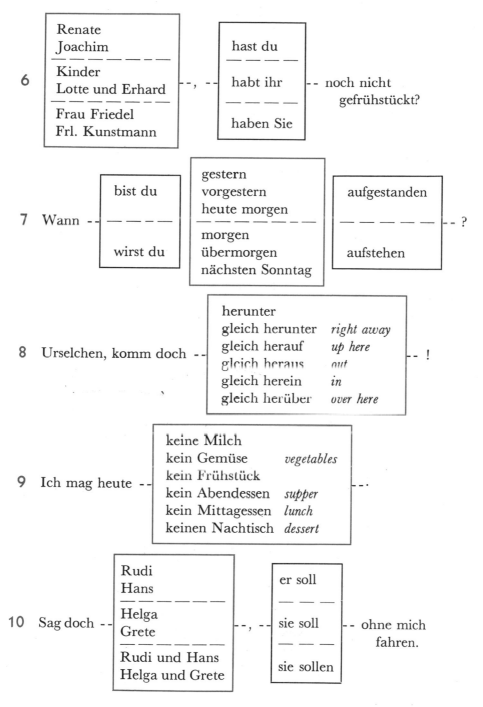

Renate Joachim	hast du
Kinder Lotte und Erhard	habt ihr
Frau Friedel Frl. Kunstmann	haben Sie

7 Wann -- -- -- ?

bist du	gestern vorgestern heute morgen	aufgestanden
wirst du	morgen übermorgen nächsten Sonntag	aufstehen

8 Urselchen, komm doch -- !

herunter	
gleich herunter	*right away*
gleich herauf	*up here*
gleich heraus	*out*
gleich herein	*in*
gleich herüber	*over here*

9 Ich mag heute -- .

keine Milch	
kein Gemüse	*vegetables*
kein Frühstück	
kein Abendessen	*supper*
kein Mittagessen	*lunch*
keinen Nachtisch	*dessert*

10 Sag doch -- , -- ohne mich fahren.

Rudi Hans	er soll
Helga Grete	sie soll
Rudi und Hans Helga und Grete	sie sollen

CONVERSATIONS

1 Georg and Franz come by for Rolf.

GEORG Wohin gchst du heute nachmittag? Möchtest du mit Franz und mir schwimmen gehen?

ROLF Ja, gerne, aber ich kann seit gestern meine Badehose nicht finden. –Mutti, hast du meine Badehose gesehen?

MUTTER Ja, sie liegt unter deinem Bett. Ich habe sie heute morgen gesehen.

ROLF Ja, natürlich. Hier ist sie!

GEORG Mach schnell, Rolf. Franz wartet schon im Wagen auf uns.

2 Berta and Bettina come by for Julia.

BERTA Wohin gehst du heute nachmittag? Möchtest du mit Bettina und mir schwimmen gehen?

JULIA Ja gerne. Aber wo steckt mein Badeanzug? Ich kann ihn nicht finden. Ich glaub', ich hab' ihn verloren. Seit gestern schon kann ich ihn nicht finden.

BERTA Wie kann man seinen Badeanzug verlieren?

JULIA Mutti, hast du meinen Badeanzug gesehen?

MUTTER Vielleicht liegt er unter deinem Bett. Ich glaub', da hab' ich ihn heute morgen gesehen.

JULIA Nein, hier ist er! Er liegt in meinem Schrank.

BERTA Mach schnell, Julia. Bettina wartet schon im Wagen auf uns.

3 In the kitchen, Erna Helmholz is waiting for her friend, Lieselotte Schröder. Lieselotte's mother calls up the stairs.

FRAU SCHRÖDER Lieselotte, bist du noch nicht aufgestanden?

LIESELOTTE (von oben) Doch, Mutti, ich komme gleich!

ERNA Mach doch schnell, Lilo, es wird spät!

LIESELOTTE (noch oben) Erna, bist du schon da? Komm herauf und hilf mir! Ich kann meine Noten nicht finden!

FRAU SCHRÖDER Deine Noten liegen doch hier auf dem Tisch. Komm jetzt herunter! Du mußt noch frühstücken.

LIESELOTTE (kommt herein) Ich mag heute kein Frühstück. Ich habe keine Zeit dazu. Wir haben nämlich um neun Uhr Probe, und wir haben nur noch zehn Minuten, bis wir da sein müssen.

ERNA Ja, komm, Lieselotte, mach schnell! Vati wartet schon im Wagen auf uns.

4 The play rehearsals have been hard on Miss Holtz.

KONRAD Wirst du morgen abend bei der Theaterprobe sein?

PAUL Morgen abend? Ich glaube, wir haben erst Mittwoch wieder Probe.

KONRAD Wirklich? Das wäre viel besser. Ich habe morgen abend viel zu tun.

PAUL Fragen wir doch Fräulein Holtz!

KONRAD Aber sie war doch heute morgen nicht in der Schule.

PAUL Glaubst du, daß sie krank war?

KONRAD Das weiß ich nicht. Sie war eben nicht da.

PAUL Aber ohne sie können wir doch nicht spielen!

5 At the breakfast table.

HERR WALLNER Ist Trudi noch nicht heruntergekommen?

JULIA WALLNER Nein, sie sitzt noch oben am Telefon.

HERR WALLNER Trudi, komm doch herunter! Jörg wartet schon seit zehn Minuten auf dich.

TRUDI WALLNER (von oben) Sag ihm doch, er soll ohne mich fahren. Ich komme dann später. Ich muß noch frühstücken.

HERR WALLNER Julia, sag ihm doch, deine Schwester hat noch nicht gefrühstückt. Er soll ohne sie fahren.

TRUDI WALLNER (kommt herunter) Ist Jörg nicht mehr da?

HERR WALLNER Nein, er ist leider schon losgefahren.

TRUDI WALLNER Ach! Dann mag ich heute kein Frühstück. Aber in fünf Minuten kommt ja der Rudi. Dann kann ich mit dem zusammen zum Schlittschuhlaufen gehen.

6 At the office, Friday, during the coffee break.

AUGUST Was tust du zum Wochenende?
GEROLD Bis jetzt nichts. Was tust du?
AUGUST Heinz, Christoph und ich fahren zur Waldhütte in Christophs Combi. Willst du mit?
GEROLD Ja, gerne. Wann fahren wir los?
AUGUST Morgen früh um sieben Uhr. Bring doch deine Badehose und deine Tennisschuhe mit!

7 Betty is delaying the other girls again.

HELGA Betty weiß nicht, wo ihre Schlittschuhe sind. Kannst du ihr helfen?
GERTRUD Nein, ich habe sie nicht gesehen. Vorgestern habe ich sie neben dem Küchenschrank gesehen.
HELGA Nein, sie sind nicht in der Küche.
GERTRUD Vielleicht sind sie unter dem Stuhl beim Telefon. Da sitzt Betty doch immer, wenn sie nach Hause kommt.
HELGA Oder vielleicht hat sie sie im Wagen gelassen.
GERTRUD Wer weiß? Oder vielleicht liegen sie noch im Autobus.
HELGA Dann sind sie also verloren?
GERTRUD Das will ich nicht sagen. Ich glaube nicht, daß sie sie verloren hat.
HELGA Das wäre doch toll!
GERTRUD Vorsicht! Sag das nicht! Ich glaube, ihre Schlittschuhe hängen gewiß noch im Schrank in ihrem Zimmer.
HELGA Glaubst du? Betty sollte eigentlich einen Schlittschuhschrank haben!

8 Mrs. Ochsenbein isn't sure whether Heiner has come home yet or not.

MUTTER Ist Heiner schon nach Hause gekommen?
KARL Ich glaube nicht. Ich habe ihn noch nicht gehört.
PHILIPP Aber er sitzt doch oben in seinem Zimmer und arbeitet.
KARL So? Seit wann denn?
PHILIPP Seit mehr als einer halben Stunde.
KARL Das glaube ich nicht. —Heiner! Bist du da?! —
MUTTER Vielleicht hat er sich hingelegt. —Philipp, würdest du, bitte, nach oben gehen? . . .

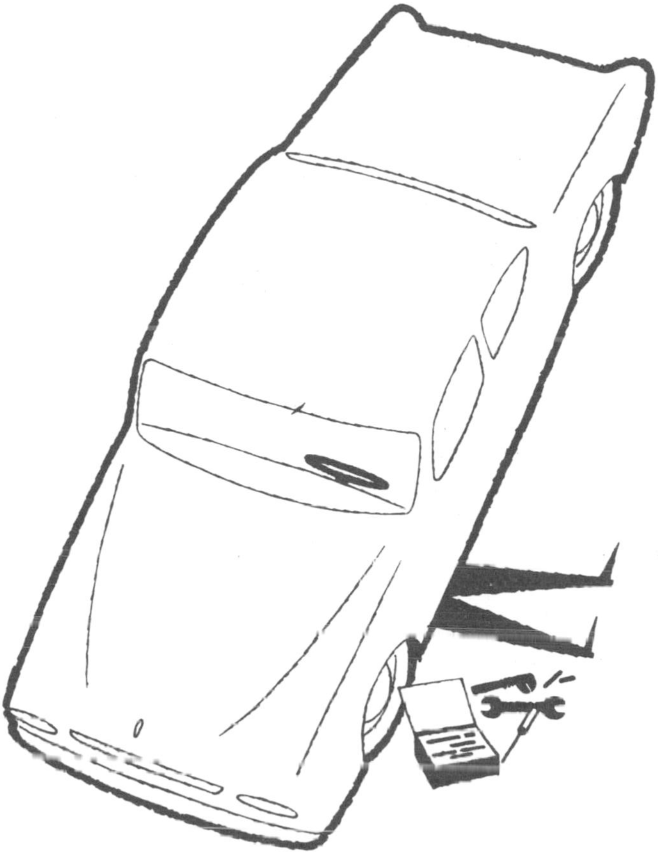

PHILIPP Jetzt ist er nicht mehr da. Seine Bücher liegen unter der Lampe auf dem Tisch. Aber Heiner ist nicht im Zimmer.

KARL Na, wenn er nicht drinnen ist, dann ist er vielleicht draußen. (Geht zum Fenster.) Ja, wirklich. Da draußen ist er!

MUTTER Wo denn?

KARL Kannst du ihn nicht sehen? Da liegt er doch unter seinem Wagen!

MUTTER Ja, wirklich, da steckt er! Was tut er denn eigentlich?

KARL Nun – er arbeitet an seinem Wagen! Heute ist es aber keine Reifenpanne!!

9 Hanns finally arrives at Erwin's cabin.

HANNS Also—dies ist euer Wochenendhäuschen? [1]

ERWIN Ja, wie findest du es? [2]

HANNS Sehr schön—aber ein bißchen klein.

ERWIN Meinst du?

HANNS Ja, wo ist denn die Küche? [3]

ERWIN Nun, eine Küche haben wir nicht. Wenn wir essen wollen, können wir im Freien essen.

HANNS Und wenn es regnet—dann eßt ihr eben nicht? [4]

ERWIN Nein, dann fahren wir nicht ins Wochenendhaus.

HANNS Und wo sind die Betten?

ERWIN Die haben wir noch nicht gekauft.

HANNS Wo kann man sich denn hinlegen?

ERWIN Da auf das Sofa!

HANNS Wenn ich mich da hinlege, stoße ich ja meinen Kopf an der Lampe.

ERWIN Ah, das macht nichts.

HANNS Du, ist es nicht ziemlich kalt hier?

ERWIN Kalt? Es ist doch heute nicht kalt! Wir sollten erst ein bißchen schwimmen gehen. Dann wirst du es nicht mehr kalt finden.

HANNS Und wo geht ihr gewöhnlich schwimmen? Wo ist denn der See?

ERWIN Einen See haben wir hier nicht. Aber da unten ist ein kleiner Fluß. Der ist auch im Sommer noch kalt.

HANNS Darf ich vielleicht ein Glas Wasser haben?

ERWIN Das Wasser ist draußen im Wagen. Ich hoffe, daß wir Wasser mitgebracht haben.

HANNS —Sag mal, Erwin. Ich glaube, es wird heute noch regnen. Wollen wir nicht bald wieder nach Hause fahren?

[1] euer your [2] Wie findest du es? What do you think of it?
[3] Küche kitchen [4] eben nicht just don't

1. Wie groß ist Erwins Wochenendhäuschen?
2. Welches Zimmer hat dieses Häuschen nicht?

3. Wo muß man essen, wenn man essen will?
4. Wo muß man sich hinlegen, wenn man sich hinlegen will?
5. Wie findet Hanns die Temperatur in diesem Haus?
6. Was möchte Erwin erst tun?
7. Wo kann man hier schwimmen gehen?
8. Wie ist das Wasser im Fluß?
9. Und wie ist es im Sommer?
10. Was möchte Hanns haben?
11. Was hofft Erwin?

TOPICS FOR REPORTS

1

Wir haben eine Waldhütte. ..... *Wie viele Kilometer ist sie von der Stadt?* ..... *Ist sie an einem See?* ..... *Kann man im See schwimmen?* ..... *Wie viele Zimmer habt ihr in der Waldhütte?* ..... *Habt ihr dort Fernsprecher?* ..... *Geht ihr nur im Sommer hin?* ..... *Wie ist es dort im Winter?*

2

Jeden Morgen muß ich schnell machen. ..... *Wann stehst du auf?* ..... *Um wieviel Uhr frühstückst du?* ..... *Wohnst du weit von der Schule?* ..... *Wann ist deine erste Klasse?* ..... *Stehst du auch Samstags früh auf?*

3

Jetzt kenne ich alle Schüler und alle Schülerinnen in unserer Klasse. ..... *Wer sitzt neben dir?* ..... *Wer sitzt vor dir?* ..... *Wer sitzt hinter dir?* ..... *Wie viele Schüler sind in der Klasse?* ..... *Wie viele Schülerinnen?*

4

Meine Schwestern sitzen gerne am Telefon. ..... *Haben sie Fernsprecher in ihrem Zimmer?* ..... *Wann sprechen sie — abends oder nachmittags?* ..... *Wie lange sitzen sie am Telefon?* ..... *Mit wem sprechen sie — mit Freundinnen oder mit Freunden?* ..... *Rufen ihre Freunde sie auch an?*

5

Ich laufe gern Rollschuh. ..... *Wohin gehst du, wenn du Rollschuh laufen willst?* ..... *Laufen eure Freunde auch gern Rollschuh?* ..... *Lauft ihr gewöhnlich draußen im Freien?* ..... *Kannst du schon gut Rollschuh laufen?* ..... *Seit wann tust du das schon?*

Shopping

1 "Where is Behrens' Department Store?"
2 "Keep straight ahead, down this street—
3 to the third traffic light.
4 It's on the left side there."
5 "Thank you. I'll find it all right, I guess."

6 "What can I do for you?"
7 "A pair of shoes, brown, size forty-two."
8 "Please have a seat over there.—Light brown or dark brown?"
9 "It's all the same to me, just so long as they fit."
10 "Well, let's just try on this pair."
11 "This shoe is very comfortable.—What do these cost?"
12 "This pair is only thirty marks."
13 "Okay. I'll take them."

14 "Have you seen Ingrid yet?
15 She's bought herself a new dress."
16 "Yes, I was downtown with her yesterday.
17 How do you like the dress?
18 Doesn't it look wonderful on her?"
19 "Very nice. She looks quite pretty in it.
20 My cousin Berta has one like that, too."

Einkäufe

1 „Wo ist das Kaufhaus Behrens?"
2 „Immer geradeaus, diese Straße entlang –
3 bis zur dritten Verkehrsampel.
4 Dort ist es auf der linken Seite."
5 „Danke schön! Ich werde es schon finden."

6 „Was wünschen Sie, bitte?"
7 „Ein Paar Schuhe, braun, Größe zwoundvierzig."
8 „Bitte, nehmen Sie da Platz. – Hellbraun oder dunkelbraun?"
9 „Das ist mir gleich, wenn sie nur passen."
10 „So. Wir wollen einmal dieses Paar anprobieren."
11 „Dieser Schuh ist sehr bequem. – Was kosten diese?"
12 „Dieses Paar kostet nur dreißig Mark."
13 „Gut. Diese will ich nehmen."

14 „Hast du schon Ingrid gesehen?
15 Sie hat sich ein neues Kleid gekauft."
16 „Ja, ich war gestern mit ihr in der Stadt.
17 Wie gefällt dir das Kleid?
18 Steht es ihr nicht glänzend?"
19 „Sehr nett. Sie sieht recht hübsch darin aus.
20 Meine Kusine Berta hat auch so eins."

QUESTION-ANSWER PRACTICE

1
WOLFGANG Wo ist das Kaufhaus Hansa?
POLIZIST Immer geradeaus, diese Straße entlang.

2
WOLFGANG Auf welcher Seite ist es?
POLIZIST Auf der linken Seite.

3
VERKÄUFER Was wünschen Sie, bitte?
WOLFGANG Ein Paar Schuhe, braun, Größe dreiundvierzig.

4
VERKÄUFER Hellbraun oder dunkelbraun?
WOLFGANG Das ist mir gleich, wenn sie nur passen.

5
VERKÄUFER Wollen wir dieses Paar anprobieren?
WOLFGANG Ja.—Dieser Schuh ist sehr bequem.

6
WOLFGANG Was kostet dieses Paar?
VERKÄUFER Es kostet nur vierzig Mark.

7
VERKÄUFER Wollen Sie diese nehmen?
WOLFGANG Ja. Sie sind bequem und kosten nicht zu viel.

8
ELFRIEDE Hast du Ingrid schon gesehen?
MELITTA Ja, sie hat sich ein neues Kleid gekauft.

9
ELFRIEDE Wie gefällt dir das Kleid?
MELITTA Es steht ihr sehr gut.

10
ELFRIEDE Sieht sie nicht hübsch darin aus?
MELITTA Ja, aber Fräulein Bieber hat auch so eins.

PATTERN PRACTICE

1

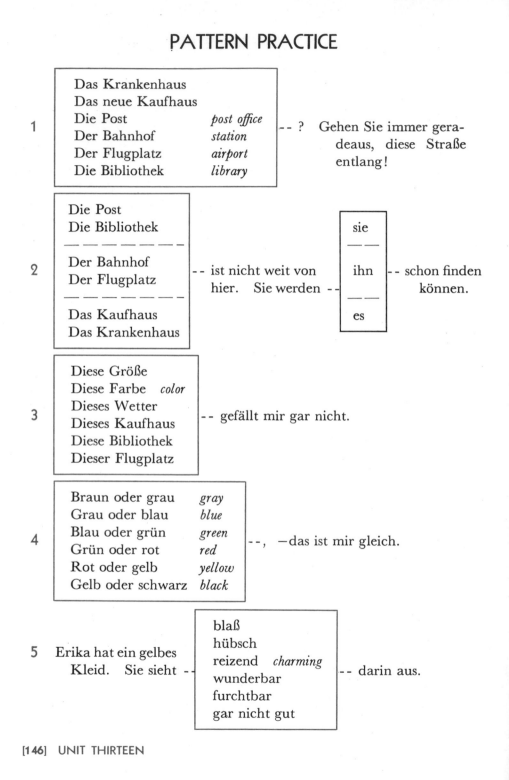

Das Krankenhaus	
Das neue Kaufhaus	
Die Post	*post office*
Der Bahnhof	*station*
Der Flugplatz	*airport*
Die Bibliothek	*library*

-- ? Gehen Sie immer geradeaus, diese Straße entlang!

2

Die Post
Die Bibliothek
— — — — — — — —
Der Bahnhof
Der Flugplatz
— — — — — — — —
Das Kaufhaus
Das Krankenhaus

-- ist nicht weit von hier. Sie werden --

sie
— —
ihn
— —
es

-- schon finden können.

3

Diese Größe
Diese Farbe *color*
Dieses Wetter
Dieses Kaufhaus
Diese Bibliothek
Dieser Flugplatz

-- gefällt mir gar nicht.

4

Braun oder grau	*gray*
Grau oder blau	*blue*
Blau oder grün	*green*
Grün oder rot	*red*
Rot oder gelb	*yellow*
Gelb oder schwarz	*black*

--, —das ist mir gleich.

5 Erika hat ein gelbes Kleid. Sie sieht --

blaß
hübsch
reizend *charming*
wunderbar
furchtbar
gar nicht gut

-- darin aus.

6 Sieht Karsten -- nicht furchtbar aus?

mit seinem roten Hut	*hat*
in seinem gelben Hemd	*shirt*
in seiner grünen Hose	*trousers*
in seiner weißen Jacke	*white*
in seinem blauen Pullover	*sweater*
mit seinem gelb-grünen Schlips	*tie*

7 -- ist recht hübsch. Was kostet -- ?

Dieses Kleid	
Dieses Taschentuch	*handkerchief*
Diese Jacke	
Diese Bluse	*blouse*
Dieser Hut	
Dieser Rock	*skirt*

es
sie
er

8 Wir werden -- auf Sie warten.

vor dem Kaufhaus	
neben der Kirche	*church*
hinter dem Rathaus	*city hall*
um die Ecke	*around the corner*
links um die Ecke	*to the left*
rechts um die Ecke	*to the right*

9 Dieses Buch hier kostet nur -- .

dreißig Mark	
zweieinhalb Mark	*two and a half*
fünfzig Pfennig (50 Pfennig = ½ Mark)	
drei Mark fünfzig	
fünfundzwanzig Pfennig	
vier Mark fünfundzwanzig	

10 Da ist -- Fahrrad! Ich möchte gerne so eins haben!

ein deutsches	*German*
ein englisches	*English*
ein schwedisches	*Swedish*
ein französisches	*French*
ein schweizerisches	*Swiss*
ein österreichisches	*Austrian*

CONVERSATIONS

1 Jürgen asks a policeman for directions.

JÜRGEN (mit einer Badehose in der Hand) Verzeihung, wie komme ich zum Schwimmbad?

SCHUTZMANN Immer geradeaus, diese Straße entlang, bis zur ersten Verkehrsampel. Dann geht's rechts um die Ecke, und dort liegt es im Park.

JÜRGEN Danke schön. Ich werde es schon finden.

2 A clerk in the Wallenstein Department Store tries hard to make a sale.

LIESELOTTE Ich möchte das Kleid da anprobieren.

VERKÄUFERIN Bitte sehr. Wollen Sie dort in das kleine Zimmer gehen?

LIESELOTTE Wohin?

VERKÄUFERIN Ins Anprobierzimmer. Da in der Ecke.

(Lieselotte geht ins Zimmer. – Später.)

VERKÄUFERIN Wunderbar! Das Kleid paßt Ihnen ausgezeichnet!

LIESELOTTE Ja, aber diese grüne Farbe steht mir nicht.

VERKÄUFERIN Das würde ich nicht sagen. Das Kleid ist wirklich reizend!

LIESELOTTE Das ist mir gleich. Ich sehe blaß darin aus – in diesem grünen Kleid.

VERKÄUFERIN Es ist aber doch so bequem. Setzen Sie sich nur einmal hin! Paßt es nicht großartig?

LIESELOTTE Aber es gefällt mir nicht –

VERKÄUFERIN Ein wunderbares Kleid für den Frühling!

LIESELOTTE Nein. Ich möchte es doch nicht kaufen.

VERKÄUFERIN Wie Sie wünschen!

LIESELOTTE Vielen Dank!

3 The Behrings drop in for a call.

FRAU KEPKE Guten Abend, Frau Behring. Guten Abend, Herr Behring. – Bitte, setzen Sie sich.

FRAU BEHRING O, ist dieses Sofa nicht neu?

FRAU KEPKE Ja, das haben wir erst vorgestern gekauft.

FRAU BEHRING Es sieht so hübsch aus. Nicht wahr, Otto?

HERR BEHRING Ja, und es ist wirklich sehr bequem. – Darf ich mich einmal hinsetzen? Wunderbar! – Dora, wir müssen uns auch bald ein neues Sofa kaufen!

FRAU BEHRING Ja, das glaube ich auch. Die Kinder haben unser Sofa ziemlich kaputt gemacht.

FRAU KEPKE Ja, die Kinder, nicht wahr? Unsere Kinder dürfen nur oben auf dem alten Sofa sitzen.

HERR BEHRING Darf ich fragen, wo Sie es gekauft haben?

FRAU KEPKE Kaufhaus Eckloff. Sie kennen es doch. In der Steinstraße.

FRAU BEHRING Ach da? Ich hatte nicht gedacht, daß Eckloffs so gute Sachen haben.

FRAU KEPKE Und glücklicherweise hat es gar nicht so viel gekostet. Ich glaube, nur dreihundertfünfzig Mark. – (Zu ihrem Mann) Nicht wahr, Martin?

HERR KEPKE Das stimmt nicht ganz. Es hat dreihundertsechzig Mark gekostet.

HERR BEHRING Wirklich? Ich hatte gedacht, sieben- oder acht hundert!

4 In the cafeteria line.

MELITTA Heute morgen habe ich deine Schwester Ilse gesehen – in einem großen Combi.

BRIGITTA Ja, mein Vater hat ihn erst neulich gekauft. Wir haben jetzt den kleinen Wagen und auch den Combi, aber Ilse will immer mit dem Combi fahren.

MELITTA Wie gefällt dir denn der Combi?

BRIGITTA Er gefällt mir, wenn wir auf Reisen gehen müssen. Wir können alle zusammen sehr bequem darin fahren. Aber seine Farbe gefällt mir nicht.

MELITTA Wieso denn?

BRIGITTA Gelb, grün und schwarz – gefallen dir diese Farben zusammen?

MELITTA Na, ich muß sagen, diese drei Farben zusammen sehen nicht hübsch aus.

5 In the Egmont Department Store. Anneliese can't make up her mind.

VERKÄUFERIN	Was wünschen Sie, bitte?
ANNELIESE	Ich möchte ein Kleid – oder einen Rock und eine Bluse. Aber ich weiß noch nicht, was es sein soll.
VERKÄUFERIN	Hier ist ein schöner Rock. Gefällt Ihnen die Farbe? Möchten Sie ihn vielleicht anprobieren?
ANNELIESE	Ja, aber warten Sie. Ich möchte auch dieses gelbe Kleid anprobieren – und diese weiße Bluse. (Ein bißchen später.)
VERKÄUFERIN	Wie gefällt Ihnen dieses Kleid? Ist es nicht reizend?
ANNELIESE	Ja, es ist reizend. Aber es paßt mir nicht.
VERKÄUFERIN	Und der Rock und die Bluse?
ANNELIESE	Der Rock paßt ausgezeichnet – und die Bluse auch. Aber was kosten diese Sachen?
VERKÄUFERIN	Der Rock kostet fünfundfünfzig Mark und die Bluse dreißig Mark.
ANNELIESE	Wissen Sie, das ist ziemlich viel. Da muß ich erst meine Mutter fragen. Vielleicht kann die mir helfen.

6 In the Barnhelm Department Store, Klaus is an ideal customer.

VERKÄUFER	Was wünschen Sie, bitte?
KLAUS	Ein Hemd, bitte. Größe achtunddreißig.
VERKÄUFER	Welche Farbe wünschen Sie?
KLAUS	Das ist mir gleich.
VERKÄUFER	Hier ist ein schönes blaues Hemd. Wollen Sie das?
KLAUS	Wieviel kostet es?
VERKÄUFER	Neun Mark.
KLAUS	Ja, ich kaufe es. Meine Mutter sagt, ich muß ein neues Hemd haben. – Hier sind zehn Mark.
VERKÄUFER	Danke schön. – Hier haben Sie das Hemd – und eine Mark.
KLAUS	Danke.
VERKÄUFER	Bitte sehr. Guten Tag. Kommen Sie bald wieder!

7 Wolfgang turns up at the ball game wearing a remarkable big hat.

WOLFGANG	Wie gefällt dir mein neuer Hut?
EBERHARD	Recht nett. Aber ist er nicht ein bißchen zu groß?

WOLFGANG	So? Glaubst du?
EBERHARD	Und dann sitzt er zu sehr auf der linken Seite!
WOLFGANG	Aber er paßt mir – und ist auch sehr bequem.
EBERHARD	Aber ein hellgrauer Hut steht dir gar nicht!
WOLFGANG	Ah! Das ist mir gleich!
EBERHARD	Wo hast du ihn denn gekauft?
WOLFGANG	Gekauft? Ich hab' ihn nicht gekauft. Ich hab' ihn doch von meinem Vetter in Dallas!
EBERHARD	Ach so! Aus Texas! Warum hast du mir das nicht gleich gesagt? Ja, dieser Hut steht dir ausgezeichnet. Du siehst wirklich glänzend darin aus.

8 Mr. Wieland is about to settle down with the newspaper.

HERR WIELAND	Was tut Klara heute nachmittag? Warum ist sie noch nicht zu Hause?
FRAU WIELAND	O, sie muß noch ein neues Kleid anprobieren.
HERR WIELAND	Was, schon wieder?
FRAU WIELAND	Ja, sie will doch morgen abend tanzen gehen. Und man sollte sie doch nicht immer an ihrem alten Kleid erkennen.
HERR WIELAND	Hat sie denn nicht noch viele Kleider oben im Schrank?
FRAU WIELAND	Ja, das schon. Aber nach dem ersten Abend ist ein Kleid doch immer schon alt – und dann steht es ihr nicht mehr, sagt Klara.

9 On a Saturday morning, Gert appears in the kitchen unusually early.

GERT Grüß Gott, Mutti! Ist das Frühstück schon fertig? Was für Wetter haben wir heute?

MUTTER Ich war noch nicht draußen. Aber ich glaube, es regnet und ist sehr kalt. Warum? Mußt du schon gehen?

GERT Ja, Werner und ich wollten doch heute zur Waldhütte am Moßbacher See.

MUTTER Davon weiß ich ja gar nichts.[1] Warum hast du mir gestern abend nichts davon gesagt?

GERT Gestern abend hatte ich noch zu arbeiten. Drei Stunden hab' ich gearbeitet.[2] Und dann war ich so müde. Da hab' ich nicht mehr daran gedacht.[3]

MUTTER Geht sonst noch jemand mit?

GERT Ja, Valentin Heubach.

MUTTER Wer ist das? Den kenne ich noch nicht.

GERT Der ist neu in der Schule. Sein Vater ist doch der neue Doktor am Krankenhaus.

MUTTER Ist er der einzige, der mitkommt?[4]

GERT Ja. Werner, Valentin und ich—das sind alle.

MUTTER So. Sag mal, werdet ihr gehen oder wollt ihr fahren?[5]

GERT Wir nehmen unsere Fahrräder. In einer Stunde werden wir da sein.

MUTTER Nun, man muß ja auch einmal aus dem Zimmer heraus. Und im Freien zu sein ist gesund.[6] Hoffentlich wird das Wetter bald wieder besser. Brr! Ich würde keine Lust haben, jetzt draußen zu sein.

GERT O, es regnet ja längst nicht mehr.[7]

MUTTER Na, ich weiß nicht.—Wann werdet ihr wieder zu Hause sein?

GERT Morgen abend, Mutter. Wir haben ja übermorgen wieder Schule.

MUTTER Hast du alle deine Hausaufgaben gemacht?—Du weißt, du darfst sonst nicht einen Ausflug machen.

1 davon about that
2 gearbeitet studied, worked
3 daran gedacht thought about it
4 der mitkommt who is coming along
5 gehen go on foot
6 zu sein to be
7 es regnet längst nicht mehr it hasn't been raining for a long time

GERT Aber gewiß, Mutter. Ich bin längst damit fertig geworden.

MUTTER Gut. Das freut mich. – Aber hör mal, du hast ja beinahe nichts gegessen. [8] Willst du nicht noch ein Glas Milch?

GERT Vielen Dank, Mutter. – So, jetzt muß ich aber gehen.

MUTTER Hast du auch etwas Warmes mit, deine Jacke und warme Schuhe?

GERT Ja, Mutter.

MUTTER Du hast doch die Schlüssel zur Waldhütte?

GERT Aber gewiß. Nun auf Wiedersehen!

MUTTER Auf Wiedersehen, Gert, bis morgen abend! Und hier ist noch etwas Gutes für den Weg. Steck es in deine Tasche! [9]

[8] gegessen eaten [9] Tasche pocket

1. Wer kommt in die Küche?
2. Wen grüßt er?
3. Was möchte er haben?
4. Was will Gert heute tun?
5. Wo liegt die Waldhütte?
6. Wer geht sonst noch mit?
7. Warum kennt die Mutter Valentin noch nicht?
8. Was ist Valentins Vater?
9. Was wollen die drei Jungen mitnehmen?
10. Wann werden sie an der Waldhütte sein?
11. Wann sind sie wieder zu Hause?
12. Warum müssen sie morgen abend zu Hause sein?

TOPICS FOR REPORTS

1

Ich habe mir heute eine neue Jacke gekauft. ..... *Wann hast du sie gekauft?* ..... *In welchem Kaufhaus hast du sie gekauft?* ..... *In welcher Straße ist das Kaufhaus?* ..... *Paßt die Jacke dir gut?* ..... *Ist sie schwarz?* ..... *Wieviel kostet sie?*

2

Meine Freundin hat sich ein neues Kleid gekauft. ..... *Wo hat sie es gekauft?* ..... *Ist das das neue Kaufhaus in der Bühlerstraße?* ..... *Wie steht ihr das Kleid?* ..... *Sieht sie wirklich gut darin aus?*

3

Mein Schlafzimmer ist nicht sehr groß. ..... *Ist es oben oder unten in eurem Haus?* ..... *Wie viele Fenster hat dein Schlafzimmer?* ..... *Hast du Radio in deinem Zimmer?* ..... *Machst du deine Hausaufgaben im Schlafzimmer?*

4

Wir fahren zum Wochenende zu einem See. ..... *Wie heißt der See?* ..... *Wie viele Kilometer ist er von hier?* ..... *Habt ihr dort eine Waldhütte?* ..... *An welchem Tag fahrt ihr hin?* ..... *Wann kommt ihr wieder nach Hause?*

5

Ich habe bald Geburtstag. ..... *In welchem Monat?* ..... *An welchem Tag?* ..... *Wie alt wirst du an deinem Geburtstag sein?* ..... *Was willst du an deinem Geburtstag tun, wenn das Wetter schön ist?* ..... *Aber wenn das Wetter schlecht ist?*

IV
Reading and Review

1 The girls are on the phone again.

BARBARA Hallo, Gisela! Habt ihr schon zu Abend gegessen? [1]

GISELA Ja, Barbara. Wir sind eben vom Essen aufgestanden. [2] Und ihr?

BARBARA O, wir haben schon vor einer halben Stunde gegessen. [3] Was tust du heute abend?

GISELA Ich hab' mich vor fünf Minuten hingesetzt. Ich muß noch ein paar Hausaufgaben machen.

BARBARA Damit bin ich vor zwei Stunden fertig geworden. Hab' ganze drei Stunden gearbeitet. [4] Bin noch ganz kaputt. —Dann kannst du also jetzt nicht mehr in die Lichtspiele?

GISELA Nein, dafür ist es jetzt zu spät. [5] Nach acht geht's nicht mehr. Dann dürfen wir nicht mehr aus dem Hause. Erst wieder am Wochenende.

BARBARA Ach, das macht nichts. Wir können uns ja anrufen. [6] Ich habe jetzt ein Telefon in meinem Schlafzimmer. Da können sie uns nicht hören.

GISELA Was für ein Lärm ist das da bei euch?

BARBARA Kannst du das hören? Das ist Erich. Der hat sich doch neulich eine Ziehharmonika gekauft. Die sollte er im Freien spielen. Aber wenn das Wetter nicht schön ist, spielt er sie in seinem Zimmer.

GISELA Das hab' ich mir gedacht. Man kann ja den Lärm von hier aus hören! Warum spielt er denn nicht unten im Keller? Euer Keller ist doch so tief, daß man oben nichts hören kann. [7]

BARBARA Das will Erich eben nicht.

GISELA Er kann aber doch schon sehr schön spielen!

1 gegessen eaten
2 aufgestanden gotten up (from the table)
3 vor einer halben Stunde half an hour ago
4 gearbeitet studied, worked
5 dafür for that
6 uns each other
7 euer your family's

BARBARA So? Glaubst du? Ich hab' für seine Musik nicht viel übrig.

GISELA Wie kannst du so etwas sagen? Er sollte eigentlich einmal für uns spielen. [8] Man kann zu seiner Musik doch so gut tanzen! Hast du dazu keine Lust? [9]

BARBARA O, ich weiß nicht.

GISELA Du mußt es ihm sagen. Wir müssen noch einmal über die Sache sprechen. [10]

BARBARA Ja, vielleicht. – Hast du schon das neue Buch gekauft?

GISELA Welches Buch?

BARBARA O, du weißt, Fräulein Miltner hat es neulich mitgebracht. Ohne das Buch können wir wirklich nichts lernen.

GISELA Meinst du? Das will ich nicht sagen.

BARBARA Wieso? Weißt du etwas, das besser wäre?

GISELA Ja, ich arbeite immer mit Rudi. Der weiß alles. Er ist ebenso gut wie ein Buch.

BARBARA Ach so! Ja, den kenne ich leider noch nicht.

GISELA Du solltest ihn wirklich kennen lernen.

BARBARA Er ist doch neu in der Schule, nicht wahr? Wie heißt er eigentlich – Rudi – ?

GISELA Rudi Brinkmann. Meine Eltern kennen seine Eltern. Sie wohnen jetzt neben uns.

BARBARA In der Schule ist er ja sehr gut. Da hat er immer so viel im Kopf.

GISELA Ja, im Herbst hat er einen Preis gewonnen.

BARBARA Sitzt er denn immer bei seinen Büchern?

GISELA O nein, das glaub' ich nicht.

MUTTER (von unten) Barbara! Kann ich auch bald ans Telefon?

BARBARA (ins Telefon) Einen Augenblick mal, Gisela. Meine Mutter sagt etwas. – (Zu ihrer Mutter) Ja, Mutti. Wir sind gleich fertig. – (Ins Telefon) Meine Mutter möchte auch bald telefonieren. – Hör mal, Gisela. Hast du schon Ernas neue Bluse gesehen?

GISELA Ja, ist die nicht furchtbar?

BARBARA Ja, das stimmt. Erna sieht ganz toll darin aus. Man kann sie schon von der Straße aus erkennen.

[8] einmal sometime in the future [9] dazu to do that
[10] über about

GISELA Eigentlich tut sie mir leid. Ich glaube, sie hat die Bluse von ihrer Kusine.

BARBARA Sag mal, Gisela. Am Samstag möchten wir Einkäufe machen. Meine Mutter wird mir auch eine neue Bluse kaufen. Willst du nicht mitkommen und etwas aussuchen?

GISELA Ja, wenn ich dir helfen kann, sehr gerne. Wirst du mir dann auch einmal helfen?

BARBARA Aber natürlich. Komm doch um zwei zu uns herüber. Wir trinken zusammen eine Tasse Tee und dann können wir losfahren!

MUTTER (von unten) Barbara, wirst du bald herunterkommen?

BARBARA Ja, gleich, Mutter. Ich komme gleich herunter! – Also, auf Wiederhören, Gisela.[11] Ich hoffe, daß du kommen kannst.

GISELA Ich auch. Also bis morgen!

BARBARA Ja, bis morgen in der Schule.

MUTTER (von unten) Barbara! Du sitzt schon seit einer halben Stunde am Telefon!

BARBARA Aber Mutti! Das Telefon ist jetzt frei!

MUTTER Schön! Das freut mich. Wir sollten eigentlich drei Telefone haben!

[11] Also Well then

1. Wer ist eben vom Essen aufgestanden?
2. Wann haben Barbaras Eltern gegessen?
3. Was muß Gisela noch tun?
4. Wann ist Barbara mit den Hausaufgaben fertig geworden?
5. Kann Gisela jetzt noch in die Lichtspiele?
6. Wann darf sie nicht mehr aus dem Haus?
7. Was hat Barbara jetzt in ihrem Schlafzimmer?
8. Wann kann sie Gisela anrufen?
9. Was hört Gisela?
10. Wer macht den Lärm?
11. Wie macht er den Lärm?
12. Wo will er die Ziehharmonika nicht spielen?
13. Wie findet Gisela Erichs Musik?
14. Warum hat sie für seine Musik viel übrig?
15. Mit wem arbeitet Gisela jetzt immer?
16. Warum arbeitet sie immer mit Rudi?
17. Was weiß er?
18. Wer wohnt jetzt neben Gisela?
19. Was will Gisela am Samstag tun?
20. Wer wird ihr helfen?
21. Wer wird sonst noch mitkommen?
22. Wer möchte auch telefonieren?
23. Wie lange wartet sie schon?

2 Much ado about nothing.

FRAU WAGNER Hallo! Hallo! Hier Frau Wagner, Untere Badstraße hundertachtundneunzig. Ist jemand dort?

BEAMTER [1] Ja gewiß. Was können wir für Sie tun?

FRAU WAGNER Bitte, kommen Sie schnell! Da stehen vier Männer unter der Verkehrsampel vor meinem Haus und warten.

BEAMTER Ja, und?

FRAU WAGNER Sie stehen schon seit mehr als einer Stunde da.

BEAMTER Was tun sie denn?

FRAU WAGNER Das kann ich nicht sehen. Sie stehen zusammen da und sprechen mit tiefer Stimme.

BEAMTER So? Können Sie denn hören, was sie sagen?

FRAU WAGNER Nein, das kann ich auch nicht.

BEAMTER Vielleicht haben sie etwas verloren.

FRAU WAGNER Das glaub' ich nicht. Sie sehen immer nach oben.

BEAMTER Vielleicht haben sie an der Verkehrsampel zu arbeiten.

FRAU WAGNER Aber sie arbeiten ja nicht! Sie sehen immer nach meinem Zimmer. Ich weiß nicht, was sie tun; aber ich möchte nicht, daß sie in mein Haus kommen.

BEAMTER Wie sehen sie denn aus?

FRAU WAGNER O, nicht ungewöhnlich, wie alle Männer.

BEAMTER Da können wir leider nichts für Sie tun. Telefonieren Sie, wenn sie hereinkommen.

FRAU WAGNER Ach, dann kann ich ja nicht zu Bett gehen. Und es ist schon so spät, und ich möchte mich hinlegen.

BEAMTER Einen Augenblick, Frau Wagner! Sie sagen, Sie wohnen Untere Badstraße 198?

FRAU WAGNER Ja, das stimmt. Wissen Sie, was los ist? Was denn?

BEAMTER Ja, sehen Sie, wir haben eben gehört, die Verkehrsampel an der Ecke da geht nicht. Sie steht auf rot nach allen vier Seiten.

[1] Beamter officer, official

FRAU WAGNER Ach so! Und wann können die Männer wieder weitergehen?

BEAMTER Es wird gleich ein Beamter bei Ihnen vorbeikommen.[2] Danke schön, daß Sie uns angerufen haben.

FRAU WAGNER Bitte sehr. Auf Wiederhören!

[2] gleich immediately

1. Wer ruft die Polizei an?
2. Wo wohnt Frau Wagner?
3. Was soll die Polizei tun?
4. Wer steht vor Frau Wagners Haus?
5. Wie lange stehen sie schon da?
6. Wie sprechen sie?
7. Was kann Frau Wagner nicht hören?
8. Was glaubt sie nicht?
9. Auch was glaubt sie nicht?
10. Wie sehen die Männer aus?
11. Was kann die Polizei für Frau Wagner tun?
12. Was soll Frau Wagner tun?
13. Was kann sie nicht tun?
14. Was hat die Polizei eben gehört?
15. Wieso geht die Verkehrsampel nicht?
16. Wer wird gleich bei Frau Wagner vorbeikommen?

3 Hans, Fritz and Otto are visiting with Max in Max's room. Otto is sitting by the window, looking out to the street.

HANS Was ist denn los, Max? Du sagst ja nichts. Fehlt dir etwas?

MAX Ach, Sonntag Nachmittag ist furchtbar.

FRITZ Wieso denn?

MAX Dann dürft ihr alle kegeln gehen oder ins Kino. Nur ich darf nicht.

HANS Warum darfst du nicht? Mußt du arbeiten?

MAX Nein, meine Eltern möchten spazieren gehen oder Besuche machen.[1] Und da muß ich bei der kleinen Renate bleiben.

FRITZ Na ja. Jemand muß doch bei deiner Schwester bleiben. Sie ist ja noch so klein.

MAX Was werdet ihr tun?

HANS Wir wollen ins Kino gehen. „Tiefes Wasser“ im Europa-Lichtspielhaus. Hoffentlich ist es etwas Gutes.

[1] spazieren gehen go for a walk

MAX Warum geht ihr denn nicht?

HANS Wir müssen hier warten.

MAX Auf wen müßt ihr warten?

FRITZ Auf Ottos Brüder. Die werden hier vorbeikommen, mit ihrem Wagen.

MAX Wollen sie auch ins Kino?

HANS Nein, sie wollen tanzen gehen.

OTTO Weißt du, Max, Erich ist ja jetzt verheiratet, und da wird er seine Frau mitbringen.

MAX Warum kommen sie denn hier vorbei?

FRITZ Sie wissen, daß wir bei dir sind, und sie werden uns hinfahren.

OTTO Seht mal, dort kommt ihr Wagen.

HANS Können sie dich erkennen?

OTTO Aber gewiß! Ja, und jetzt hupen sie. Das sind sie!

FRITZ Hör mal, Otto, deine Schwägerin sieht eigentlich sehr schön aus.

OTTO Meinst du?

FRITZ Na, gehen wir! Die Sache wird Spaß machen.

OTTO Auf Wiedersehen, Max! Bis später!

HANS Ja, auf Wiedersehen, bis heute abend.

MAX Wiedersehen!

1. Was tut Max?
2. Was sagt er?
3. Wie findet er den Sonntag Nachmittag?
4. Was dürfen seine Freunde am Sonntag nachmittag tun?
5. Aber warum darf Max das nicht tun?
6. Was wollen seine Freunde tun?
7. Auf wen müssen sie hier warten?
8. Was wollen Ottos Brüder tun?
9. Wen werden sie mitbringen?
10. Was sieht Otto kommen?
11. Was tun die Brüder, als sie vor dem Haus vorbeikommen?
12. Was meint Fritz?
13. Wann werden die Freunde Max wiedersehen?

At the "Green Owl"

1 "Let's all go to the 'Green Owl'."
2 "But won't it be closed already?"
3 "On weekdays it's open until ten."

4 "What would all of you like?"
5 "I'll take apple pie. What are you having?"
6 "I'd rather have strawberries with whipped cream."
7 "There haven't been any of those around for a long time, you know."

8 "What's it going to be?"
9 "Just a cheese sandwich and a glass of milk."

10 "Shall I bring anything else?"
11 "Could you bring us a package of licorice?
12 Or a bar of chocolate with nuts?"

13 "I haven't got enough change with me.
14 Richard, can you help me out?"

15 "Did you ever get to Jürgen's last night?"
16 "Yes, I did get over there at eight o'clock.
17 Ingrid and Elfriede came too."
18 "Did you all have a good time?"
19 "Yes, Georg played the piano.
20 And a few of us danced."

In der „Grünen Eule"

„Kommt doch alle in die ‚Grüne Eule'!"
„Aber wird sie nicht schon geschlossen sein?"
„Sie ist an Wochentagen bis zehn Uhr offen."

„Was wollt ihr alle haben?"
„Ich nehme Apfelkuchen. Was nimmst du?"
„Ich nehme lieber Erdbeeren mit Schlagsahne."
„Die gibt's doch schon längst nicht mehr!"

„Was soll es sein, bitte?"
„Nur ein Käsebrot und ein Glas Milch."

„Soll ich sonst noch etwas bringen?"
„Könnten Sie uns eine Packung Lakritze bringen? Oder eine Tafel Schokolade mit Nüssen?"

„Ich habe nicht genug Kleingeld bei mir. Richard, kannst du mir aushelfen?"

„Bist du gestern noch bei Jürgen gewesen?"
„Ja, ich bin noch um acht Uhr hingegangen. Ingrid und Elfriede sind auch gekommen."
„Habt ihr alle viel Spaß gehabt?"
„Ja, Georg hat Klavier gespielt. Und ein paar von uns haben getanzt."

QUESTION-ANSWER PRACTICE

1
STEFAN Wohin sollen wir heute abend gehen?
JÜRGEN Kommt doch alle in die „Grüne Eule"!

2
STEFAN Wird sie nicht schon geschlossen sein?
JÜRGEN Sie ist gewöhnlich bis zehn Uhr offen.

3
KELLNERIN Was soll es sein, bitte?
WOLFRAM Ich nehme nur ein Käsebrot und ein Glas Milch.

4
WOLFRAM Was nimmst du?
JÜRGEN Ich nehme lieber Apfelkuchen.

5
STEFAN Gibt's noch Erdbeeren?
KELLNERIN Nein, die gibt's schon längst nicht mehr!

6
KELLNERIN Soll ich sonst noch etwas bringen?
STEFAN Bringen Sie uns, bitte, eine Tafel Schokolade mit Nüssen.

7
STEFAN Rolf, kannst du mir aushelfen?
WOLFRAM Ja, ich habe genug Kleingeld bei mir.

8
DORIS Bist du gestern noch bei Gustl gewesen?
RENATE Ja, ich bin noch um acht Uhr hingegangen.

9
DORIS Ist sonst noch jemand da gewesen?
RENATE Ja, Georg und Inge sind auch gekommen.

10
DORIS Was habt ihr getan?
RENATE Georg hat Klavier gespielt, und ein paar von uns haben getanzt.

PATTERN PRACTICE

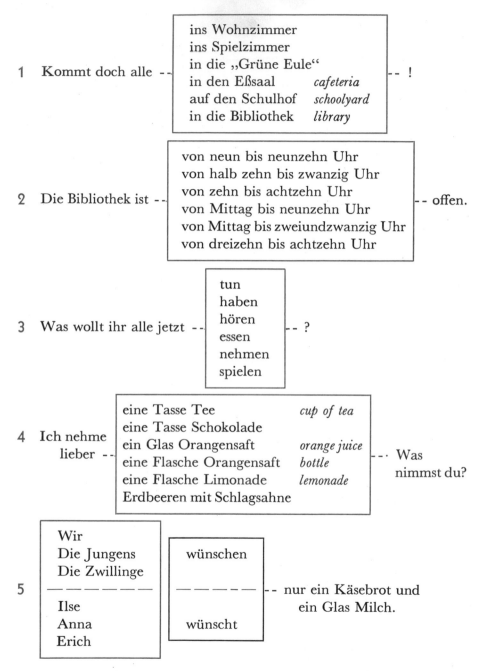

1 Kommt doch alle -- [ins Wohnzimmer / ins Spielzimmer / in die „Grüne Eule“ / in den Eßsaal *cafeteria* / auf den Schulhof *schoolyard* / in die Bibliothek *library*] -- !

ins Wohnzimmer	
ins Spielzimmer	
in die „Grüne Eule“	
in den Eßsaal	*cafeteria*
auf den Schulhof	*schoolyard*
in die Bibliothek	*library*

2 Die Bibliothek ist -- [box] -- offen.

von neun bis neunzehn Uhr
von halb zehn bis zwanzig Uhr
von zehn bis achtzehn Uhr
von Mittag bis neunzehn Uhr
von Mittag bis zweiundzwanzig Uhr
von dreizehn bis achtzehn Uhr

3 Was wollt ihr alle jetzt -- [box] -- ?

tun
haben
hören
essen
nehmen
spielen

4 Ich nehme lieber -- [box] -- Was nimmst du?

eine Tasse Tee	*cup of tea*
eine Tasse Schokolade	
ein Glas Orangensaft	*orange juice*
eine Flasche Orangensaft	*bottle*
eine Flasche Limonade	*lemonade*
Erdbeeren mit Schlagsahne	

5 [box] [box] -- nur ein Käsebrot und ein Glas Milch.

Wir Die Jungens Die Zwillinge	wünschen
Ilse Anna Erich	wünscht

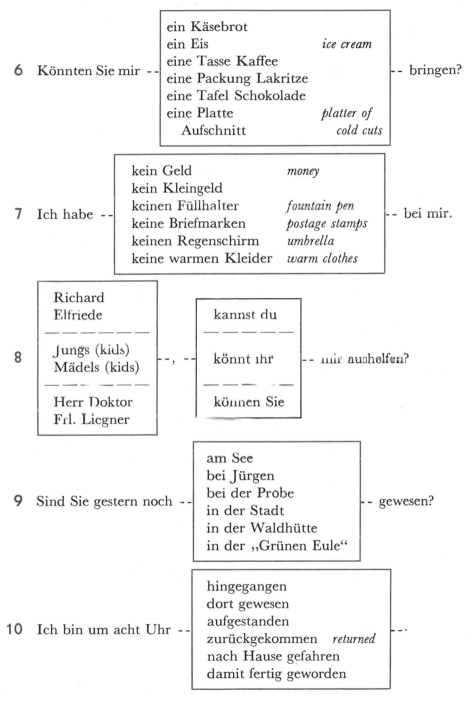

6 Könnten Sie mir -- [ ] -- bringen?

ein Käsebrot	
ein Eis	*ice cream*
eine Tasse Kaffee	
eine Packung Lakritze	
eine Tafel Schokolade	
eine Platte Aufschnitt	*platter of cold cuts*

7 Ich habe -- [ ] -- bei mir.

kein Geld	*money*
kein Kleingeld	
keinen Füllhalter	*fountain pen*
keine Briefmarken	*postage stamps*
keinen Regenschirm	*umbrella*
keine warmen Kleider	*warm clothes*

8 [ ] --, -- [ ] -- mir aushelfen?

Richard Elfriede	kannst du
Jungs (kids) Mädels (kids)	könnt ihr
Herr Doktor Frl. Liegner	können Sie

9 Sind Sie gestern noch -- [ ] -- gewesen?

am See
bei Jürgen
bei der Probe
in der Stadt
in der Waldhütte
in der „Grünen Eule“

10 Ich bin um acht Uhr -- [ ] --.

hingegangen	
dort gewesen	
aufgestanden	
zurückgekommen	*returned*
nach Hause gefahren	
damit fertig geworden	

CONVERSATIONS

1 In the Green Owl, the waiter is kept waiting.

KELLNER Was soll es sein, bitte?

ANNETTE Ich möchte nur ein Glas Milch.

DOROTHEA Bist du nicht hungrig? Ich bin immer hungrig. Ich nehme Apfelkuchen.

LAURA Ich bin nicht so hungrig wie du, Dorothea. Ich nehme nur eine Tasse Kaffee.

ANNETTE Was, du trinkst schon Kaffee? Ich mag nur Milch.

LAURA Milch! Milch gibt's immer zu Hause! Nimm doch einmal eine Tasse Kaffee.

ANNETTE Ich mag keinen Kaffee und will keinen Kaffee. Ich trinke lieber mein Glas Milch.

2 Richard is having his first ride in Reinhold's new sports car.

RICHARD Warum fährst du nicht los? Die Verkehrsampel ist doch grün!

REINHOLD Nein, das geht noch nicht. Man kann doch jetzt nur geradeaus fahren. Ich möchte aber nach der linken Seite fahren.

RICHARD Ja, dann mußt du also noch warten.—Hast du das Fräulein im roten Kleid gesehen?

REINHOLD Nein, wo?

RICHARD Da im Wagen neben uns.—

REINHOLD O, jetzt ist es wieder zu spät! Die Verkehrsampel ist schon wieder rot.—In welchem Wagen?

RICHARD Da in dem offenen Wagen rechts von uns.—Vorsicht! Die Verkehrsampel wird gleich wieder grün! So! Nun kannst du nach links fahren! Mach doch schnell!—Warum fährst du nicht?

REINHOLD Ja, was ist denn los? Da muß etwas kaputt sein. Der Motor geht nicht!

RICHARD In diesem Augenblick! Da stehen acht Wagen hinter uns und hupen!

3 On the phone.

URSULA Wirst du heute abend bei Jürgen sein?

MONIKA Ja, ich werde um acht Uhr hingehen. Ingrid und Elfriede werden auch hinkommen.

URSULA Ich glaube, wir werden viel Spaß haben. Georg wird Ziehharmonika spielen.

MONIKA Vielleicht werden wir auch tanzen können, nicht?

URSULA Na, ich weiß nicht. Du weißt, Jürgen mag nicht tanzen. Der will sich immer nur Platten anhören.

MONIKA Aber das macht nichts. Deine Vettern werden auch da sein, nicht? Ich weiß, die tanzen immer gern.—

URSULA Seid ihr alle gestern abend bei Eva gewesen?

MONIKA Ja, warum bist du nicht auch gekommen? Wir haben viel Spaß gehabt.

URSULA Ich muß immer Mittwoch abend zu Hause bleiben und arbeiten.

MONIKA Wieso? Sind denn deine Eltern nicht zu Hause?

URSULA Nein. Mein Vater geht Mittwoch abend immer kegeln, und meine Mutter arbeitet im Krankenhaus.

MONIKA Kannst du denn nicht fernsehen?

URSULA Nein, Fernsehen haben wir nicht.

MONIKA Oder Klavier spielen?

URSULA Das könnte ich schon. Aber dann rufen immer die Schmidts an.

MONIKA Wer sind die Schmidts?

URSULA Die wohnen unter uns und wollen nach neun Uhr keinen Lärm haben. Sie legen sich nämlich um neun immer schon hin.

MONIKA Ja, was tust du dann?

URSULA O, ich nehme ein Buch und setze mich aufs Sofa. Aber lange geht das nicht. Denn um zehn muß Elisabeth ihre Flasche haben. Du weißt, ich habe seit Oktober eine kleine Schwester.

MONIKA Na, dann hast du ja recht viel zu tun.

URSULA Ja, das kann man sagen. Aber das macht nichts: Es ist ja nur der eine Abend in der Woche.

4 Some of the boys go to a café.

KELLNERIN	Was wünschen Sie, bitte?
VIKTOR	Ich nehme eine Tasse Kaffee.
DIETER	Ich auch.
FRANZ	Ich mag keinen Kaffee. Haben Sie Limonade?
KELLNERIN	Ja, wir haben Limonade, Orangensaft und auch Schokolade, Kaffee, Tee und Milch.
FRANZ	Ich nehme Limonade.
ROBERT	Ich bin doch ein bißchen hungrig. Haben Sie etwas zu essen?
KELLNERIN	Ja, wir haben Apfelkuchen, Erdbeeren mit Schlagsahne und . . .
ROBERT	Ich nehme Erdbeeren mit Schlagsahne.
DIETER	Hast du genug Geld bei dir, Robert?
ROBERT	Na, das weiß ich nicht. Was kosten die Erdbeeren, Fräulein?
KELLNERIN	Fünfundsiebzig Pfennig.
ROBERT	Dann hab' ich genug.

5 Little Karin stops in at Mr. Katz's store.

HERR KATZ	Was willst du heute haben, Karin?
KARIN	Eine Tafel Schokolade, glaub' ich. Diese hier, bitte, mit Nüssen.
HERR KATZ	Schön. Eine Mark fünfunddreißig Pfennig, bitte.
KARIN	O, ich habe nicht genug Geld bei mir. Ich habe schon eine Packung Lakritze gekauft.
HERR KATZ	Na, wieviel Kleingeld hast du denn?
KARIN	Nur fünfundachtzig Pfennig.
HERR KATZ	So. Siehst du—diese Tafel hier kostet ja nur fünfundsiebzig Pfennig. Ohne Nüsse, aber sie schmeckt ausgezeichnet. Und sie ist sehr gesund—die beste Milch und Schokolade aus der Schweiz.
KARIN	O, danke. Ja, ich nehme diese Tafel.—Guten Tag, Herr Katz.
HERR KATZ	Auf Wiedersehen. Und komm bald wieder, Karin.

6 The records and the soft drinks in the Blue Cow are drawing lots of customers.

KURT Wie war es gestern nachmittag in der „Blauen Kuh"?

MORITZ Eigentlich gut. Wir sind früh hingegangen, um dreiviertel vier.

KURT Ja, vor vier Uhr gibt es noch Stühle. Dann können wir sitzen und uns die Schallplatten anhören.

MORITZ Nicht wahr? Aber von halb fünf an —! Vorgestern nachmittag bin ich da gewesen. Leider bin ich erst ein bißchen nach fünf Uhr hingekommen.

KURT Wie war es denn?

MORITZ Du weißt, es gibt nur vierzig Stühle. Aber es waren siebzig Jungs und Mädels da.—Da bin ich schnell nach Hause gegangen.

7 Hermann and his wife Karin begin by window shopping.

HERMANN Wie gefällt dir das reizende Armband da im Fenster? [1]

KARIN O, recht nett. Aber ich glaube, es würde mir nicht stehen. Margit hat auch so eins.—

HERMANN Da ist eine schöne Armbanduhr. [2] Die wäre etwas Hübsches für mich.

KARIN Warum möchtest du die haben? Du hast doch schon so eine. Und dann sieht diese da gar nicht so elegant aus.—

HERMANN Sag mal, wo sind eigentlich die Ohrringe, die ich dir zum Geburtstag gekauft habe? [3]

KARIN Ach, Hermann. Das weiß ich wirklich nicht. Es tut mir furchtbar leid, aber ich kann sie seit zwei Wochen nicht mehr finden. Ich glaube, ich habe sie im Schnee verloren.

HERMANN Wieso, im Schnee?

[1] das reizende Armband the charming bracelet [2] Armbanduhr wrist watch
[3] Ohrringe earrings

KARIN — Ja, weißt du, wir waren doch neulich bei den Himmelsbachs zu Besuch. Im Januar. Wir sind erst spät in der Nacht wieder nach Hause gekommen.[4] Und zu Hause hatte ich sie nicht mehr bei mir.

HERMANN — Na, du kannst sie ja auch im Keller gelassen haben. Da haben wir ja getanzt.

KARIN — Ja, das kann sein. Ich habe bei Himmelsbachs angerufen. Ich mußte doch „Danke schön" sagen. Aber sie haben sie auch nicht gefunden. Nicht im Haus, nicht im Keller und auch nicht vor dem Haus.

HERMANN — Und du weißt, daß du sie mitgebracht hattest?

KARIN — O, ganz gewiß.

HERMANN — Beide Ohrringe verloren![5] An e i n e m Abend? Das ist aber schade!

KARIN — O hör mal, Hermann! Da liegen ein Paar Ohrringe im Fenster, die gefallen mir so. Darf ich die einmal anprobieren?

HERMANN — Warum nicht? Wenn du meinst, daß sie dir stehen.

KARIN — Und sie sind ebenso schön wie die alten!

HERMANN — Gut! Wir können ja einmal hineingehen. Glücklicherweise haben sie hier noch nicht geschlossen. Es ist fünf Minuten vor fünf. Vielleicht kann ich dir etwas aussuchen.
(Sie gehen ins Geschäft.)[6]

HERMANN — Guten Tag, Fräulein! Sie haben da draußen ein Paar Ohrringe im Fenster. Auf der linken Seite. Darf meine Frau die einmal anprobieren?

VERKÄUFERIN — Aber gewiß, gerne!—Welche meinen Sie?—Ah, die beiden zwischen dem großen und dem kleinen Ring![7]—Ja, das ist wirklich ein wunderbares Paar, sehr ungewöhnlich. Das einzige Paar, das wir noch haben.

[4] Nacht night
[5] beide both
[6] Geschäft store
[7] die beiden those two; zwischen between

HERMANN Ja, sehr hübsch. Was kosten die?

VERKÄUFERIN Fünfhundertzwanzig Mark.

KARIN Was? Nur fünfundzwanzig Mark?—Du, Hermann, die gefallen mir nicht!

VERKÄUFERIN Verzeihung! Nicht fünfundzwanzig Mark! Fünfhundertzwanzig Mark!

KARIN Ach so!—Hermann, diese Ohrringe würden wunderbar zu meinem hellbraunen Kleid passen. Glaubst du nicht auch?

HERMANN So? Meinst du?

KARIN Ja. Willst du sie mir nicht kaufen? Die wünsche ich mir zu Weihnachten!

HERMANN Also gut! Aber habe ich genug Geld bei mir?—Ja, es geht. Die will ich nehmen. Hier sind fünfhundertfünfzig Mark.

VERKÄUFERIN Danke sehr! Und hier sind dreißig Mark zurück. [8]

KARIN O, vielen Dank, Hermann! Du bist wirklich reizend!—Hier, willst du sie in deine Tasche stecken? Ich möchte diese nicht auch verlieren.

[8] zurück in return (as change)

1. Wo stehen Hermann und seine Frau?
2. Was sieht Hermann zuerst im Fenster?
3. Gefällt das Karin?
4. Was sieht Hermann dann?
5. Gefällt die Karin?
6. Was sieht Hermann endlich?
7. Was fragt er Karin?
8. Was glaubt Karin von ihren Ohrringen?
9. Wann war das?
10. Wo war das?
11. Was sieht Karin jetzt auch?
12. Was möchte sie tun?
13. Was können Hermann und Karin noch tun?
14. Warum können sie noch hineingehen?
15. Was weiß die Verkäuferin zuerst nicht?
16. Findet sie sie dann?
17. Welche Ohrringe meint Hermann?
18. Wieviel kosten die Ohrringe?
19. Zu welchem Kleid würden sie gut passen?
20. Wieviel Geld gibt Hermann der Verkäuferin?
21. Wieviel Geld gibt sie ihm zurück?
22. Wohin steckt Hermann die Ohrringe?

TOPICS FOR REPORTS

1

Nach der Schule gehen meine Freunde und ich zur ,,Grünen Eule.“ ..... *In welcher Straße ist sie?* ..... *Was kann man dort essen und trinken?* ..... *Bis wann ist sie offen?* ..... *Ist sie auch Sonntags offen?*

2

Nachmittags bin ich immer hungrig. ..... *Ißt du etwas, wenn du nach Hause kommst?* ..... *Bist du jetzt noch hungrig?* ..... *Was möchtest du gern essen?* ..... *Bist du am Abend wieder hungrig?*

3

Gestern hab’ ich drei neue Schallplatten gekauft. ..... *Wie viele Platten hast du jetzt?* ..... *Wo kaufst du deine Platten?* ..... *Wo ist das Kaufhaus?* ..... *Was kostet eine Platte?*

4

Vorgestern abend haben wir viel Spaß gehabt. ..... *Bei wem warst du?* ..... *Waren Heinz und Friedel auch da?* ..... *Hast du dir Musik angehört?* ..... *Was hast du sonst noch getan?*

5

Meine Freunde und ich werden mit dem Fahrrad nach draußen fahren. ..... *An welchem Tag werdet ihr fahren?* ..... *Um wieviel Uhr?* ..... *Wie weit wird das sein?* ..... *Werdet ihr im Freien essen?* ..... *Was werdet ihr tun, wenn es regnet?* ..... *Um wieviel Uhr kommt ihr wieder nach Hause?*

Bad Luck

"What's the matter, Paul; don't you feel well?"
"Well, I don't know what's the matter with me.
I've had a headache for the past two days.
And my whole body aches."
"Then you ought to go to the doctor right away."

"Is Elizabeth feeling better now?"
"She didn't have any fever this morning."
"What did the doctor say?"
"She had a slight infection."

"What happened to Klaus?
He's limping badly."
"Haven't you heard anything about it?
He slipped on a rug—
and tumbled down the whole flight of stairs.
He sprained his foot doing it."

"George's brother had an accident with his car."
"I hope it wasn't anything serious."
"He ran into a tree.
He went head first out of the car.
And he broke his arm."

Pech

1 „Was ist denn los, Paul, fühlst du dich nicht wohl?“
2 „Nun, ich weiß nicht, was mit mir los ist.
3 Schon seit zwei Tagen hab’ ich Kopfweh.
4 Und es tut mir am ganzen Körper weh.“
5 „Da solltest du aber gleich zum Arzt gehen.“

6 „Fühlt sich Elisabeth jetzt wieder besser?“
7 „Heute morgen hatte sie kein Fieber mehr.“
8 „Was hat der Arzt gesagt?“
9 „Sie hatte eine kleine Entzündung.“

10 „Was ist denn dem Klaus passiert?
11 Der hinkt ja so.“
12 „Hast du denn nichts davon gehört?
13 Er ist auf einem Teppich ausgerutscht—
14 —und ist die ganze Treppe hinuntergefallen.
15 Dabei hat er sich den Fuß verrenkt.“

16 „Georgs Bruder hat einen Unfall mit dem Wagen gehabt.“
17 „Hoffentlich war’s nichts Ernstes.“
18 „Er ist gegen einen Baum gefahren.
19 Dabei ist er aus dem Wagen gestürzt.
20 Und er hat sich den Arm gebrochen.“

QUESTION-ANSWER PRACTICE

1
FRAU VOGT Fühlst du dich jetzt wieder besser?
CHRISTINE Ich hatte heute morgen kein Fieber mehr.

2
FRAU VOGT Und was macht der Kopf?
CHRISTINE Ich hab' auch kein Kopfweh mehr.

3
FRAU VOGT Was hat der Arzt gesagt?
CHRISTINE Ich hatte eine kleine Entzündung.

4
HERR STEIN Fühlt sich Paul heute nicht wohl?
FRAU MEYER Er weiß nicht, was mit ihm los ist. Es tut ihm am ganzen Körper weh.

5
HERR STEIN Sollte er nicht zum Arzt gehen?
FRAU MEYER Ja, das sollte er gleich tun.

6
HELMUT Was ist mit Klaus los? Er hinkt ja so.
DIETER Er hat sich den Fuß verrenkt.

7
HELMUT Was ist ihm denn passiert?
DIETER Er ist auf einem Teppich ausgerutscht und die ganze Treppe hinuntergefallen.

8
ULRICH Was ist mit deinem Bruder los?
FRIEDA Er hat einen Unfall mit dem Wagen gehabt.

9
ULRICH Was ist denn passiert?
FRIEDA Er ist gegen einen Baum gefahren. Dabei ist er aus dem Wagen gestürzt.

10
ULRICH Hoffentlich war's nichts Ernstes?
FRIEDA Glücklicherweise hat er sich nur den Arm gebrochen.

PATTERN PRACTICE

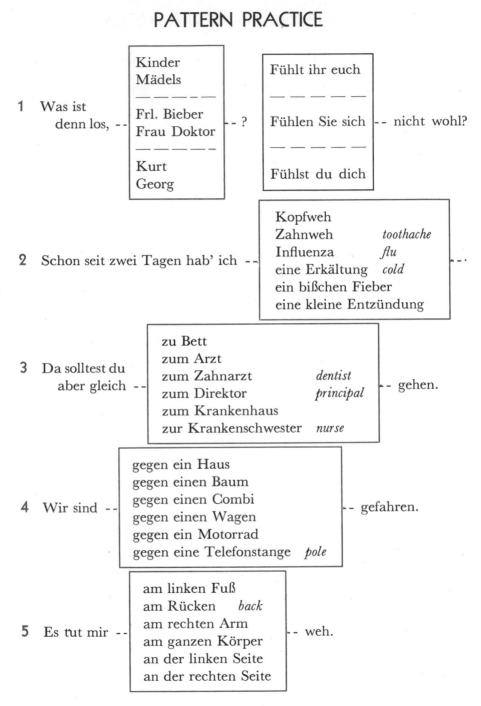

1 Was ist denn los, -- [Kinder / Mädels — Frl. Bieber / Frau Doktor — Kurt / Georg] -- ? [Fühlt ihr euch — Fühlen Sie sich — Fühlst du dich] -- nicht wohl?

Was ist denn los,			nicht wohl?
	Kinder Mädels	Fühlt ihr euch	
	Frl. Bieber Frau Doktor	Fühlen Sie sich	
	Kurt Georg	Fühlst du dich	

2 Schon seit zwei Tagen hab' ich --

Kopfweh	
Zahnweh	*toothache*
Influenza	*flu*
eine Erkältung	*cold*
ein bißchen Fieber	
eine kleine Entzündung	

--.

3 Da solltest du aber gleich --

zu Bett	
zum Arzt	
zum Zahnarzt	*dentist*
zum Direktor	*principal*
zum Krankenhaus	
zur Krankenschwester	*nurse*

-- gehen.

4 Wir sind --

gegen ein Haus	
gegen einen Baum	
gegen einen Combi	
gegen einen Wagen	
gegen ein Motorrad	
gegen eine Telefonstange	*pole*

-- gefahren.

5 Es tut mir --

am linken Fuß	
am Rücken	*back*
am rechten Arm	
am ganzen Körper	
an der linken Seite	
an der rechten Seite	

-- weh.

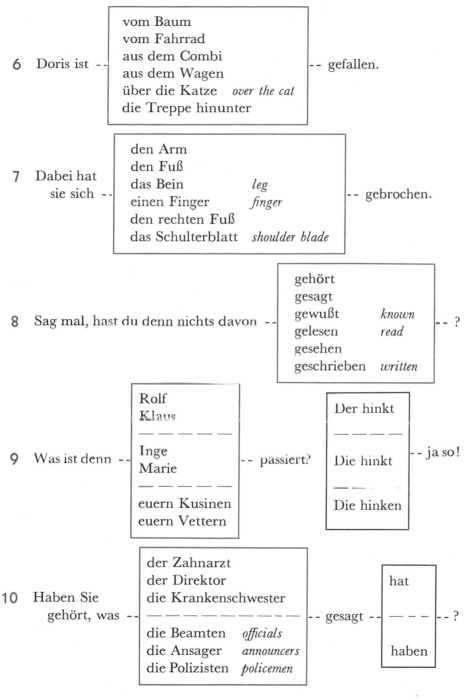

6 Doris ist -- [vom Baum / vom Fahrrad / aus dem Combi / aus dem Wagen / über die Katze *over the cat* / die Treppe hinunter] -- gefallen.

vom Baum	
vom Fahrrad	
aus dem Combi	
aus dem Wagen	
über die Katze	*over the cat*
die Treppe hinunter	

7 Dabei hat sie sich -- [...] -- gebrochen.

den Arm	
den Fuß	
das Bein	*leg*
einen Finger	*finger*
den rechten Fuß	
das Schulterblatt	*shoulder blade*

8 Sag mal, hast du denn nichts davon -- [...] -- ?

gehört	
gesagt	
gewußt	*known*
gelesen	*read*
gesehen	
geschrieben	*written*

9 Was ist denn -- [...] -- passiert? [...] -- ja so!

Rolf Klaus	Der hinkt
Inge Marie	Die hinkt
euern Kusinen euern Vettern	Die hinken

10 Haben Sie gehört, was -- [...] -- gesagt -- [...] -- ?

der Zahnarzt der Direktor die Krankenschwester		hat
die Beamten	*officials*	haben
die Ansager	*announcers*	
die Polizisten	*policemen*	

CONVERSATIONS

1 In the gym.

KÄTE	Was ist denn los, Lotte?
LOTTE	Wieso denn?
KÄTE	Du hinkst ja so.
LOTTE	O, hast du denn nichts davon gehört?
KÄTE	Nein, was? Was ist dir denn passiert?
LOTTE	Freitag bin ich spät aufgestanden. Ich mußte schnell machen, und dabei bin ich über unsere Katze gefallen und habe mir den Fuß verrenkt.
KÄTE	Eure Katze? Seit wann habt ihr denn eine Katze?
LOTTE	Seit zwei Wochen. Wir haben sie draußen im Friedrichspark gefunden, und sie will nur bei uns bleiben.—Sehr nett, aber ganz schwarz, weißt du.
KÄTE	Ach so! Nun, das tut mir furchtbar leid. Was sagt denn der Arzt?
LOTTE	Er kann nicht viel machen. Der Fuß ist nicht gebrochen, nur verrenkt. Nun muß ich eben warten, bis er wieder besser wird.
KÄTE	Na, hoffentlich geht's dir bald wieder besser.
LOTTE	Danke schön, Käte.

2 Mr. Pfeiffer is waiting impatiently on the front porch.

HERR PFEIFFER	Felix, wo bist du? Bist du noch nicht heruntergekommen?
FELIX PFEIFFER	Doch, ich bin ja hier im Eßzimmer.—Mutti, hast du meine Badehose gesehen?
FRAU PFEIFFER	Liegt sie nicht im Badezimmer? Ich habe sie heute morgen gesehen.
HERR PFEIFFER	Mach schnell! Wir warten im Wagen auf dich.
FRAU PFEIFFER	Ja, wir müssen schnell machen, wenn wir um neun Uhr bei der Waldhütte sein wollen. (Eine Minute später.)
FELIX PFEIFFER	Mutti, hilf mir doch!
FRAU PFEIFFER	Was ist denn los?

FELIX PFEIFFER — Ich bin die Treppe hinuntergefallen! Ich glaube, ich habe mir den Fuß verrenkt!

FRAU PFEIFFER — Erich, komm und hilf mir doch. Wir müssen ihn ins Krankenhaus bringen.

HERR PFEIFFER — Warum muß ihm immer etwas passieren, wenn wir hinausfahren wollen?

FRAU PFEIFFER — Aber du hast gesagt, er sollte schnell machen.

HERR PFEIFFER — Na, bringen wir ihn zum Arzt.

FELIX PFEIFFER — Macht schnell! Ich kann nicht gehen. Der Fuß tut mir furchtbar weh.

FRAU PFEIFFER — Es tut mir wirklich leid.

HERR PFEIFFER — Ja, mir auch. Kommt, gehen wir!

3 It's 4:25 p.m. in the "Green Owl".

JOHANN — Es ist bald halb fünf, und Bruno ist noch nicht hier.

OSKAR — Ja, wie lange warten wir schon auf ihn?

MAX — Beinahe eine halbe Stunde.

JOHANN — Hier kommt Bruno! Er hinkt ein bißchen, nicht?—Wie geht's, Bruno?

BRUNO — Danke, es geht so. Es tut mir am ganzen Körper weh, aber es geht.

JOHANN — Sag mal, was ist denn passiert?

BRUNO — Na, da war ich in der Brückenstraße, auf dem Fahrrad. Und da kommt ein Combi, links hinter mir. Die Fahrerin ist ein hübsches Fräulein. Sie kennt die Stadt nicht, und sie weiß nicht, daß man an der Verkehrsampel nur geradeaus fahren darf. Sie will nach rechts fahren—und dabei fährt sie gegen mich.

OSKAR — Und du bist vom Fahrrad gestürzt?

BRUNO — Ja, auf die Straße.

OSKAR — Und du hast nicht den Arm gebrochen?

BRUNO — Nein, glücklicherweise nicht. Nur die rechte Hand ist ein bißchen verrenkt. Und mein linker Fuß ist ganz grün und blau. Aber es ist nichts Ernstes. In ein paar Tagen werde ich wieder auf den Beinen sein.—Aber leider muß ich mir ein neues Fahrrad kaufen. Das alte Fahrrad ist ganz kaputt.

4 Mrs. Stark is in the hospital getting over a case of pneumonia.

DR. GRIMM Na, Frau Stark, wie fühlen Sie sich heute?

FRAU STARK Ein bißchen besser, glaub' ich, Herr Doktor. Ich habe heute morgen gut gegessen.

DR. GRIMM Schön. Haben Sie immer noch Fieber?—Ah, hier ist mein Thermometer.—Gut! Ihre Temperatur ist jetzt nur 37,2 (siebenunddreißig, zwo)—beinahe wieder normal.

FRAU STARK Muß ich hier immer noch zu Bett liegen?

DR. GRIMM Ja, noch ein paar Tage. Heute ist Mittwoch, nicht wahr?

FRAU STARK Darf ich denn am Freitag aufstehen?

DR. GRIMM Nein, das wäre zu früh. Erst Samstag, wenn alles gut geht. Dann dürfen Sie ein paar Stunden da im Stuhl sitzen.

FRAU STARK Wann darf ich denn wieder nach draußen gehen? Sie wissen, ich bin so gern im Freien.

DR. GRIMM Das werden wir sehen. Ich werde noch Freitag und Samstag wieder kommen. Vielleicht können Sie Montag nach Hause gehen.

5 Miss Bieber checks the roll in her home room.

FRÄULEIN BIEBER Wer fehlt heute? O, Konrad Wilmanns—Wo ist denn der?

GREGOR FÖRSTER Wissen Sie das denn nicht? Er ist zu Hause und liegt zu Bett.

FRÄULIEN BIEBER Wieso denn? Ist er wieder krank?

GREGOR FÖRSTER Nein, er hat sich beide Arme gebrochen. Seine Mutter hat einen Unfall gehabt. Sie ist gegen einen Baum gefahren, und Konrad ist dabei aus dem Wagen gestürzt.

FRÄULEIN BIEBER O, das ist schade! Davon hatte ich nichts gehört. Konrad hat wirklich Pech gehabt. Im Oktober hat er sich den Fuß verrenkt, nicht?

GREGOR FÖRSTER Ja, und schon im Juli hat er sich zwei Finger gebrochen.

FRÄULEIN BIEBER Nun, sag ihm bitte, es tut mir leid. Hoffentlich kann er bald wieder zur Schule kommen.

6 Lili is organizing a picnic.

LILI Wir wollen morgen nachmittag zum Flußpark gehen und da im Freien essen. Könnt ihr mitkommen?

ROSA Ich komme gerne, aber Liese kann nicht.

LILI Was ist denn los mit ihr?

ROSA Das wissen wir nicht. Der Arzt ist noch nicht gekommen. Wir glauben, sie hat eine Entzündung. Schon Freitag abend bei der Orchesterprobe hat sie ein bißchen Kopfweh gehabt.

LILI Hat sie Fieber?

ROSA Ja, und wie! Neununddreißig, vier!

LILI O, das kann ernst werden.—Gute Besserung. Aber du kommst doch, nicht?

7 Ulrike is visiting her aunt.

TANTE LUISE Sag mal, wann möchtest du morgen Frühstück haben?

ULRIKE O nicht zu früh. Ich bin heute morgen um fünf Uhr aufgestanden.

TANTE LUISE Dann bist du gewiß furchtbar müde.

ULRIKE Ja, ziemlich. Und gestern hab' ich noch den ganzen Tag an meinen Hausaufgaben gearbeitet.

TANTE LUISE Und dann heute die lange Reise mit dem Autobus—

ULRIKE Tante Luise, darf ich morgen mit Mutti telefonieren?

TANTE LUISE Natürlich. Ich möchte gerne ihre Stimme wieder hören.—Aber sag mal, Ulrike—was wollt ihr morgen tun?

ULRIKE Friedel und ich wollten ein paar Einkäufe machen —ein Paar neue Schuhe und einen neuen Hut.

TANTE LUISE Darf ich mit euch gehen?

ULRIKE Ja, das wäre sehr nett.

TANTE LUISE Nun, dann bleib nur liegen, bis wir dich zum Frühstück herunter rufen.

ULRIKE Ja, gewiß, Tante Luise.—Aber nun möchte ich mich hinlegen.

TANTE LUISE Ja, mach schnell.—Gute Nacht, Ulrike!

8 Rosmarie Hübner calls her old friend Betty Schöffer with an invitation to a New Year's party.

ROSMARIE Hallo, Betty! Sag mal, seid ihr am Samstag abend noch frei?

BETTY Ja, ich glaube, übermorgen sind wir noch frei. Warum?

ROSMARIE Würdest du und dein Mann mit uns zum Neuen Jahr ein Glas Punsch trinken? [1]

BETTY O, das ist furchtbar nett. Viktor ist eben mit seinem neuen Buch fertig geworden. Du weißt doch, daß er einen Preis gewonnen hat, mit seinem ersten Buch?

ROSMARIE Schön, das freut mich.

BETTY Dürfen wir die Kinder mitbringen?

ROSMARIE O Betty, ich glaube, es wäre besser, wenn ihr die Kinder diesmal zu Hause laßt. [2] Sie sollen doch schlafen. [3] Es wird gewiß spät werden—

BETTY Na, vielleicht kann Tante Irma bei den Kindern bleiben.—Ihr wohnt doch jetzt in eurem eignen Häuschen?

ROSMARIE Ja, das stimmt. Seit dem ersten November wohnen wir in unserem neuen Haus.

BETTY Glaubst du, daß wir es finden können? Kannst du mir sagen, wie man zu euch kommt?

ROSMARIE Ja, das Haus liegt draußen, vor der Stadt.

BETTY Wie weit denn?

ROSMARIE Beinahe fünfundzwanzig Kilometer. Ihr müßt die Straße nach dem Sportpark nehmen. Fahrt immer geradeaus, bis ihr zur zwölften Verkehrsampel kommt. Dann müßt ihr nach links fahren, bis zum Schwimmbad. Dort geht's rechts um die Ecke, etwas durch den Wald, immer die Straße entlang. [4] Und wenn ihr aus dem Wald kommt, findet ihr unser Haus auf der linken Seite. Ihr könnt es an der Farbe erkennen—gelb, hellgelb.

BETTY Na, ich glaube, wir werden es schon finden.

ROSMARIE O, noch etwas, Betty.

BETTY Ja, was denn?

ROSMARIE Könntet ihr vielleicht ein paar Flaschen Fruchtsaft und etwas Kuchen mitbringen?[5] Heinz ist noch auf Reisen und kommt erst am Samstag nachmittag zurück.[6] Und ich komme vor Silvester nicht mehr in die Stadt.

BETTY Ja gewiß, wenn es euch bequemer so ist. Sonst noch etwas?

ROSMARIE Nein, das wäre alles. Recht vielen Dank, Betty! O, es freut mich so, wieder mit euch zu sprechen!

BETTY Mich auch. Also dann auf Wiedersehen, bis Samstag abend!

[1] Punsch punch
[2] diesmal this time
[3] schlafen sleep
[4] durch den Wald through the woods
[5] Fruchtsaft fruit juice
[6] zurück back

1. Was sollen Betty Schöffer und ihr Mann übermorgen tun?
2. Was wollen sie zusammen tun?
3. Womit ist Viktor Schöffer eben fertig geworden?
4. Was hat er mit seinem ersten Buch gewonnen?
5. Wo sollen Viktor und Betty ihre Kinder lassen?
6. Wer kann bei den Kindern bleiben?
7. Wo wohnen Hübners jetzt?
8. Wo liegt das Haus?
9. Wie kann man es erkennen?
10. Was soll Betty noch mitbringen?
11. Warum kann Rosmarie das nicht aus der Stadt bringen?
12. Warum kann Heinz es nicht mitbringen?

TOPICS FOR REPORTS

1

Ich fühle mich heute nicht wohl. ..... *Was ist mit dir los?* ..... *Hast du Kopfweh?* ..... *Hast du auch Fieber?* ..... *Seit wann bist du krank?* ..... *Bist du schon zum Arzt gegangen?* ..... *Was hat der Arzt gesagt?*

2

Meine Freundin hat einen Unfall mit dem Wagen gehabt. ..... *Wie heißt sie?* ..... *Wann hat sie den Unfall gehabt?* ..... *Wo ist das passiert?* ..... *Ist es etwas Ernstes gewesen?* ..... *Ist sie jetzt im Krankenhaus oder zu Hause?* ..... *Wie geht es ihr heute?*

3

Letzte Woche hab' ich eine kleine Entzündung gehabt. ..... *Wann hast du dich zuerst nicht wohl gefühlt?* ..... *Hat deine Mutter den Arzt gerufen?* ..... *Wie heißt euer Arzt?* ..... *Ist er zu eurem Haus gekommen?* ..... *Wie lange hast du zu Bett gelegen?*

4

Gestern ist ein Unfall vor unserem Haus passiert. ..... *Wann ist das gewesen?* ..... *Hat jemand sich etwas verrenkt oder gebrochen?* ..... *Hat man sie zum Krankenhaus gebracht?* ..... *Wie geht es ihnen jetzt?*

5

Heute fehlen viele Schüler und Schülerinnen. ..... *Wie viele Schüler und Schülerinnen haben wir eigentlich in der Klasse?* ..... *Wie viele sind heute hier?* ..... *Sind die anderen alle krank?* ..... *Was ist los mit ihnen?* ..... *Wie fühlst du dich heute?*

V

Reading and Review

1 At the TV studio, the announcer interviews the new High School swimming champion.

ANSAGER[1] Ah, hier kommt unser Mann, Stefan Brecht. Der hat gestern den ersten Preis im Schwimmen gewonnen. Man kann ihn schon an seinem Anzug erkennen.[2] —Der Anzug ist ja ein bißchen ungewöhnlich: rote Jacke und grüne Hose. Aber das muß man sagen: der Anzug steht ihm glänzend. —Einen Augenblick, bitte, und wir werden Ihnen Stefan Brecht im Film bringen. Ah, hier ist Stefan Brecht. —Herr Brecht, wir haben alle viel Spaß an Ihrem Schwimmen gehabt. Das war ja großartig!

STEFAN Danke, danke! Vielen Dank! Es freut mich, Sie kennen zu lernen.

ANSAGER Herr Brecht, darf ich Sie etwas fragen—für die Geschwister zu Hause, nicht wahr?

STEFAN Aber natürlich, sehr gerne, bitte sehr.

ANSAGER Wie lange schwimmen Sie schon?

STEFAN Seit siebzehn Jahren.

ANSAGER Das ist wunderbar. Und darf ich fragen, wie alt Sie sind?

STEFAN Neunzehneinhalb.

ANSAGER Wann haben Sie Geburtstag?

STEFAN Mitten im Winter, am fünfundzwanzigsten Januar.

ANSAGER Wünschen Sie sich etwas zum Geburtstag, einen neuen Wagen oder so etwas?

STEFAN Nein—den hab' ich schon. Aber Erdbeeren mit Schlagsahne.

ANSAGER Das ist ja großartig! (Zum Publikum)[3] Haben Sie das gehört? Erdbeeren mit Schlagsahne! —Warum denn das?

[1] Ansager announcer [2] Anzug suit [3] Publikum audience

STEFAN Ja, sehen Sie. Wenn ich schwimme, darf ich nicht viel essen. Und es ist noch lange bis zu meinem Geburtstag. Und dann gibt es gewöhnlich keine Erdbeeren mehr.

ANSAGER Herr Brecht, haben Sie Geschwister?

STEFAN Ja, zwei Schwestern. Die sind Zwillinge.

ANSAGER Zwillinge? Das ist ja ausgezeichnet! – (Zum Publikum) Zwillinge! Haben Sie das gehört? – Und was tun Ihre Schwestern?

STEFAN Marie ist Lehrerin. Sie hat vor zwei Jahren einen Preis gewonnen.

ANSAGER Als Lehrerin? In der Schule?

STEFAN Nein, im Tennisspiel.

ANSAGER Und Ihre zweite Schwester? Was tut die?

STEFAN Helene? Die schwimmt auch, wie ich. Vom Frühling bis zum Herbst schwimmt sie – in der Tiefe – unter Wasser. Im Winter ist sie Verkäuferin in einem Kaufhaus für Schallplatten. Für Musik hat sie nämlich sehr viel übrig. Sie schwimmt nach Musik.

ANSAGER Sie macht ihre Sache gewiß sehr gut?

STEFAN Ja, sie hat neulich auch einen Preis gewonnen!

ANSAGER Was? Auch einen Preis? Wofür denn? [4]

STEFAN Sie spielt Ziehharmonika!

ANSAGER Herr Brecht! Sie und Ihre Schwestern sind mehr als gewöhnliche Geschwister!

STEFAN Danke, Danke! Möchten Sie meine Schwester kennen lernen? Hier ist sie! (Zu Helene) Du mußt nicht hinter mir stehen. [5] Hier, setze dich neben mich!

ANSAGER Aber natürlich, Fräulein Brecht! Es freut mich sehr! Sie müssen gleich herein kommen, Fräulein Brecht, und sich neben Ihren Bruder setzen! [6] Das habe ich gar nicht gewußt, daß Ihre Schwester auch schwimmt. [7] (Zum Publikum) Ist sie nicht reizend?

[4] wofür for what?
[5] mußt nicht don't have to
[6] gleich right away
[7] habe nicht gewußt didn't know

Da, zwischen all den Männern? [8] — Und nun, Herr Brecht, darf ich Sie fragen, was Sie morgens frühstücken?

STEFAN Nur eine Packung Maisflocken. [9]

ANSAGER Sonst nichts?

STEFAN Etwas Milch natürlich. Und ein großes Glas Orangensaft.

ANSAGER Und wo wohnen Sie?

STEFAN Bei meinen Eltern.

ANSAGER Ist Ihr Haus groß genug für Sie?

STEFAN Das will ich meinen.

ANSAGER Wie lange schlafen Sie?

STEFAN Die ganze Nacht — zehn Stunden, von neun bis sieben.

ANSAGER Und was tun Sie zu Mittag?

STEFAN Dann hab' ich Probe!

ANSAGER Nun, vielen Dank, Herr Brecht. Es hat uns sehr gefreut, Sie zu sprechen. — Auf Wiedersehen!

[8] zwischen among, between

[9] Maisflocken corn flakes

1. Was hat Stefan Brecht gewonnen?
2. Wie sieht sein Anzug aus?
3. Aber wie steht er ihm?
4. Wie alt ist Stefan?
5. Wie lange schwimmt er schon?
6. Was wünscht er sich zum Geburtstag?
7. Warum wünscht er sich das?
8. Wieviel Schwestern hat Stefan Brecht?
9. Sind das gewöhnliche Schwestern?
10. Was tun die zwei Schwestern?
11. Was hat die Lehrerin gewonnen?
12. Was hat die Schwimmerin gewonnen?
13. Warum hat sie diesen Preis gewonnen?
14. Wer soll Stefans Schwester kennen lernen?
15. Wo steht Helene?
16. Was soll sie aber tun?
17. Wie sieht Helene Brecht aus?
18. Was hat Stefan zum Frühstück?
19. Wie lange schläft er?
20. Wann hat er Schwimmprobe?

2 The Schwalbes have invited the Fincks to visit them at their week-end cottage. The two wives are talking on the porch of the cottage.

FRAU FINCK	Es freut mich so, daß wir wieder einmal im Freien sein dürfen!
FRAU SCHWALBE	Nicht wahr, in dieser Jahreszeit möchte man nicht gerne drinnen im Hause bleiben?
FRAU FINCK	Es war furchtbar nett von Ihnen, daß Sie uns angerufen haben. Glücklicherweise waren wir an diesem Wochenende frei. Wir wollten schon längst einmal an Ihrem Häuschen vorbeikommen.
FRAU SCHWALBE	Und nun, wie gefällt's Ihnen?
FRAU FINCK	Ganz großartig.
FRAU SCHWALBE	Nicht wahr? Die Größe ist doch etwas ungewöhnlich für ein Haus am See. Mit seinen sieben Zimmern ist es mehr als eine kleine Waldhütte.

* * *

(Die Kinder von Frau Finck kommen.)

ALBERTA	Mutti, dürfen wir mit Ingrid und Helmut am See spielen?
FRAU FINCK	Nein, Kinder, nicht am See. Spielt hinter dem Haus oder am Weg. Aber nicht auf der Straße oder am See!
ALBERTA	Ja, Mutti.
FRAU FINCK	Heinrich, hast du nicht deinen Ball mitgebracht?
HEINRICH	Ja, hier ist er.
FRAU SCHWALBE	Wenn ihr Lust habt, könnt ihr ja hinter dem Haus Ball spielen.
FRAU FINCK	Aber, bitte, Kinder, macht keinen Lärm! Herr Schwalbe hat sich hingelegt. Spielt doch dort den Weg entlang! Dort könnt ihr auch auf Vati warten. (Die Kinder gehen.)

* * *

FRAU SCHWALBE Die Jungs und Mädels werden hier viel Spaß haben!

FRAU FINCK Ja, das glaub' ich auch. – Wie lange haben Sie schon das Haus?

FRAU SCHWALBE O – seit vier oder fünf Jahren. Eigentlich hat meine Schwägerin es gefunden. Wir haben es von ihr gekauft. Im Herbst fahren wir immer Sonntags heraus. Dann gehen wir schwimmen, oder wir gehen spazieren. [1] Oder wir arbeiten am Haus. Es gibt immer etwas zu tun. [2]

FRAU FINCK Das kann ich glauben!

FRAU SCHWALBE Oder wir nehmen unser Essen mit und fahren in den Wald.

* * *

FRAU FINCK Es ist schade, daß mein Mann noch nicht hier ist.

FRAU SCHWALBE Ja, wir wollten zum Essen alle zusammen sein. Aber wir wollen noch warten.

FRAU FINCK Arthur wollte zum Mittagessen hier sein. Hoffentlich hat er keinen Unfall gehabt.

FRAU SCHWALBE Das hoffe ich auch! – Da höre ich das Telefon im Haus. Einen Augenblick – ich werde gleich wieder hier sein!

FRAU FINCK Ja, bitte sehr! (Frau Schwalbe geht hinein – kommt dann wieder.)

FRAU SCHWALBE Ihr Mann hat eine Reifenpanne. Er wird aber in einer Viertelstunde hier sein.

FRAU FINCK Ich hoffe, daß es nichts Ernstes war. Ist er noch am Fernsprecher?

FRAU SCHWALBE Nein, nicht mehr. – Wollten Sie mit ihm sprechen, oder sollte ich ihm etwas ausrichten?

FRAU FINCK O, nicht von mir. Ich will hier auf ihn warten.

* * *

[1] spazieren gehen go walking [2] es gibt there is

FRAU SCHWALBE Darf ich Ihnen etwas zu trinken bringen—ein Glas Limonade oder eine Tasse Kaffee?

FRAU FINCK Nein, vielen Dank! Nicht für mich. Vielleicht setzen wir uns dort unter den Baum und warten auf Arthur.

(Sie setzen sich unter den Baum. Man hört Albertas Stimme.)

ALBERTA Schnell, schnell—kommt doch schnell! Ingrid ist ins Wasser gefallen!

FRAU FINCK Was war das? Ins Wasser! Das ist ja furchtbar! Wir müssen ihnen helfen!—Kinder, wo seid ihr denn?

ALBERTA Hier! Mutti, hier am See!

FRAU FINCK Ich kann euch nicht sehen. Wo steckt ihr denn?

HEINRICH Hier! Hier unten am Wasser!

(Die Frauen laufen nach dem See hinunter.) [3]

FRAU FINCK Ach! Wenn nur nichts passiert!

FRAU SCHWALBE Es wird schon nichts passieren! [4] Ingrid kann ja schwimmen, und das Wasser ist gar nicht so tief.

FRAU FINCK Sie durften doch nicht am See spielen! Ich hab' es ihnen doch gesagt.

FRAU SCHWALBE Ja, ja! So geht's.—Kinder, wir kommen ja schon!

FRAU FINCK O, was machen wir nur? Ich kann ja nicht schwimmen! Jetzt sollten unsere Männer hier sein.

(Wie sie an den See kommen, kommt Arthur Finck, mit Ingrid in seinen Armen.)

HERR FINCK Es ist noch einmal gut gegangen. Hier ist sie.

FRAU FINCK Arthur! Wie gut, daß du da bist!

HERR FINCK Ja, ich habe Albertas Stimme gehört. Da bin ich gleich an den See gefahren.

HEINRICH Ja, Vati ist im rechten Augenblick gekommen.

FRAU SCHWALBE Vielen Dank, Herr Finck!—Wir wollen sie lieber gleich ins Haus bringen. Das Wasser war kalt.

[3] laufen run

[4] Es wird schon nichts passieren! Nothing will happen, I'm sure!

* * *

(Herr Schwalbe kommt.)

HERR SCHWALBE — Was ist denn wieder los? Was für ein Lärm ist das?

FRAU SCHWALBE — Ingrid ist in den See gefallen.

HEINRICH — Da haben wir Ball gespielt—am See entlang. Auf einmal ist sie ausgerutscht und ins Wasser gestürzt.[5]

HELMUT — Und im gleichen Augenblick ist Herr Finck vorbeigekommen!

FRAU SCHWALBE — Ja, das war wunderbar.—Nun aber bringt Ingrid ins Haus.—Sie ist am ganzen Körper kalt. Wir wollen ihr ein warmes Kleid geben.

HERR SCHWALBE — Ja, kommt nur herein! Mutter, haben wir etwas warme Milch oder etwas Tee? Dann wird sie sich bald wieder besser fühlen.

[5] auf einmal suddenly

1. Wer hat die Fincks angerufen?
2. Wie gefällt Frau Finck das Häuschen?
3. Wie groß ist das Haus?

* * *

4. Wo wollen die Kinder von Frau Finck spielen?
5. Was sagt Frau Finck dazu?
6. Wo dürfen sie spielen?
7. Was hat Heinrich mitgebracht?
8. Wo können die Kinder Ball spielen?

* * *

9. Seit wann haben Schwalbes das Haus?
10. Was tun sie im Herbst immer?
11. Was tun sie dann?

* * *

12. Was tut Frau Finck leid?
13. Was hört Frau Schwalbe?
14. Wer hat angerufen?
15. Warum hat er angerufen?
16. Wann wird er aber hier sein?

* * *

17. Wohin setzen sich die Frauen?
18. Was hört man in diesem Augenblick?
19. Warum ruft Alberta?
20. Aber wie tief ist das Wasser da?
21. Wer kommt in diesem Augenblick?
22. Wen hat er in seinen Armen?
23. Wann ist er gekommen?
24. Warum will man Ingrid gleich ins Haus bringen?

* * *

25. Was will Frau Schwalbe ihr geben?
26. Was will Herr Schwalbe ihr geben?
27. Wie wird Ingrid sich dann bald fühlen?

At the Dance

"Have a good time at the dance!
You'll be back home again before twelve, won't you?"
"Sure, Mom. Don't worry."

"How do you like the decorations?"
"Very much. Everything's so nicely arranged,—
and the band couldn't be better."

"Rolf and Heidemarie still haven't gotten here.
At any rate I haven't seen them yet."
"Perhaps she didn't get ready on time.
You know, she's wearing a new dress tonight."

"Do you see Marianne over there?"
"Yes, doesn't she look charming tonight?
And she is a marvelous dancer."

"Good evening, Marianne. May I ask for this dance?"
"I'm sorry, Max. How about the next one?"
"Yes, if I may."

"It's quite warm in here, don't you think so?"
"Yes, it's getting awfully hot.
The refreshments are already on the table.
Shall I get you a cool drink?"

Beim Tanz

1 „Viel Vergnügen beim Tanz!
2 Du bist vor zwölf aber wieder zu Hause, nicht?"
3 „Jawohl, Mutti. Keine Sorge!"

4 „Wie gefallen dir die Dekorationen?"
5 „Sehr gut. Es ist alles so nett arrangiert,—
6 und die Kapelle könnte nicht besser sein."

7 „Rolf und Heidemarie sind noch nicht gekommen.
8 Ich habe sie jedenfalls noch nicht gesehen."
9 „Vielleicht ist sie nicht rechtzeitig fertig geworden.
10 Sie trägt nämlich heute ein neues Kleid."

11 „Siehst du Marianne da drüben?"
12 „Ja, sieht sie heute abend nicht reizend aus?
13 Und sie ist eine ausgezeichnete Tänzerin."

14 „Guten Abend, Marianne. Darf ich um diesen Tanz bitten?"
15 „Ich bedaure, Max. Wie wär's mit dem nächsten?"
16 „Ja, wenn ich bitten darf."

17 „Es ist hier recht warm, findest du nicht auch?"
18 „Ja, es wird furchtbar heiß.
19 Die Erfrischungen stehen schon auf dem Tisch.
20 Soll ich dir ein kühles Getränk bringen?"

QUESTION-ANSWER PRACTICE

1
PAUL Wie gefallen dir die Dekorationen?
ERIKA Sehr gut. Es ist alles sehr nett arrangiert.

2
PAUL Und wie gefällt dir die Kapelle?
ERIKA Sie könnte nicht besser sein.

3
BÄRBEL Fehlt sonst noch jemand?
HILDE Inge und Peter sind noch nicht gekommen.

4
BÄRBEL Was trägt sie heute abend?
HILDE Ein neues Kleid. Ich hab' es noch nicht gesehen.

5
ROLF Sieht Bärbel heute abend nicht reizend aus?
PAUL Ja, und sie ist eine ausgezeichnete Tänzerin.

6
ROLF Guten Abend, Bärbel. Darf ich um diesen Tanz bitten?
BÄRBEL Ich bedaure, Rolf.

7
BÄRBEL Wie wär's mit dem nächsten?
ROLF Ja, wenn ich bitten darf.

8
EMIL Es ist hier furchtbar heiß, findest du nicht auch?
OLGA Ja, es wird recht warm.

9
EMIL Soll ich dir ein kühles Getränk bringen?
OLGA Ja, bitte, bring mir nur ein Glas Limonade.

10
EMIL Mußt du vor zwölf wieder zu Hause sein?
OLGA Ja, und es ist schon viertel vor zwölf!

PATTERN PRACTICE

1 Du wirst --

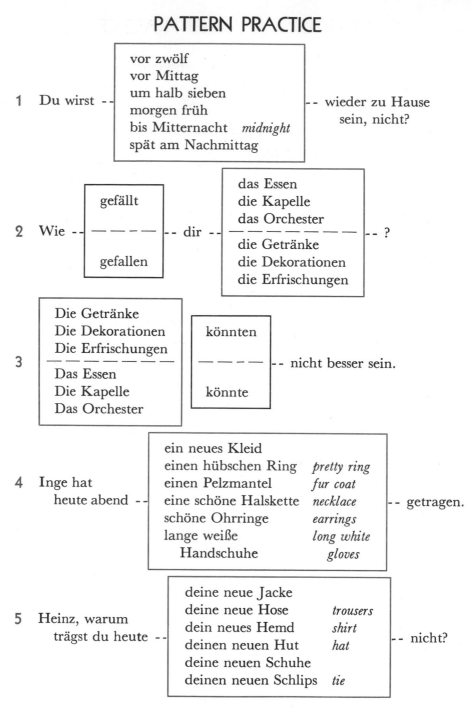

vor zwölf
vor Mittag
um halb sieben
morgen früh
bis Mitternacht *midnight*
spät am Nachmittag

-- wieder zu Hause sein, nicht?

2 Wie --

gefällt
— — — —
gefallen

-- dir --

das Essen
die Kapelle
das Orchester
— — — — — — — —
die Getränke
die Dekorationen
die Erfrischungen

-- ?

3

Die Getränke
Die Dekorationen
Die Erfrischungen
— — — — — — —
Das Essen
Die Kapelle
Das Orchester

könnten
— — — —
könnte

-- nicht besser sein.

4 Inge hat heute abend --

ein neues Kleid	
einen hübschen Ring	*pretty ring*
einen Pelzmantel	*fur coat*
eine schöne Halskette	*necklace*
schöne Ohrringe	*earrings*
lange weiße Handschuhe	*long white gloves*

-- getragen.

5 Heinz, warum trägst du heute --

deine neue Jacke	
deine neue Hose	*trousers*
dein neues Hemd	*shirt*
deinen neuen Hut	*hat*
deine neuen Schuhe	
deinen neuen Schlips	*tie*

-- nicht?

6 Hat Frl. Keller heute abend nicht -- | -- ausgesehen?

- nett
- schön
- hübsch
- reizend
- niedlich *cute*
- furchtbar

7 Leider -- | -- | -- noch nicht gekommen.

- sind
  - die Jungens
  - Klaus und Inge
  - Rolf und Heidemarie
- ist
  - Thomas
  - Marianne
  - Doktor Kraus

8 Es ist hier recht -- | --, findest du nicht auch?

- warm
- heiß
- kühl
- kalt
- schwül *humid*
- bequem *comfortable*

9 Ein paar von uns haben auch noch -- | --.

- getanzt
- gesungen
- etwas gegessen *ate*
- etwas getrunken *drank*
- die Dekorationen arrangiert
- dabei mitgeholfen *helped with it*

10 Darf ich Sie -- | -- bitten?

- um diesen Tanz
- um ein Glas Limonade
- um ein kühles Getränk
- um eine Tafel Schokolade
- um eine Packung Lakritze
- um ein Stück Apfelkuchen *piece of apple pie*

CONVERSATIONS

1 Friedel is getting dressed up for the dance.

HERR KLEIN	Ist Friedel noch nicht heruntergekommen?
FRAU KLEIN	Nein, sie ist noch oben in ihrem Zimmer.
FRIEDEL	(von oben) Mutti, kannst du mir nicht helfen? Ich kann den einen Ohrring nicht finden!
FRAU KLEIN	Ja, ich komme gleich!
HERR KLEIN	Bitte, sag ihr, Max ist schon da. (Er geht an die Tür, und Frau Klein geht nach oben.)
HERR KLEIN	Guten Abend, Max.
MAX	Guten Abend, Herr Klein. Wie geht es Ihnen?
HERR KLEIN	Danke, danke. – Regnet es noch draußen?
MAX	Nein, es regnet nicht mehr, aber es ist sehr kühl geworden. – Ist Friedel noch nicht fertig?
HERR KLEIN	Na, noch nicht, wie gewöhnlich – sie hat nämlich ihren Ohrring verloren.
MAX	Auch das noch! Na, alle Frauen sind so. – Aber ohne sie geht es auch nicht.
HERR KLEIN	Ich will sie noch einmal rufen. – (Ruft nach oben.) Friedel! Bist du immer noch nicht fertig?! Max wartet schon eine halbe Stunde auf dich.
FRAU KLEIN	Ja, jetzt kommt sie!

2 Meanwhile upstairs.

FRAU KLEIN	Mach schnell, Friedel! Vati sagt, Max wartet schon auf dich.
FRIEDEL	Aber Mutti! Ich kann den Ohrring nicht finden! Und ohne den gehe ich nicht zum Tanz. Diese Ohrringe passen so schön zu meiner Halskette.
FRAU KLEIN	Hier liegt er doch! Auf deinem Bett. Nun, mach schnell, Friedel!
FRIEDEL	Keine Sorge, Mutti. Max wartet auf mich und geht ohne mich nicht hin. Wir werden nur ein bißchen spät kommen.
FRAU KLEIN	Hast du deine kleine Tasche und die weißen Handschuhe?

FRIEDEL Ja, natürlich. Wie seh' ich denn aus, Mutti?

FRAU KLEIN Sehr hübsch, mein Kind, aber komm, mach schnell!

3 Off to the dance, at last!

FRIEDEL (kommt herunter) Guten Abend, Max. Wie geht's heute abend?

MAX Gut, danke. O, wie schön du aussiehst! Das Abendkleid ist ja wunderbar.

FRIEDEL Gefällt es dir? Wirklich?

MAX O ja, es ist sehr schön. Und du siehst reizend darin aus. – Aber wollen wir jetzt nicht losfahren? Ich habe nämlich heute abend den Wagen.

FRIEDEL O, das ist schön. Auf Wiedersehen, Vati, Mutti!

FRAU KLEIN Viel Vergnügen beim Tanz! Du bist vor zwölf aber wieder zu Hause, nicht?

FRIEDEL Jawohl, Mutti. Max bringt mich rechtzeitig nach Hause, nicht wahr, Max?

MAX Ja, natürlich. Keine Sorge!

4 Better late than never.

ROLF Max und Friedel sind noch nicht gekommen. Ich habe sie jedenfalls noch nicht gesehen.

HILDEGARD Da sind sie ja! – 'n Abend, Max. Wie geht's euch?

MAX Es geht uns gut, danke.

FRIEDEL Es tut uns furchtbar leid, daß wir spät gekommen sind. Ich bin rechtzeitig fertig geworden, aber ich konnte meinen Ohrring nicht finden.

ROLF Das macht nichts. Setzt euch doch einen Augenblick zu uns.

HILDEGARD Ja, bitte. – O, Friedel, du hast ein neues Kleid! Wo hast du denn das gekauft?

FRIEDEL Bei Meyer und Hirschberg. Wie gefällt dir die Farbe?

HILDEGARD Wunderbar. Das Blau steht dir ausgezeichnet.

ROLF Hört mal, jetzt spielt die Musik wieder. Darf ich bitten, Hildegard?

5 Hildegard looks very nice.

DIETRICH	Siehst du Hildegard da drüben?
KARL	Ja, sieht sie heute abend nicht reizend aus? Ich werde gleich mit ihr tanzen. – Sie ist eine ausgezeichnete Tänzerin.
DIETRICH	Aber sie ist mit Rolf zum Tanz gekommen.
KARL	O, wir sind gute Freunde. Sie tanzt auch mal mit mir.

6 It's time for refreshments.

ROLF	Es ist recht warm hier, findest du nicht auch?
HILDEGARD	Ja, es wird furchtbar heiß. Aber es hat viel Spaß gemacht, nicht?
ROLF	Ja, es war sehr nett. – Da stehen die Erfrischungen schon auf dem Tisch. Soll ich dir ein kühles Getränk bringen?
HILDEGARD	Ja, bitte. (Rolf geht an den Tisch.)
KARL	(kommt) Guten Abend, Hildegard. Wie findet ihr den Tanz?
HILDEGARD	Es ist heute abend sehr nett, und es ist alles so hübsch arrangiert.
KARL	Ich habe nämlich bei den Dekorationen mitgeholfen.
HILDEGARD	Die sind wirklich schön. Und die Kapelle könnte nicht besser sein.
KARL	Das glaube ich auch. – Darf ich um diesen Tanz bitten?
HILDEGARD	Ich bedaure, Karl. Wie wär's mit dem nächsten?
KARL	Ja, wenn ich bitten darf.
ROLF	(kommt wieder) Kinder, hier hab' ich Keks und Limonade für uns alle.

7 A ride home.

MAX	Wollt ihr mit uns nach Hause fahren?
ROLF	O, danke schön. Das wäre großartig.
HILDEGARD	Dein Vater hat einen neuen Wagen, nicht?
MAX	Ja, aber wir haben auch noch den alten, und den darf ich jetzt fahren.
FRIEDEL	Müssen wir denn schon gehen? Es ist doch noch ziemlich früh, nicht?

MAX Es ist bald viertel vor zwölf. Du mußt doch vor zwölf zu Hause sein.

FRIEDEL Ja, leider.

HILDEGARD Ich will nur schnell Karl „Auf Wiedersehen“ sagen.

MAX Ja, gut, wir warten im Wagen auf dich.

HILDEGARD Ich komme gleich.

8 At the "Green Owl," some friends discuss a recent ballet movie.

MARIANNE Wie war denn der Film, den ihr neulich gesehen habt?[1] Hat er euch gefallen?

ECKART Du meinst „Das blaue Licht“? – O, es geht so.

KURT Mir hat er gar nicht gefallen.

JUTTA Aber ich fand ihn großartig.

KURT Wieso? Es ist ja nichts darin passiert!

JUTTA Wie kannst du das nur sagen? Es ist doch viel darin passiert.

KURT Ja, die Dekorationen und die Kleider waren ja alle recht nett. Aber das Ganze war doch ziemlich schlecht.

RUDOLF O nein, Kurt! Durchaus nicht! Der Film ist glänzend. Das sagen auch meine Schwester und mein Schwager, und die haben das Stück mehr als einmal gesehen.

JUTTA Das find' ich auch. Wie gefällt dir Regina?

MARIANNE Wer ist Regina?

JUTTA Sie ist die Tänzerin in dem Stück. Sie ist beinahe noch wie ein Kind. Aber tanzen kann sie – das solltest du sehen! Es könnte nicht besser sein!

MARIANNE Ja, davon hab' ich auch gehört.

ECKART Aber was ist dabei? Das ist doch ganz gewöhnlich. Sie hat eben tanzen gelernt.

JUTTA Ja, tu du es einmal!

ECKART Ich bedaure! Ich hab' für Tanzen nicht viel übrig!

KURT Was hat dir denn so an ihr gefallen?

JUTTA Da ist der Augenblick, wo sie ihre Schuhe verloren hat. Sie hat sie im Keller gelassen. Aber sie weiß nicht, wo, und kann sie nicht mehr finden. Und nun tanzt sie die Treppe herunter und tanzt wieder die

[1] den that, which

Treppe hinauf, und sie tanzt nach draußen und die Straße entlang und über den Fluß, bis hinaus vor die Stadt.[2] Und dann tanzt sie im Freien, unter den Bäumen. Aber da kann sie natürlich ihre Schuhe auch nicht finden. Sie wird hungrig und die Füße tun ihr weh, sie hat Fieber und es tut ihr am ganzen Körper weh — aber sie muß tanzen — —

RUDOLF Jutta, willst du nicht auch sagen, wie ihr Freund sie nach Hause fährt?

JUTTA Ja, das ist auch so etwas! — Da liegt sie also da draußen unter den Bäumen —

RUDOLF Du hast gar nicht gesagt, daß sie hingefallen ist.

JUTTA Ja, da ist sie ausgerutscht und hingefallen und hat sich den Fuß verrenkt. Ich weiß nicht: ist er gebrochen oder nur verrenkt?

RUDOLF Nur verrenkt.

JUTTA Na, da liegt sie also, und auf einmal regnet es und wird kalt —[3]

MARIANNE Ist es denn Winter?

JUTTA Ja, Winter oder spät im Herbst. Na, jedenfalls wird es kalt, und da sieht man, wie in den Bäumen über ihr zwei schwarze Katzen sitzen, und beide machen einen furchtbaren Lärm. Und ganz oben im Baum, da sitzt eine schwarze Eule und wartet. Und in diesem Augenblick kommt jemand auf einem Motorrad; aber es ist kein wirkliches Motorrad, denn es ist halb Wagen und halb Fahrrad. Es hupt ein bißchen, und die beiden Katzen fallen vom Baum herunter und legen sich neben Regina hin.

MARIANNE Wer ist denn der Mann und was will er?

JUTTA Das erkennt man nicht gleich. Ich glaube, er ist auch ein Tänzer; aber er trägt einen Anzug, der ihm nicht paßt[4] — ein schwarzes Hemd und eine grüne Jacke und einen langen gelben Schlips. Aber der Schlips ist viel zu lang und hängt an ihm herunter, und wie er tanzen will, fällt er über den Schlips, und er stürzt hin.

[2] über over [3] auf einmal suddenly [4] trägt is wearing; der that, which

ECKART Hatte er nicht Rollschuhe an den Füßen?

JUTTA So? Das hab' ich gar nicht gesehen. Jedenfalls – er tanzt auch unter den Bäumen – aber nicht so gut wie Regina – und in dem Augenblick, wie er hinfällt, findet er Regina, zwischen den beiden Katzen. [5]

MARIANNE Und was passiert?

JUTTA Das kann man nicht so gut sehen. Aber er will ihr helfen und seine Jacke nehmen und die kleine müde Regina auf die Jacke legen. Aber in dem Augenblick sieht die Jacke so aus wie ein großer grüner Teppich.

KURT Hm, glücklicherweise hatte er eine Jacke dabei!

JUTTA Ach, Kurt! Mußt du immer so sprechen?

KURT So etwas gibt es doch nicht!

JUTTA Das wissen wir doch.

KURT Na, gewiß fühlt sie sich gleich wieder besser!

MARIANNE Ja, aber sagt mal, warum heißt die Sache eigentlich „Das blaue Licht"?

RUDOLF Ja, das ist auch sehr schön. –

ECKART Aber erst muß er sie doch nach Hause fahren!

KURT Keine Sorge! Das tut er natürlich auf dem Motorrad! Warum hat er es sonst mitgebracht?

ECKART Er hat also gewußt, daß es einen Unfall geben wird.

MARIANNE Warum also nun „Das blaue Licht"?

JUTTA Ja, das ist so. Morten hat Regina lange nicht mehr gesehen –

MARIANNE Wer ist Morten?

JUTTA Das ist doch ihr Freund. Hab' ich das nicht gesagt? – Nun, Morten hat sie lange nicht mehr gesehen. Es ist draußen längst wieder Frühling. Aber Morten kann sich nicht wohlfühlen. Er hat kein Geld mehr, er kann sich kein Frühstück, keine Tasse Kaffee kaufen. Es ist spät am Abend auf der Straße. Alles ist geschlossen. Er setzt sich an der Ecke beim Kaufhaus unter eine blaue Lampe und spielt die Ziehharmonika.

ECKART Aha! Das ist also „das blaue Licht"!

[5] zwischen den beiden between the two

MARIANNE Das hab' ich mir gedacht. – Und da kommt gewiß Regina wieder zu ihm. Sie hat ihre Schuhe wieder gefunden. Und kann nun tanzen, wohin sie will. Ist das vielleicht so?

JUTTA Ja, beinahe, aber nicht ganz!

RUDOLF Wieso? Wie meinst du das?

JUTTA Sie findet ihn wieder unter dem blauen Licht, gewiß. Aber jetzt geht das blaue Licht immer mit ihr. Sie ist eine wunderbare Tänzerin, und ihr Tanzen ist glänzend. Aber es ist auch kühl und kalt wie das blaue Licht.

RUDOLF Ja, das stimmt.

MARIANNE Aber wie ist die Musik?

JUTTA O, die mußt du hören. Die paßt ganz großartig.

MARIANNE Wann wird das Stück wieder gegeben?

JUTTA Erst am nächsten Freitag und Samstag. Gehst du hin?

MARIANNE Wenn ich Zeit habe, ja. Ich will aber übermorgen noch anrufen. –

KURT Ja, die Musik ist nicht schlecht. Die gibt's jetzt auch auf Schallplatten. — Na, viel Vergnügen! — Wie wär's mit einem Käsebrot?

TOPICS FOR REPORTS

1

Im Sommer ist es hier ziemlich heiß. ..... *In welchen Monaten ist es sehr heiß?* ..... *Um wieviel Uhr ist es gewöhnlich furchtbar heiß?* ..... *Was tust du gern nachmittags im Sommer?* ..... *Was tust du gern abends?*

2

Meine Freundin trägt heute abend ein neues Kleid. ..... *Wann hat sie es gekauft?* ..... *Wo hat sie es gefunden?* ..... *Hast du ihr geholfen, es auszusuchen?* ..... *Was ist die Farbe?* ..... *Wie sieht sie darin aus?*

3

Nächste Woche gibt's einen Tanz. ..... *Wo wird man tanzen?* ..... *Wird eine gute Kapelle da sein?* ..... *Spielt sie neue oder alte Stücke?* ..... *Um wieviel Uhr ist der Tanz?* ..... *Mit wem wirst du hingehen?*

4

Ich bin im Krankenhaus gewesen, einen Freund zu besuchen. ..... *Wer liegt denn jetzt im Krankenhaus?* ..... *Seit wann liegt er da?* ..... *Ist er krank?* ..... *Hat er einen Unfall gehabt?* ..... *Wie geht es ihm heute?*

5

In unserer Stadt gibt es eine Bibliothek. ..... *Wie heißt sie?* ..... *Wo liegt sie?* ..... *Ist es eine große Bibliothek?* ..... *Wann ist sie gewöhnlich offen?* ..... *Ist sie am Wochenende geschlossen?* ..... *Gehst du gern in die Bibliothek?*

Weekend Trips

"Do you know where I was last Saturday?"
"No; how should I know that?"
"I was out hunting with my father."
"Did he get (shoot) anything?"
"Yes, we brought back a fine buck."

"Did you go fishing, as you planned?"
"Yes, we were at a small inn at the lake.
We rented a boat in the neighborhood."
"What did you catch?"
"Nothing but a couple of little fish."
"What did you get to eat?"
"On Saturday we had chicken with rice—
—and on Sunday roast venison with mushrooms."

"What did you girls do?"
"We were in the country at Erika's uncle's.
He has a big farm—
forty cows and eight horses."
"Did you go riding?"
"I'll say! Through the woods and over the fields."
"Well, well. That's the reason you're standing like that!"

Ausflüge am Wochenende

„Weißt du, wo ich letzten Samstag war?“
„Nein, wie soll ich das wissen?“
„Ich war mit meinem Vater auf der Jagd.“
„Hat er denn was geschossen?“
„Ja, einen schönen Rehbock haben wir mitgebracht.“

„Seid ihr fischen gegangen, wie ihr vorhattet?“
„Ja, wir waren in einem kleinen Gasthaus am See.
In der Nähe haben wir uns ein Boot gemietet.“
„Was habt ihr denn gefangen?“
„Nichts als ein paar kleine Fische.“
„Was habt ihr zu essen bekommen?“
„Am Samstag haben wir Hühnchen mit Reis gegessen—
—und am Sonntag Rehbraten mit Pfifferlingen.“

„Was habt ihr Mädchen getan?“
„Wir waren bei Erikas Onkel auf dem Land.
Der hat einen großen Bauernhof—
vierzig Kühe und acht Pferde.“
„Seid ihr reiten gegangen?“
„Und wie! Durch den Wald und über die Felder!“
„Ach so. Deshalb steht ihr so da!“

QUESTION-ANSWER PRACTICE

1 KLEMENS Wie soll ich wissen, wo du letzten Samstag warst?
THOMAS Ich kann es dir sagen!

2 KLEMENS Wo warst du denn?
THOMAS Ich war mit meinem Onkel auf der Jagd.

3 KLEMENS Hat er denn was geschossen?
THOMAS Ja, einen schönen Rehbock.

4 KURT Was hattet ihr vor?
JÖRG Wir sind fischen gegangen.

5 KURT Wo kann man hier in der Nähe fischen gehen?
JÖRG Wir waren in einem Gasthaus am See.

6 KURT Konntet ihr euch ein Boot mieten?
JÖRG Ja, ganz in der Nähe vom Gasthaus.

7 KURT Habt ihr denn viele Fische gefangen?
JÖRG Nichts als ein paar kleine.

8 KURT Habt ihr etwas Gutes zu essen bekommen?
JÖRG Am Samstag Hühnchen mit Reis und am Sonntag Rehbraten mit Pfifferlingen.

9 MONIKA Was haben die Mädchen getan?
THOMAS Sie waren bei Erikas Onkel auf dem Land.

10 MONIKA Sind sie reiten gegangen?
THOMAS Und wie! Durch den Wald und über die Felder!

PATTERN PRACTICE

1	Weißt du, wo Kurt --	heute morgen gestern abend gestern vormittag letzten Samstag letzten Mittwoch vorgestern	-- war?

2	Mein Onkel hat sich --	ein kleines Boot ein neues Motorrad ein neues Fischgerät *fishing tackle* einen großen Bauernhof einen großen neuen Combi einen kleinen grünen Wagen	-- gekauft.

3	Wir haben nichts als --	drei kleine Fische ein paar Karpfen eine Schildkröte einen jungen Fuchs ein paar Kaninchen eine kleine Forelle	 *carp* *turtle* *fox* *rabbits* *trout*	-- gefangen.

4	Am Vormittag war ich --	mit Herrn Braun mit meinem Vater mit meinem Onkel mit zwei Freunden mit unserem Lehrer mit meinen Vettern	-- auf der Jagd.

5	Auf seinem Bauernhof hat er --	zwei Traktoren drei Hunde vier Katzen dreißig Pferde vierzig Kühe dreihundert Hühner	*tractors* *dogs* *chickens*	--.

6 Wissen Sie, wer gestern mit uns -- [reiten / kegeln / tanzen / fischen / schwimmen / spazieren *walk*] -- gegangen ist?

reiten
kegeln
tanzen
fischen
schwimmen
spazieren *walk*

7 [Ist / Sind] [Vati / Walter / dein Bruder — die Jungens / die Mädchen / Liese und Annette] -- heute morgen wieder spazieren gegangen?

Ist	Vati
	Walter
	dein Bruder
Sind	die Jungens
	die Mädchen
	Liese und Annette

8 Zu Abend haben wir noch -- [ ] -- gegessen.

etwas Reis	
grüne Bohnen	*string beans*
Butterbrote	*openface sandwiches*
ein Butterbrot mit Käse	*cheese*
ein Butterbrot mit Wurst	*sausage*
ein Butterbrot mit Schinken	*ham*

9 In unserem Zoo kann man -- [ ] -- sehen.

eine Löwin	*lioness*
einen Löwen	*lion*
einen Tiger	*tiger*
ein Nilpferd	*hippopotamus*
einen Elefanten	*elephant*
eine Menge Affen	*lot of monkeys*

10 Sie werden -- [ ] -- um dreiviertel neun da sein.

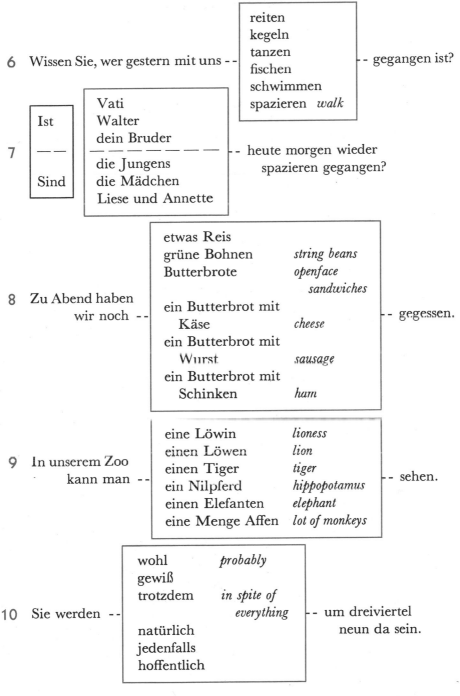

wohl	*probably*
gewiß	
trotzdem	*in spite of everything*
natürlich	
jedenfalls	
hoffentlich	

CONVERSATIONS

1 An invitation to the farm.

WERNER DIETZ Emil, bist du Sonntag frei?

EMIL LEHMANN Ja, ich habe am Wochenende nichts zu tun – nichts als zu Hause zu bleiben und zu arbeiten.

WERNER DIETZ Möchtest du nicht mit uns aufs Land? Mein Onkel hat einen Bauernhof, nicht weit von Bischofsdorf.

EMIL LEHMANN O, das wäre schön! Ich muß aber erst meine Eltern fragen. Gewiß werden sie „Ja“ sagen.

2 Olga gets invited too.

ERIKA DIETZ Olga, wir fahren Sonntag morgen aufs Land – zu meinem Onkel Franz. Kannst du mitkommen?

OLGA FÜRST Vielleicht. Ich werde meine Mutter fragen. Wer wird denn da sein?

ERIKA DIETZ Meine Eltern, mein Bruder Werner, und hoffentlich auch Emil Lehmann.

OLGA FÜRST O, das wird viel Spaß machen. – Was werden wir da tun?

ERIKA DIETZ Wir können schwimmen oder fischen. Und bei meiner Tante ist das Essen immer ausgezeichnet.

3 Arrival at the farm.

HERR KNEBEL Ah, da seid ihr ja! Gut, daß ihr schon früh gekommen seid. – Elsbeth, sie sind da!

FRAU KNEBEL Ich komme gleich. Ich muß erst noch ein paar Brötchen fertig machen.

WERNER DIETZ Onkel Franz, dies ist mein Freund Emil Lehmann.

HERR KNEBEL Es freut mich.

ERIKA DIETZ Und hier ist meine Freundin Olga Fürst.

HERR KNEBEL Ein Vergnügen, Sie kennen zu lernen. – Ah, hier kommt Tante Elsbeth mit den Butterbroten.

4 Mrs. Knebel brings out some food.

FRAU KNEBEL Seid alle willkommen! – Ihr müßt alle hungrig sein, nach der Reise. Bitte sehr!

WERNER DIETZ Olga, nimm doch ein Butterbrot mit Wurst. Tante Elsbeth hat ja immer die beste Wurst.

ERIKA DIETZ Ich nehme lieber eins mit Käse. – Besten Dank, Tante Elsbeth!

FRAU KNEBEL Eßt, soviel ihr wollt. Wir werden erst um halb zwei zu Mittag essen. Die Männer wollen jetzt fischen gehen, nicht?

HERR DIETZ Ja gewiß. Ich habe mein neues Fischgerät mitgebracht.

HERR KNEBEL Gut. Wir können ein Boot am See mieten. – Werner, möchtest du nicht mitkommen? – Und du, Emil?

EMIL LEHMANN Sehr gerne, wenn ich darf.

5 A bathing suit for Olga.

FRAU DIETZ Nun, Olga, hast du vielleicht deinen Badeanzug mitgebracht?

OLGA FÜRST Leider nicht. Ich wollte ihn schon mitbringen, aber ich habe ihn in letzter Minute nicht finden können.

FRAU KNEBEL Das macht nichts. Wir werden wohl noch einen Badeanzug in deiner Größe finden können. – Ich werde hier bleiben und das Mittagessen fertig machen. Ihr werdet aber um viertel nach eins wieder hier sein, nicht?

ERIKA DIETZ Ja gewiß, Tante Elsbeth. Keine Sorge.

FRAU KNEBEL Nun, viel Vergnügen beim Schwimmen!

6 Mrs. Dietz and the girls are down at the shore.

ERIKA DIETZ Da sind ja die Männer! Kannst du sie sehen?

FRAU DIETZ Wo denn? – O doch. Jetzt kann ich sie sehen, da ganz weit draußen, im braunen Boot.

OLGA FÜRST Wo ist denn dein Bruder? Ah, jetzt kann ich ihn auch sehen, da ganz vorne im Boot. Ich glaube, er hat was gefangen.

FRAU DIETZ Wirklich? Werner hat immer Pech beim Fischen. Meinem Mann geht es gewöhnlich besser. Aber wir werden ja sehen.

OLGA FÜRST Was ist jetzt los? Sie fischen ja nicht mehr.

ERIKA DIETZ Emil fischt doch noch!

FRAU DIETZ Nein. Ich glaube, sie kommen jetzt wieder. Es muß ja schon viertel vor eins sein. Wir müssen alle bald nach Hause gehen. Tante Elsbeth wartet auf uns. Ihr wißt, wir sollen um halb zwei zu Mittag essen.

7 It's time to go back; dinner will soon be ready.

HERR KNEBEL Da sind sie! – Amalie! Erika! Fräulein Fürst! Wollt ihr nicht mit im Combi nach Hause fahren?

FRAU DIETZ Nein, das geht nicht. Wir haben doch die Fahrräder hier. Keine Sorge, wir werden in fünfzehn Minuten da sein. Sag nur Elsbeth, daß wir bald kommen.

8 Fisherman's luck.

FRAU KNEBEL Nun, wie war's? Was habt ihr denn gefangen?

HERR KNEBEL Eigentlich nicht viel. Ich habe nichts als Pech gehabt – wie gewöhnlich. Und auch mein guter Schwager hier hat nur eine große Schildkröte gefangen. Aber Emil hat ein paar kleine Fische mit nach Hause gebracht, und unser Werner hat einen recht schönen Fisch da hinten im

Combi. Aber das ist alles. Hoffentlich hast du unser Mittagessen fertig – ohne Fische!

FRAU KNEBEL Natürlich! Hühnchen mit Reis. – Aber wir müssen auf die Schwimmerinnen warten.

HERR KNEBEL Keine Sorge. Wir haben sie auf dem Weg gesprochen. Sie werden gewiß in nicht mehr als fünf Minuten hier sein. Du weißt ja, wie schnell Amalie mit dem Fahrrad fahren kann. Und Erika, natürlich. Und ihre Freundin wohl auch.

9 After dinner, a nap.

FRAU KNEBEL Was sollen wir heute nachmittag tun?

FRAU DIETZ Ich möchte nach oben gehen und ein bißchen schlafen. Ich bin nämlich etwas müde.

FRAU KNEBEL Ja, natürlich. Geh doch ins Schlafzimmer da links, neben meinem Zimmer. Da ist ein Bett, wo du dich hinlegen kannst.

10 The girls decide not to go swimming again today.

WERNER DIETZ Ich möchte heute nachmittag schwimmen gehen. Du auch, Emil?

EMIL LEHMANN Ja gerne. Wie kommen wir zum See?

HERR DIETZ Wir können ja dahinfahren. – Olga, Erika, wollt ihr auch schwimmen gehen?

ERIKA DIETZ Nein, danke. Du weißt, Vati, wir sind heute morgen schon schwimmen gegangen. Ich möchte lieber hier bleiben und fernsehen.

OLGA FÜRST Ich auch. Oder vielleicht können wir uns Schallplatten anhören. Ich weiß, dein Vetter Klaus hat viele schöne Platten.

HERR DIETZ Nun gut. Ihr bleibt hier, und wir gehen schwimmen. Die Badehosen haben wir mitgebracht, nicht, Werner?

WERNER DIETZ Natürlich. Die sind hinten im Wagen.

HERR DIETZ So. Kommt also. Jetzt fahren wir los!

11 It's time to get started back home.

FRAU DIETZ So, da seid ihr wieder. Nun, wie war's beim Schwimmen?

HERR DIETZ Ausgezeichnet! Und hast du gut geschlafen?

FRAU DIETZ Ja, mehr als eine Stunde. Erika und Olga waren den ganzen Nachmittag unten.

HERR DIETZ Wie war das Fernsehen?

OLGA FÜRST Na, es geht so, Herr Dietz. Sie wissen, wie das Fernsehen am Sonntag nachmittag ist.

WERNER DIETZ Ja, nicht wahr!

FRAU DIETZ Aber jetzt müssen wir wirklich nach Hause. Es wird ja spät, und morgen ist ein Schultag.

HERR DIETZ Ja, das stimmt. Wir müssen schnell unsere Sachen in den Combi bringen – Fischgerät und Badesachen.

WERNER DIETZ Es ist alles schon da, Vati. Keine Sorge!

12 Good-byes and polite thanks.

OLGA FÜRST Auf Wiedersehen, Frau Knebel. Danke bestens. Es hat mich sehr gefreut, hier bei Ihnen zu sein.

EMIL LEHMANN Besten Dank, Frau Knebel. Es war ein Vergnügen.

FRAU KNEBEL Bitte sehr. Kommt recht bald wieder. – Aber Kurt – warte doch ein bißchen. Ich habe ein paar Butterbrote hier – auf dem Wege nach Hause werdet ihr sicher hungrig sein.

TOPICS FOR REPORTS

1

Mein Schwager und meine Schwester haben eine Waldhütte. ..... *Wo?* ..... *Weit von hier?* ..... *An einem See oder an einem Fluß?* ..... *Ist die Hütte klein?* ..... *Gibt's eine Küche?* ..... *Kann man da schlafen?* ..... *Was tut ihr da?* (*fischen, schwimmen, auf die Jagd gehen*) ..... *Geht ihr nur im Frühling hin?*

2

Ich gehe gerne reiten. ..... *Seit wann kannst du reiten?* ..... *Wo reitest du gewöhnlich?* ..... *Kann man da ein Pferd mieten?* ..... *Wie sind die Pferde da?* ..... *Sind sie alle gut?*

3

Heute abend geh' ich ins Kino. ..... *Wie heißt der Film?* ..... *Wer wird mit dir gehen?* ..... *Fahrt ihr mit dem Wagen hin?* ..... *Um wieviel Uhr kommst du nach Hause?* ..... *Wann wirst du deine Hausaufgaben machen?*

4

Letzten Herbst bin ich auf die Jagd gegangen. ..... *Mit wem?* ..... *Wo?* ..... *Weit von hier?* ..... *In welchem Monat?* ..... *Was hast du geschossen?*

5

Gestern sind wir reiten gegangen. ..... *Wer ist mit dir gegangen?* ..... *Habt ihr eure eigenen Pferde?* ..... *Wie heißt dein Pferd?* ..... *Was ist seine Farbe?* ..... *Bist du vom Pferd gestürzt—oder dein Freund?* ..... *War es etwas Ernstes?*

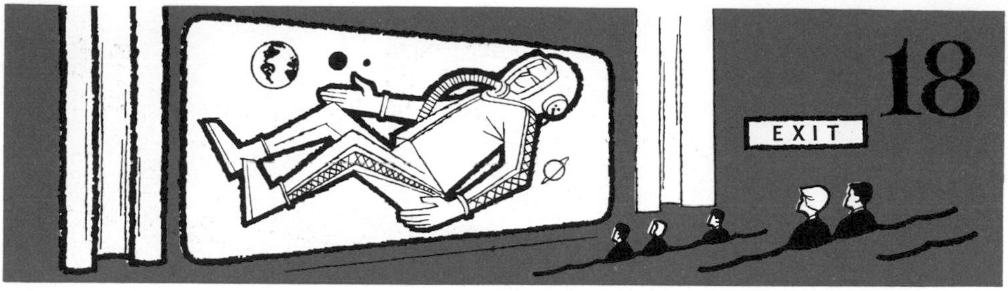

Space Travel Movie

1 "We were at the Little Theater Saturday night."
2 "Was there anything interesting on?"
3 "Oh, it was nothing exceptional."
4 "What was being shown?"
5 " 'The Rocket that Disappeared' was the title of the film.

6 A man was flying through space toward Venus.
7 But the Marsmen were waiting behind the Moon
8 —and caught him with their rays—
9 —and took him into a huge cavern."

10 "And how was he rescued?"
11 "His fiancée turned off the rays.
12 And so he floated back to Earth again."
13 "And why was the picture called 'The Rocket that Disappeared'?"
14 "Because he had to leave it in the cavern."

15 "Where did the space traveler land?"
16 "That wasn't quite clear.
17 It seemed as if it were something like a tropical island."

18 "I'm simply fascinated by things like that."
19 "Then you ought to get there very early.
20 Last night every seat was taken."

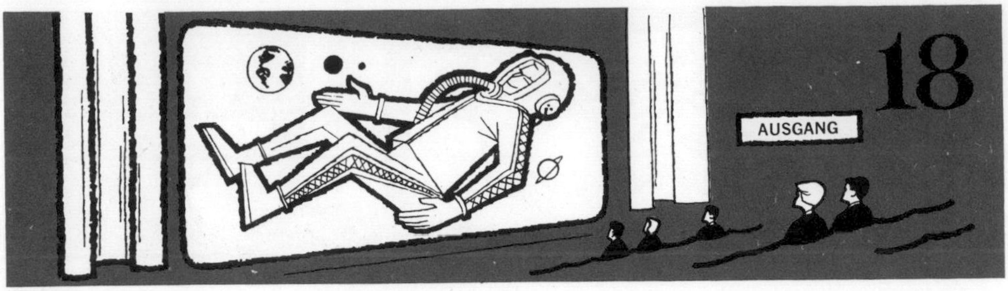

Raumfahrtfilm

,,Wir waren Samstag abend in den ‚Kammerspielen'."
,,Gab's da etwas Interessantes?"
,,Ach, es war nichts Besonderes."
,,Was wurde denn gegeben?"
,, ‚Die verschwundene Rakete' hieß der Film.

Ein Mann flog durch den Weltraum zur Venus.
Aber die Marsleute warteten hinter dem Mond—
—und fingen ihn mit ihren Strahlen ab—
—und brachten ihn in eine große Höhle."

,,Und wie wurde er wieder gerettet?"
,,Seine Braut drehte die Strahlen ab.
Und so schwebte er wieder zur Erde zurück."
,,Und warum hieß das Stück ‚Die verschwundene Rakete'?"
,,Weil er sie in der Höhle lassen mußte."

,,Wo landete denn der Raumfahrer?"
,,Das war nicht ganz klar.
Es sah so aus, als ob es eine tropische Insel wäre."

,,Für solche Sachen schwärme ich einfach."
,,Dann solltest du aber sehr früh hingehen.
Gestern abend war jeder Platz besetzt."

QUESTION-ANSWER PRACTICE

1 FELIX Wo wart ihr Samstag abend?
LUISE In den „Kammerspielen."

2 FELIX Gab's da etwas Ungewöhnliches?
LUISE Nein, es war eigentlich nichts Besonderes.

3 FELIX Was wurde denn gegeben?
LUISE Der Film hieß „Die verschwundene Rakete."

4 FELIX Was ist im Film passiert?
LUISE Ein Mann flog durch den Weltraum zur Venus. Aber die Marsleute fingen ihn mit ihren Strahlen ab.

5 FELIX Konnte er dann wieder gerettet werden?
LUISE Ja, seine Braut drehte die Strahlen ab.

6 FELIX Ist er wieder auf die Erde zurückgekommen?
LUISE Ja, er schwebte wieder zur Erde zurück.

7 FELIX Wo ist er denn gelandet?
LUISE Das war nicht ganz klar.

8 FELIX Wie sah es denn aus?
LUISE Es sah so aus, als ob es eine tropische Insel wäre.

9 FELIX Warum hieß das Stück „Die verschwundene Rakete?"
LUISE Weil der Raumfahrer die Rakete in der Höhle lassen mußte.

10 LUISE Findest du solche Sachen interessant?
FELIX Für so etwas schwärme ich einfach.

PATTERN PRACTICE

1 Gab's da etwas --

Ernstes	
Billiges	*cheap*
Billigeres	*cheaper*
Besonderes	
Interessantes	
Ungewöhnliches	

-- ?

2 Es wurde --

nichts Besonderes	
nichts Interessantes	
nichts Ungewöhnliches	
etwas Wunderbares	
etwas Dummes	*stupid*
etwas Verrücktes	*crazy*

-- gegeben.

3 Würden Sie, bitte, --

die Lampe	
das Radio	*radio*
das Licht	*light*
die Strahlen	
die Zündung	*ignition*
den Fernsehapparat	*TV set*

-- andrehen?

4 Peter war gestern nicht hier, --

weil er krank war
weil er Fieber hatte
weil er draußen auf dem Land war
weil er einen Unfall gehabt hatte
weil er sich den Fuß verrenkt hatte
weil er sich den Arm gebrochen hatte

--.

5 Ein junger Marsmann flog durch den Weltraum --

nach dem Mond	
nach der Erde	
nach der Sonne	
nach der Venus	
nach dem Sirius	*the star Sirius*
nach dem Merkur	*Mercury*

--.

6

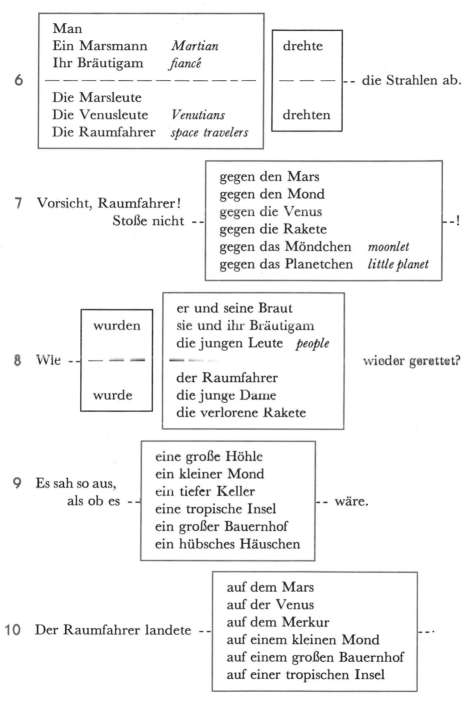

Man Ein Marsmann *Martian* Ihr Bräutigam *fiancé*	drehte	die Strahlen ab.
— — — — — —	— — —	
Die Marsleute Die Venusleute *Venutians* Die Raumfahrer *space travelers*	drehten	

7 Vorsicht, Raumfahrer! Stoße nicht --

- gegen den Mars
- gegen den Mond
- gegen die Venus
- gegen die Rakete
- gegen das Möndchen *moonlet*
- gegen das Planetchen *little planet*

--!

8

Wie --	wurden	er und seine Braut sie und ihr Bräutigam die jungen Leute *people*	wieder gerettet?
	— — —	— — —	
	wurde	der Raumfahrer die junge Dame die verlorene Rakete	

9 Es sah so aus, als ob es --

- eine große Höhle
- ein kleiner Mond
- ein tiefer Keller
- eine tropische Insel
- ein großer Bauernhof
- ein hübsches Häuschen

-- wäre.

10 Der Raumfahrer landete --

- auf dem Mars
- auf der Venus
- auf dem Merkur
- auf einem kleinen Mond
- auf einem großen Bauernhof
- auf einer tropischen Insel

--.

CONVERSATIONS

1 A phone call.

HELGA Wie war der Tanz am Samstag abend?

PETRA O, es war nichts Besonderes.

HELGA Aber die Kapelle soll ganz großartig sein!

PETRA O, ja, die Kapelle war ziemlich gut. Aber sie hat eigentlich nur alte Stücke gespielt.

HELGA Aber was für neue Stücke gibt es jetzt? Ich glaube, die alten sind ebenso gut wie die neuen.

PETRA O doch! Kennst du nicht „Auf einer tropischen Insel“? Das ist ja wunderbar.

HELGA Nein, das Stück kenne ich nicht. Es muß ganz neu sein. Wo hast du es gehört?

PETRA Nur am Radio, bis jetzt.

2 Two secretaries chat during the coffee break.

FRAU BRAUN Wo waren Sie am Wochenende?

FRL. ALBER Wieso?

FRAU BRAUN Ich habe Sie nämlich Samstag nachmittag angerufen, aber da waren Sie nicht zu Hause.

FRL. ALBER Ich war bei meinem Schwager, in seiner Waldhütte am Fluß.

FRAU BRAUN War's da interessant?

FRL. ALBER Ja, aber etwas Furchtbares ist passiert. Am Abend, um halb sieben wollten wir essen, und wir konnten den kleinen Hansel nicht finden. Der ist nämlich nur vier Jahre alt.

FRAU BRAUN Sie haben ihn doch hoffentlich bald gefunden!

FRL. ALBER Nach mehr als einer Stunde haben wir ihn wieder gefunden, und wissen Sie, wo?

FRAU BRAUN Wie soll ich das wissen?

FRL. ALBER In einer Höhle am Fluß. Er hatte sich den Fuß verrenkt und konnte nicht mehr gehen.

FRAU BRAUN O, das ist furchtbar.

FRL. ALBER Ja, und wir haben ihn nach Hause gebracht, und meine Schwester hat den Arzt gerufen.

FRAU BRAUN Hoffentlich war's nichts Ernstes.

FRL. ALBER Nein, es war nichts gebrochen. Er hinkt noch ein bißchen, aber es geht ihm schon wieder viel besser.

FRAU BRAUN Das freut mich sehr.

3 Erwin Draeger and his wife Thekla are spending some anxious moments during the landing of their plane.

THEKLA Glaubst du, daß wir landen können?

ERWIN Oh, das glaube ich doch. Warum sollten wir nicht landen können?

THEKLA Draußen regnet es doch so! Ich kann einfach nichts sehen.

ERWIN Ach, das macht nichts. Er wird seinen Weg schon finden.

THEKLA Na, hoffentlich. — Kannst du etwas sehen?

ERWIN Nein, aber wir fliegen doch noch über dem Wasser.

THEKLA Hier möchte ich nicht hinunterfallen!

ERWIN Es sieht so aus, als ob wir noch nicht landen dürfen.

THEKLA Wieso? Das ist mir nicht klar.

ERWIN Er fliegt immer geradeaus und dann nach links und dann wieder geradeaus und wieder nach links.

THEKLA Kannst du schon die Stadt sehen?

ERWIN Noch nicht. — Aber jetzt seh' ich die ersten Lichter. Und dort sind auch schon ein paar Häuser.

THEKLA Ah, jetzt fühle ich mich viel besser!

ERWIN Aber nun sind sie wieder verschwunden.

THEKLA Warum denn? — Glaubst du, daß Onkel Erich und Tante Anna auf uns warten?

ERWIN Ganz gewiß. Nur keine Sorge! —

THEKLA Was war das? Wenn nur nichts passiert!

ERWIN O, er hat nur die Motoren abgedreht.

THEKLA Und nun schweben wir nur?

ERWIN O, natürlich nicht ganz. Jetzt geht's hinunter. — Jetzt landen wir. — Siehst du, jetzt sind wir wieder auf der Erde. — Beinahe rechtzeitig!

4 Father has brought some work home from the office and he can't join Dora in watching the TV show.

DORA Vati, willst du nicht auch fernsehen?

VATER Nein, das darf ich heute abend nicht. Ich muß hier in meinem Arbeitszimmer bleiben und arbeiten.

DORA Das ist schade. Es gibt jetzt etwas Interessantes.

VATER Wirklich? Das kann ich nicht glauben. Es wird gewiß nichts Besonderes sein, heute, am Mittwoch abend.— Nun, was wird denn gegeben?

DORA „Die verschwundene Rakete" heißt es. Ein Mann fliegt durch den Weltraum.

VATER So? Wohin fliegt er denn?

DORA Zur Venus.

VATER Nun, du solltest ihm sagen: „Viel Vergnügen beim Fliegen!"

DORA Aber Vati! Du sollst wirklich kommen! Jetzt passiert etwas Furchtbares!

VATER Was denn?

DORA Da hinter dem Mond warten die Marsleute. Sie fangen den Erdmann und seine Rakete mit ihren Strahlen ab!

VATER Kann ich etwas dagegen tun? Ich bin ja nicht dabei. Ich muß hier im Arbeitszimmer sitzen und arbeiten.

DORA Aber Vati, es ist wirklich furchtbar. Jetzt bringen sie ihn in eine große Höhle auf dem Mond!

VATER Soll ich denn hinauffliegen und ihn retten?—Aber ich weiß, er wird gerettet. So ist ja das Fernsehen, und die Guten werden immer gerettet.

DORA Vati, bitte!—Aber das stimmt! Seine Braut ist ja bei den Marsleuten. Sie glauben natürlich, sie ist ein Marsfräulein, und wissen durchaus nicht, daß sie von der Erde ist und seine Braut ist.

VATER Wie dumm können denn die Marsleute sein! Oder trägt sie vielleicht ein neues Kleid von einem Kaufhaus auf dem Mars?—Nun, wie rettet sie denn ihren Bräutigam?

DORA Ah, sie findet das Zimmer in der Marsrakete, wo man die Strahlen an- und abdrehen kann. Jetzt dreht sie die Strahlen ab, und in einem kleinen Raumwagen fliegt sie schnell in die Höhle, wo ihr Bräutigam gefangen ist.

VATER Was sagst du? Ihr Bräutigam dreht die Strahlen an?

DORA O, Vati, du hörst ja nicht! Nein, e r dreht sie nicht a n ; s i e hat sie a b gedreht. Es ist ja großartig.

VATER Nun, ist das das Ende? Bleiben sie da auf dem Mond, oder wollen sie nun zur Erde zurück?

DORA Natürlich wollen sie zurück. Sie fliegen aus der Höhle auf dem Mond, und jetzt kommen sie herunter zur Erde. Man sieht, die Erde sieht nicht mehr so klein aus. Ich glaube, sie sind bald wieder zurück.

VATER Und wo werden sie landen?

DORA Das ist nicht ganz klar. Es sieht wie eine tropische Insel aus.

VATER Wer wird sie von der Insel zurück nach Hause bringen? Oder bleiben sie da?

DORA Nun, wir müssen bis nächsten Mittwoch warten.

5 Hildegard has a high fever.

HILDEGARD Mutter, willst du dich nicht an mein Bett hinsetzen? Der Stuhl da ist doch so bequem.

MUTTER Gerne, Hilde, wenn ich dir helfen kann. Ich will nur erst die Kleider in den Schrank hängen. Wenn der Arzt kommt, wird er sich hier hinsetzen.

HILDEGARD Ist Doktor Stahr schon da gewesen?

MUTTER Noch nicht. Aber er macht heute abend noch seinen Besuch. – Tut dir der Kopf noch weh?

HILDEGARD Nein, nicht der Kopf. Aber die Schultern und die Arme. – Es ist so heiß hier im Zimmer. Kannst du mir nicht ein kühles Getränk bringen, ein Glas Limonade oder so etwas?

MUTTER Ja, ich hab' dir hier ein Glas mitgebracht. Möchtest du etwas davon trinken?

HILDEGARD Ja, gerne. (Sie trinkt.)

MUTTER Aber nicht alles – und nicht zu schnell! – Du solltest jetzt schlafen gehen, mein Kind. Dann wirst du dich morgen früh viel besser fühlen.

HILDEGARD Mutter, darf ich mir morgen ein paar neue Kleider kaufen? Wir können ja beide zusammen gehen und uns etwas aussuchen.

MUTTER Wenn du wieder gesund bist. Sonst darfst du morgen noch nicht aus dem Haus und auf die Straße. Jedenfalls nicht in dieser Jahreszeit.

HILDEGARD Was hat Doktor Stahr gesagt?

MUTTER Wir müssen noch auf ihn warten.

HILDEGARD Das ist mir alles gleich. Das hellblaue Kleid ist doch so hübsch! —Soviel ich weiß, möchte Elfriede das Kleid auch haben. [1] Wir haben nicht mehr viel Zeit. [2] —Wenn wir jetzt nicht schnell machen, wird das Kleid morgen verschwunden sein!

MUTTER Aber jetzt ist das Kaufhaus doch längst geschlossen! —Du solltest nicht so viel sprechen! Das ist nicht gut bei deiner Entzündung.

HILDEGARD Ach ja! Immer diese Vorsicht! —Aber hör doch mal, Mutter! Ist jemand unten im Wohnzimmer —oder im Keller?

MUTTER Ich kann nichts hören.

HILDEGARD Hörst du nicht die Musik? —Es ist, als ob jemand unter uns Rollschuh läuft. —In diesem Augenblick kommt er die Treppe herauf. Ich habe eben eine Stimme gehört. —Vielleicht ist es auch nur die Katze gewesen.

MUTTER Die Katze? Wir haben doch keine Katze!

HILDEGARD Ja, es waren die kleinen Katzen von nebenan. [3] Sind sie nicht niedlich? [4] Alle so weiß! [5] Und wie groß sie geworden sind! —

MUTTER Hilde, in einer Viertelstunde muß ich das Licht abdrehen; es tut mir leid. Es ist nach halb zehn, und du solltest schlafen.

HILDEGARD Mutter, bitte drehe nicht die Lampe ab hier auf dem Tisch!

MUTTER Bist du nicht müde, mein Kind? Komm, lege dich auf die linke Seite. Dann kannst du besser schlafen.

HILDEGARD Ja, ich bin müde. Mutter, es tut mir leid, daß ich krank bin.

[1] soviel as far as
[2] Zeit time
[3] nebenan next door
[4] niedlich cute
[5] weiß white

MUTTER — Keine Sorge! Recht gute Besserung, mein Kind. Hoffentlich geht es dir morgen wieder gut.

HILDEGARD — Mutter, laß doch bitte die Tür offen.

MUTTER — Ja, ich will sie heute lieber offen lassen. (Hilde schläft, Mutter geht hinaus.)

DR. STAHR — (Draußen vor der Tür.) Guten Abend, Frau Buchner. Bst – lassen Sie sie schlafen!

MUTTER — Doktor Stahr! Wie gut, daß Sie kommen! Hilde hat Fieber!

DR. STAHR — Ja, ich habe sie gehört. Ich bedaure, daß ich nicht früher kommen konnte. Ich hatte einen kleinen Unfall beim Hinausfahren, eine Reifenpanne. – Hier habe ich etwas für Ihre Kleine – in dieser kleinen Flasche, gegen das Fieber.[6] Also machen Sie sich keine Sorgen.

MUTTER — Und Sie wollen sie gar nicht sehen?

DR. STAHR — Ich hab' sie ja gesehen – durch die offene Tür! Und es ist viel besser, daß sie jetzt schläft. – Es ist so, wie ich es mir gedacht habe. – Geben Sie dies ihr morgen früh, und ihr Körper wird in einem halben Tag von Fieber frei sein.

MUTTER — Ja, das will ich tun. – Soll ich ihr etwas ausrichten?

DR. STAHR — Nichts.

MUTTER — Und kommen Sie morgen wieder?

DR. STAHR — Ja, morgen abend. Bis dahin:[7] Gute Besserung! Auf Wiedersehen!

[6] Flasche bottle [7] dahin then

6 Hunter's luck: In a restaurant. Mr. Hanfstängl finds his lawyer sitting alone at a table.

HERR HANFSTÄNGL — Guten Abend, Dr. Pettenkofer, wie schmeckt's? Darf ich mich zu Ihnen setzen?

DR. PETTENKOFER — Aber gewiß! Das dürfen Sie. Freut mich sehr! Wollen Sie da nicht Platz nehmen? Wir können ja zusammen zu Abend essen.

HERR HANFSTÄNGL — Ja gerne. – Was gibt's denn Schönes?

KELLNERIN — Heute haben wir Schinken und grüne Bohnen. Oder möchten Sie vielleicht Rehbraten mit Pfifferlingen?

HERR HANFSTÄNGL — Das gefällt mir alles nicht.

KELLNERIN — Oder haben Sie Lust zu einer guten Forelle?

HERR HANFSTÄNGL — Forelle? Ja, großartig! So etwas hab' ich schon lange nicht mehr zu essen bekommen.

KELLNERIN — Gut. Einmal Forelle mit Butter. Sie wird in zwanzig Minuten fertig sein.

HERR HANFSTÄNGL — Bitte schön! Ich kann warten. – Sind Sie mal wieder auf der Jagd gewesen, Herr Doktor?

DR. PETTENKOFER — Ja, aber ich habe nichts geschossen. Neulich bin ich schon um fünf aufgestanden. Keinen einzigen Rehbock hab' ich gesehen! Es gibt nicht mehr genug Rehböcke in unseren Wäldern.

HERR HANFSTÄNGL — Da haben Sie Pech gehabt. Schade.

DR. PETTENKOFER — Aber nicht immer! – Wissen Sie, was mir letzten Winter passiert ist?

HERR HANFSTÄNGL — Nein, was denn? Ich hoffe, nichts Ernstes!

DR. PETTENKOFER — Nun, da ging ich wieder mal auf die Jagd in der Nähe von Schellbronn. Den ganzen Morgen bekomme ich nichts zu sehen. Nur ein paar Kühe und Pferde. Aber ich will ja keine Kühe schießen.[1] Und wie ich so über die Felder gehe, komm' ich an den Fluß. Da bleib' ich an einem Baum hängen – der war da hingestürzt – und falle hin.

HERR HANFSTÄNGL — Das tut mir aber leid.

DR. PETTENKOFER — Na, und wie ich wieder zu mir komme, bin ich bis zum Fluß hinunter gestürzt, zwischen all die kleinen Bäume.[2] Ich liege tief da unten, neben dem Wasser, meine Hose ist ziemlich kaputt, und es tut mir am ganzen Körper weh.

HERR HANFSTÄNGL — Haben Sie dabei nicht Arm und Bein gebrochen?

DR. PETTENKOFER — Nein, das nicht. Aber mein rechtes Bein

[1] schießen shoot   [2] zwischen among

sah furchtbar aus – ganz rot und grün und blau! Aber ich konnte noch gehen.

HERR HANFSTÄNGL Glücklicherweise sind Sie nicht auch ins Wasser gefallen.

DR. PETTENKOFER Ja, das mein' ich auch! Aber wie ich wieder zu meinem Wagen komme, seh' ich, daß ich mein Geld verloren habe – über hundert Mark!

HERR HANFSTÄNGL Auch das noch! Haben Sie's denn wieder gefunden?

DR. PETTENKOFER Nein, durchaus nicht! Ich bin gleich wieder den Weg zum Fluß gegangen, aber ich hab's nicht gefunden. Es muß ins Wasser gefallen sein.

HERR HANFSTÄNGL Das war aber wirkliches Pech!

DR. PETTENKOFER Das will ich meinen.

HERR HANFSTÄNGL Und wie sind Sie wieder nach Hause gekommen?

DR. PETTENKOFER Ja, das ging nicht so schnell. Ich fahre immer geradeaus, immer am Fluß entlang, und da komm' ich zu einem großen Bauernhof, mitten im Wald. Da spielen fünf oder sechs Jungs und Mädels im Freien, und wie die mich sehen, laufen sie gleich ins Haus.

HERR HANFSTÄNGL Ja, Sie sahen doch etwas ungewöhnlich aus!

DR. PETTENKOFER Ja, wirklich, das kann man sagen. Ich gehe ins Haus und lerne ihre Eltern kennen. Sie bedauern, wie ich aussehe. Es tut ihnen wirklich leid. Sie gehen zu ihrem Schrank und bringen mir einen alten schwarzen Anzug. Und wie ich den anprobiere – wirklich! – da paßt er mir ausgezeichnet! Dann geben sie mir noch eine Tasse Kaffee und ein Butterbrot, und ich fühle mich wieder warm. Und hab' auch kein Kopfweh mehr.

HERR HANFSTÄNGL Das war nett von ihnen.

DR. PETTENKOFER Ja. Also, ich danke ihnen schön, und spät am Nachmittag setz' ich mich wieder in meinen Wagen und fahre in die Stadt. Denn übermorgen muß ich wieder arbeiten.

HERR HANFSTÄNGL Warum sind Sie denn später wieder auf die Jagd gegangen?

DR. PETTENKOFER Ich bin ja noch nicht fertig. Das Schöne kommt noch.

HERR HANFSTÄNGL Wieso denn?

DR. PETTENKOFER Ein paar Tage später komm' ich am Gasthaus zum Löwen vorbei.[3] Sie kennen es ja! Es ist ein gutes Gasthaus. Von drinnen kommt Musik – und ich bin furchtbar hungrig. Also – ich gehe hinein und gehe gleich in den Keller hinunter. Sie wissen, wie gut man da unten frühstücken kann. Und ich wollte gerne ein zweites Frühstück essen. Eine Kellnerin kommt und sagt: „Wollen Sie nicht hier auf dem Sofa Platz nehmen? Hier unter dem Licht? Da sitzt man so bequem." – „Gut," sag' ich, „was gibt's heute Schönes?" „Nun," sagt die Kellnerin, „heute haben wir Schinken und grüne Bohnen. Oder möchten Sie vielleicht Rehbraten mit Pfifferlingen?" – „Das gefällt mir alles nicht," sage ich. „Haben Sie nichts Besseres?" – „Ja," sagt sie, „haben Sie nicht Lust zu einer guten Forelle?" „Forelle? Großartig. So etwas hab' ich schon lange nicht mehr zu essen bekommen." „Gerne. Wollen Sie sich einen Fisch aussuchen? Sie dürfen sich nämlich einen Fisch aussuchen. Bei uns tut man das so." Ich gehe also an den Wassertank und suche mir einen Fisch aus. „Den da!" sag' ich, und mit dem Netz nimmt sie den Fisch aus dem Wasser heraus und bringt ihn in die Küche.[4]

[3] Gasthaus inn [4] Netz net

Nach einer Viertelstunde kommt sie wieder und sagt: „Verzeihung, Herr Doktor. Kommen Sie doch bitte schnell in die Küche! Ihr Fisch –" –„Was ist los mit meinem Fisch?" –„Man hat Geld in Ihrem Fisch gefunden. Über hundert Mark!" – „Was für ein Fisch ist das? Wirklich eine Forelle? – Aha! – Darf ich Sie fragen, wo Sie diesen Fisch gefangen haben?" –„Diesen Fisch hier?" sagt der Mann in der Küche. „Dieser Fisch kommt nicht aus unserm Teich nebenan.[5] Den habe ich oben am Fluß gefangen, nicht weit von Schellbronn." – „Wann?" – „Vorgestern." –„Dann ist das mein Geld!" sag' ich. Aber der Mann in der Küche will mir nicht glauben. Und wir setzen uns zusammen hin und ich muß ihm alles sagen, was mir vor ein paar Tagen[6] oben am Fluß passiert ist.

–„Das mag alles sehr schön und gut sein. Sie können auch einen Preis damit gewinnen. Aber ich glaube es immer noch nicht!" „Hören Sie mal," sag' ich, „Mit dem Geld ist auch mein zweiter Wagenschlüssel ins Wasser gefallen. Vielleicht können Sie auch den in diesem Fisch hier finden!" – Und wirklich: sie finden etwas Gelbes, und da ist es mein Autoschlüssel!

HERR HANFSTÄNGL Das ist ja reizend!

DR. PETTENKOFER Ja, nicht wahr? – Nun, hier kommt Ihre Forelle! Essen Sie mit Vorsicht! Wer kann wissen, was in Ihrem Fisch steckt?

[5] Teich pond; nebenan close by [6] vor ein paar Tagen a few days ago

TOPICS FOR REPORTS

1

Ich habe neulich ein Buch über Raumfahrt gelesen. ..... *Wie hieß es?* ..... *Hast du dir das Buch gekauft?* ..... *Konntest du es nicht in der Bibliothek finden?* ..... *War es interessant?*

2

Ein paar Freunde und ich haben vorgestern abend einen guten Film gesehen. ..... *Wie hieß er?* ..... *Wer ist mitgegangen?* ..... *Um wieviel Uhr seid ihr hingegangen?* ..... *In welchem Kino war das?* ..... *Waren viele Jungen und Mädchen da?* ..... *War jeder Platz besetzt?*

3

Einmal besuchte ich eine große Höhle. ..... *Wie hieß sie?* ..... *Vor wieviel Jahren war das?* ..... *Wie alt warst du?* ..... *War es recht interessant?* ..... *Würdest du es jetzt etwas interessanter finden?*

4

Meine Familie besucht gern einen Bauernhof nicht weit von hier. ..... *Ist er groß oder klein?* ..... *Wer wohnt auf dem Bauernhof?* ..... *Wieviel Pferde und Kühe haben sie?* ..... *Gibt es einen See in der Nähe—oder einen Fluß?* ..... *Kann man da schwimmen—oder fischen?*

German Students take in the City

1 "Well, how do you like it here in the city?"
2 "Wonderful. It's the way I've always imagined it."
3 "That big building over there—that's the City Hall."
4 "The one with the high tower and the clock?"
5 "Yes, that's the one—and with the famous chimes.
6 And the small door to the left—that leads into the town-hall restaurant."

7 "I'm really glad that we came by train.
8 I'm sure we'd never have found a parking place."
9 "Yes, at the square in front of the railroad station cars were coming from all directions.
10 Have you ever seen such traffic?
11 Over there on the corner there are six traffic signs all together."

12 "Where would you rather go, to the harbor or to the museum?"
13 "Have you still got the city map with you?"
14 "Oh, no. I must have left it at the hotel.
15 But there's the tourist office on the other side of the street."
16 "Right! We can ask for information there."

17 "Why don't we go to the city park first?"
18 "Yes, and afterwards we'll go to the Park Restaurant—
19 —and order some coffee and cake.
20 We'll have a fine view from there."

Deutsche Schüler erleben die Großstadt

1 „Nun, wie gefällt es euch hier in der Stadt?"
2 „Wunderbar. So hab' ich's mir immer vorgestellt."
3 „Das große Gebäude da drüben—das ist das Rathaus."
4 „Das mit dem hohen Turm und der Uhr?"
5 „Ja, richtig,—und mit dem berühmten Glockenspiel.
6 Und die kleine Tür links—die geht in den Ratskeller."

7 „Ich bin doch froh, daß wir mit der Bahn gekommen sind.
8 Wir hätten sicher keinen Parkplatz finden können."
9 „Ja, am Bahnhofsplatz kamen die Wagen aus allen Richtungen.
10 Habt ihr schon jemals solchen Verkehr gesehen?
11 Dort an der Ecke sind sechs Verkehrszeichen auf einmal!"

12 „Wohin möchtet ihr lieber, an den Hafen oder ins Museum?"
13 „Hast du noch den Stadtplan bei dir?"
14 „Ach nein! Den muß ich wohl im Hotel gelassen haben.
15 Aber da auf der anderen Seite ist ja das Verkehrsbüro."
16 „Richtig! Dort können wir um Auskunft bitten."

17 „Warum gehen wir nicht zuerst in den Stadtpark?"
18 „Ja, und danach gehen wir ins Park-Café—
19 —und bestellen uns Kaffee und Kuchen.
20 Von dort haben wir eine schöne Aussicht."

QUESTION-ANSWER PRACTICE

1 HILDEGARD Hast du dir die Stadt so vorgestellt?
CHRISTEL Ja, es gefällt mir hier sehr gut.

2 CHRISTEL Was ist das große Gebäude da drüben—das mit dem hohen Turm und der Uhr?
HILDEGARD Das ist das Rathaus.

3 CHRISTEL Wohin geht die kleine Tür links?
HILDEGARD Die geht in den Ratskeller.

4 FRANZ Bist du nicht froh, daß wir mit der Bahn gekommen sind?
EUGEN Ja, wir hätten sicher keinen Parkplatz finden können.

5 FRANZ Hast du schon jemals solchen Verkehr gesehen?
EUGEN Nein—dort am Bahnhofsplatz kommen die Wagen aus allen Richtungen!

6 HERR HESSE Wer hat den Stadtplan dabei?
CHRISTOPH Ich hatte ihn bei mir, aber ich muß ihn wohl im Hotel gelassen haben.

7 HILDEGARD Wo können wir um Auskunft bitten?
CHRISTOPH Da auf der anderen Seite ist das Verkehrsbüro.

8 HERR HESSE Wohin möchtet ihr lieber, an den Hafen oder ins Museum?
FRANZ An den Hafen natürlich.

9 FRAU HESSE Möchtet ihr nicht lieber zuerst in den Stadtpark gehen?
CHRISTEL Ja, und danach gehen wir ins Park-Café.

10 CHRISTOPH Kann man dort gut essen?
FRAU HESSE Wir können uns Kaffee und Kuchen bestellen.

PATTERN PRACTICE

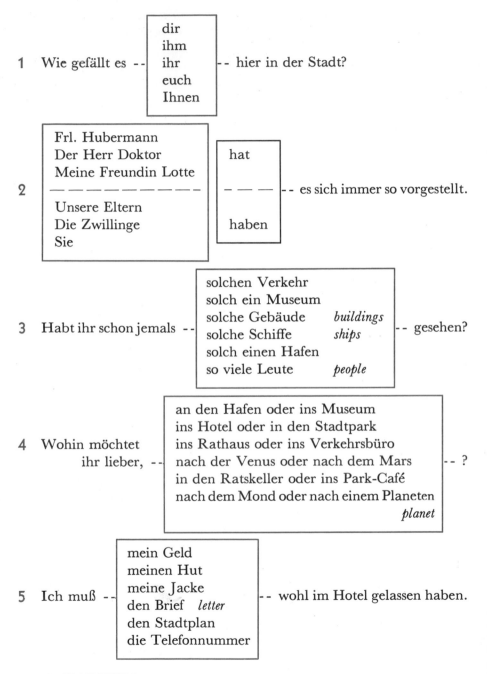

1 Wie gefällt es -- [dir / ihm / ihr / euch / Ihnen] -- hier in der Stadt?

Wie gefällt es --	dir ihm ihr euch Ihnen
	-- hier in der Stadt?

2

Frl. Hubermann Der Herr Doktor Meine Freundin Lotte	hat	-- es sich immer so vorgestellt.
Unsere Eltern Die Zwillinge Sie	haben	

3 Habt ihr schon jemals --

solchen Verkehr	
solch ein Museum	
solche Gebäude	*buildings*
solche Schiffe	*ships*
solch einen Hafen	
so viele Leute	*people*

-- gesehen?

4 Wohin möchtet ihr lieber, --

an den Hafen oder ins Museum
ins Hotel oder in den Stadtpark
ins Rathaus oder ins Verkehrsbüro
nach der Venus oder nach dem Mars
in den Ratskeller oder ins Park-Café
nach dem Mond oder nach einem Planeten *planet*

-- ?

5 Ich muß --

mein Geld
meinen Hut
meine Jacke
den Brief *letter*
den Stadtplan
die Telefonnummer

-- wohl im Hotel gelassen haben.

6 Hast du noch -- [das Geld / den Brief / den Schlüssel / den Stadtplan / die Hausnummer / die Telefonnummer] -- bei dir?

6 Hast du noch --	das Geld	-- bei dir?
	den Brief	
	den Schlüssel	
	den Stadtplan	
	die Hausnummer	
	die Telefonnummer	

7 Wir können froh sein, --	daß er das Geld bei sich hat	--.
	daß du deine Jacke bei dir hast	
	daß ihr den Brief bei euch habt	
	daß sie ihren Wagen bei sich hat	
	daß wir den Stadtplan bei uns haben	
	daß ich die Telefonnummer bei mir habe	

8 Sind Sie nicht froh, daß wir --	mit dem Bus	-- gekommen sind?
	mit der Bahn	
	mit dem Combi	
	mit dem Wagen	
	mit dem Schiff	
	mit dem Flugzeug *plane*	

9 Können Sie mir sagen, wo --	der Hafen	-- ist?
	der Bahnhof *station*	
	das Rathaus	
	das Reisebüro *travel agency*	
	der Ratskeller	
	das Hotel „Vier Jahreszeiten" *"Four Seasons"*	

10 Aber auch ohne den Stadtplan hätten wir --	den Hafen	-- finden können!
	das Museum	
	das Rathaus	
	den Bahnhof	
	das Reisebüro	
	den Stadtpark	

CONVERSATIONS

1 At dinner, the Brehl family talks about the day's sightseeing.

FRAU BREHL Welches Gebäude hat euch am besten gefallen?

EWALD BREHL Das Rathaus, glaub' ich. Es war so groß und schön, wie ich es mir immer vorgestellt habe.

LUISE BREHL Nein, das Rathaus nicht. Das Museum hat mir am besten gefallen. Es liegt da am Rathausplatz, mit Bäumen vorne und hinten und auf beiden Seiten.

VIKTOR BREHL Ich mag lieber das Park-Café. Es sieht so modern aus, und es ist alles so nett darin, mit bequemen Stühlen – und natürlich gibt es da auch etwas Gutes zu essen und zu trinken.

2 Melitta and Dorothea are out sightseeing.

MELITTA Weißt du, wie spät es ist?

DOROTHEA Nein, ich habe meine Uhr nicht bei mir. Ich muß sie im Hotelzimmer gelassen haben.

MELITTA O, da ist eine Uhr da drüben.

DOROTHEA O ja, die Uhr am Rathausturm. – Kannst du sie sehen?

MELITTA Ich glaube, es ist dreiviertel zwei.

3 Eduard and Gottfried return from a day's sightseeing in the big city.

TANTE ANNA Wo habt ihr denn zu Mittag gegessen?

EDUARD Im Ratskeller. Das war ja großartig. Dreihundert Leute können da auf einmal essen und trinken.

TANTE ANNA Was habt ihr denn gegessen?

EDUARD Ich bestellte Kaffee und Kuchen, aber Gottfried wollte lieber Apfelkuchen mit Schlagsahne.

GOTTFRIED Das hat aber geschmeckt! – Und danach sind wir ins Kino gegangen und haben einen großartigen Film gesehen.

TANTE ANNA Na, das freut mich, daß euch alles hier in der Stadt so gut gefällt.

4 Hugo has been down to the docks.

PETER Was hast du denn heute gesehen?

HUGO Na, ich bin an den Hafen gegangen.

PETER War's interessant?

HUGO O ja, einfach toll. Es waren viele große Schiffe da, aus Skandinavien, aus Nord- und Südamerika, aus Afrika und Asien – und ein paar aus Australien!

5 Mr. Kaiser is back home after three months in Stuttgart.

HERR NÖLKE Ah, guten Tag, Herr Kaiser. Es freut mich, Sie wiederzusehen. Sie sind schon lange nicht mehr hier gewesen, nicht?

HERR KAISER Das stimmt, leider. Ich mußte seit März in Stuttgart arbeiten.

HERR NÖLKE Konnten Sie denn nicht nach Hause fahren?

HERR KAISER Leider nicht. Und es ist kein Vergnügen, drei Monate lang in einem Hotel zu wohnen. Aber meine Frau ist zweimal im Monat nach Stuttgart gefahren, und dann haben wir viele interessante Sachen gesehen.

HERR NÖLKE Wie gefällt ihr denn die Großstadt?

HERR KAISER Ziemlich gut, glaub' ich. Sie will immer ins Museum gehen. Aber sie mag nicht mit dem Wagen fahren.

HERR NÖLKE Wieso denn? Ist denn der Verkehr so furchtbar?

HERR KAISER Ja, ganz toll. An einer Straßenecke sind sieben Verkehrszeichen auf einmal! Wenn man die Stadt nicht kennt, sollte man eigentlich nicht mit dem Wagen fahren!

HERR NÖLKE Wo haben Sie denn gewohnt?

HERR KAISER Im Hotel Graf Parseval. Es ist ja sehr bequem – nicht weit vom Bahnhof.

HERR NÖLKE O ja. Man hat mir gesagt, daß das Essen dort wirklich ausgezeichnet ist. Stimmt das?

HERR KAISER Na, es geht so. Aber ich esse lieber nicht immer im Hotel. Glücklicherweise gibt es ein nettes Café in der Nähe. Und dann bin ich auch gewöhnlich in den Ratskeller gegangen und habe da zu Abend gegessen.

6 The tour group is coming out of the museum.

FRAU OEHLER Nun, Mädels, wie gefällt es euch hier in der Stadt?

AGNES Mir gefällt's ausgezeichnet.

LOTTE Mir nicht so sehr. Es ist ja so heiß, es gibt hier so viel Lärm, und ich habe schon Kopfweh.

HANNELORE Wenn du Kopfweh hast, kannst du wieder ins Hotel gehen und dich hinlegen. Uns macht es viel Spaß, hier in der Stadt zu sein.

LOTTE Na, ich bleibe hier bei euch. Was sollen wir tun?

AGNES Wir wollen an den Hafen gehen. Vielleicht sehen wir da ein großes Schiff auf dem Wege nach Süd-Amerika.

LOTTE Ich möchte lieber in ein Café gehen, wo es kühl ist.

HANNELORE Das machen wir später. Zuerst gehen wir an den Hafen.

FRAU OEHLER Lotte, ist es hier nicht interessant? Sieh doch mal, wie die Wagen aus allen Richtungen kommen!

LOTTE Das kann ich auch zu Hause sehen.

AGNES Wenn wir wieder in die Stadt kommen, kannst du zu Hause bleiben.

HANNELORE Hier kommt ein Autobus. Hoffentlich ist er der richtige. Auf dem Stadtplan steht, daß die Nummer Zehn an den Hafen fährt.

AGNES Ja, richtig. Das ist die Nummer Zehn. Was kostet der Bus hier?

FRAU OEHLER Fünfunddreißig Pfennig.

HANNELORE Na, gehen wir! Komm, Lotte! 's wird viel Spaß machen!

7 A driver is being stopped by a traffic cop.[1]

POLIZIST Sie sind eben durch ein rotes Licht gefahren!

FAHRER Verzeihung! Ich glaube, es war noch grün, aber dann wurde es gelb.

POLIZIST Was? Können Sie denn nicht sehen? Die Verkehrsampel ist doch rot.

FAHRER Ja, jetzt ist sie rot. Vor einem Augenblick war sie aber noch grün.[2]

[1] driver Fahrer; traffic cop Verkehrs-Polizist
[2] vor einem Augenblick a moment ago

POLIZIST Das kann jeder sagen! Ich hab' es doch gesehen, daß Sie durch ein rotes Licht gefahren sind.

FAHRER Nun, ich bedaure es. Es soll nicht wieder passieren.

POLIZIST Also, Sie haben gewußt, daß das Licht rot war?

FAHRER Nein, durchaus nicht!

POLIZIST Einen Augenblick mal! Haben Sie hier nicht das Verkehrszeichen gesehen? „Schule – Kleine Kinder“?

FAHRER O ja, das habe ich gesehen.

POLIZIST Warum sind Sie aber dann so schnell gefahren?

FAHRER Ich? Schnell? Seit wann sind fünfzehn Kilometer zu schnell?

POLIZIST Hören Sie mal! Ich weiß, was ich sage! Hier an der Straßenecke bin ich Herr.[3] Und was ich sage, ist richtig! Sie sind hier über 40 km gefahren.

FAHRER Das stimmt aber nicht!

POLIZIST Darf ich mal Ihren Führerschein sehen?[4]

FAHRER Ja, gewiß, einen Augenblick. – O, das tut mir furchtbar leid. Ich habe ihn jetzt nicht bei mir. Ich muß ihn zu Hause gelassen haben, in meiner alten Jacke.

POLIZIST Was? Sie haben Ihren Führerschein nicht bei sich? Das geht aber nicht! Die Sache kostet Sie viel Geld. (Schreibt einen Strafzettel aus.[5]) Nummer eins: durch ein rotes Licht gefahren! Nummer zwei: vierzig Kilometer die Stunde! Nummer drei: ohne einen Führerschein. – So. Wie heißen Sie bitte?

FAHRER Arthur Lamm.

POLIZIST Wo wohnen Sie?

FAHRER Friedenstraße neunundsiebzig.

POLIZIST Wie alt sind Sie?

FAHRER Einundzwanzig Jahre.

POLIZIST Das macht zusammen hundertundzwanzig Mark.

FAHRER Was? Aber hören Sie mal, das ist ja furchtbar!

POLIZIST Wenn es Ihnen nicht gefällt, können Sie da drüben in das große Gebäude gehen. Die erste Tür links! Dort bekommen Sie Auskunft!

[3] Herr master, boss [4] Führerschein driver's license
[5] Schreibt einen Strafzettel aus Writes out a ticket

8 The boys are going to spend Saturday in the city.

GEORG Was tust du am Samstag?
JÜRGEN Eigentlich nichts. Was willst du tun?
GEORG Mein Vetter Karl und ich fahren früh am Morgen in die Stadt. Willst du mit?
JÜRGEN Fahrt ihr mit der Bahn oder mit dem Wagen?
GEORG Karls Vater hat einen neuen Combi, und mit dem werden wir fahren.
JÜRGEN Aber wo können wir ihn lassen?
GEORG O, wir werden sicher einen guten Parkplatz finden können. Da lassen wir ihn den ganzen Tag.
JÜRGEN Kommt ihr dann auch bei mir vorbei?
GEORG Ja. Wir wollen schon um halb sechs losfahren. Kannst du so früh fertig werden?
JÜRGEN Keine Sorge. Ich bin immer rechtzeitig fertig.
GEORG Na! Auf Wiedersehen, bis Samstag morgen.
JÜRGEN Auf Wiedersehen.

9 Hannelore writes home.

Hamburg, den 15. Mai

Liebe Eltern!

Viele Grüße aus Hamburg! Seit gestern abend sind wir in dieser berühmten Stadt. Es gefällt uns hier einfach wunderbar. Die Stadt ist viel größer, als ich sie mir vorgestellt hatte.

Alle zwölf von uns haben nette Zimmer bekommen, in einem neuen Hotel in der Nähe vom Bahnhof. Herr und Frau Schroeder hatten vorher fünf Zimmer bestellt.[1] Aber wir kamen ins Hotel, und da war der Brief verloren, und die Zimmer waren nicht frei. Da mußte man erst viel telefonieren. Nach einer halben Stunde hatte Herr Schroeder die Zimmer gemietet; jede von uns ist mit zwei anderen in einem Zimmer, und die Schroeders haben ein Zimmer für sich. Es ist jetzt also alles gut arrangiert.

Wir haben auch schon einen Unfall gehabt. Auf dem Bahnhof ist Erika ausgerutscht und hat sich den Fuß verrenkt. Deshalb hat sie heute morgen im Hotel bleiben müssen.[2] Aber heute abend fühlt sie sich schon viel besser. Es ist jedenfalls nichts Ernstes. Sie hinkt noch ein bißchen.

Vom Hamburger Hafen habt Ihr sicher schon gehört. Da sind wir heute vormittag gewesen.[3] Es war wirklich großartig. Den Verkehr aus allen

[1] vorher beforehand [2] deshalb therefore; so
[3] heute vormittag = heute morgen

Richtungen könnt Ihr Euch wohl gar nicht vorstellen. In der Nähe ist auch der hohe Turm von Sankt Michel. Von dort hat man eine wunderbare Aussicht auf den Hafen, auf die Stadt und auf das Land, alles auf einmal. Herr Schroeder hatte einen Stadtplan mitgebracht. Da wußten wir gleich, wo wir waren.

Dann wollten wir auch noch ins Museum. Das ist gleich neben dem Bahnhof. Aber es war leider geschlossen, denn am Samstag nachmittag ist kein Museum offen. Vielleicht wollen wir morgen oder übermorgen wieder hin. Es sollen viele berühmte Bilder dort sein. [4]

Aber ich habe sonst noch viel Interessantes gesehen. Weil wir heute nachmittag nicht ins Museum gehen konnten, sind Marianne und ich ins Kaufhaus Karstadt gegangen. Das ist ein großes Gebäude nicht weit vom Rathaus. Ich weiß nicht, ob ich jemals solchen Verkehr gesehen habe. Es sah so aus, als ob alle Frauen in Hamburg ihre Männer zu Hause gelassen hätten! Und all die schönen Sachen, die es dort gab, Kleider und Schuhe und Hüte und Blusen und Badeanzüge und Taschen—ich kann Euch gar nicht sagen, wie mir das alles gefallen hat. Und da habe ich mir denn auch ein Abendkleid gekauft. Ich möchte doch etwas Neues tragen, [5] wenn ich das nächste Mal in Duderstadt tanzen gehe. [6] Ich habe es anprobiert, und Marianne sagt, es steht mir glänzend. Ganz hellblau. Hoffentlich gefalle ich Euch darin. Ich hatte leider nicht genug Geld bei mir, und deshalb hat mir Marianne mit fünfzig Mark ausgeholfen. Aber das macht nichts. Ich werde dann einfach in den nächsten zwei Wochen nicht zu Mittag essen. Mutti, Du hast doch nichts gegen meine Einkäufe? Ich bin so froh, daß ich dies Kleid bekommen habe! Wenn Ihr wollt, könnt Ihr es mir ja zum Geburtstag geben!

Es ist hier wirklich viel los. Am Dienstag wollen wir alle ins Theater. Ich weiß nicht, welches Stück gegeben wird. Ich glaube, es heißt „Rosenkavalier" oder so etwas. Ein paar von meinen Freundinnen schwärmen dafür. Die Musik soll einfach toll sein.

Wie geht es Euch, und was machen die Zwillinge? Laßt doch bald von Euch hören. Wenn ich bis Mittwoch keinen Brief von Euch habe, rufe ich Euch an.—Ich bin doch froh, daß ich mitgekommen bin!

Für heute viele Grüße

Eure Hannelore

[4] Bilder pictures [5] tragen wear [6] Mal time

TOPICS FOR REPORTS

1

Der Verkehr in unserer Stadt wird immer furchtbarer! ..... *Fahren deine Eltern gern in die Stadt? ..... Können sie einen Parkplatz finden? ..... In welcher Straße gibt es gar keinen Parkplatz? ..... Kann man glücklicherweise mit dem Bus fahren?*

2

In der Nähe von unserem Haus ist ein schöner Park. ..... *Wie heißt er? ..... Wie weit ist er von eurem Haus? ..... Könnt ihr hingehen, oder müßt ihr fahren? ..... Kann man da Tennis spielen? ..... Was kann man da sonst noch tun? (schwimmen, essen und trinken, sich Musik anhören, kegeln, Rollschuh laufen, ein Boot mieten)*

3

Neulich sah ich einen interessanten Raumfahrtfilm. ..... *Wann war das? ..... Weißt du, wie der Raumfahrer hieß? ..... Wohin flog er? ..... Landete er rechtzeitig? ..... Wieviel Stunden war er unterwegs?*

4

Wir gehen gerne fischen. ..... *Wer geht gewöhnlich mit dir? ..... Wohin geht ihr? ..... Wie heißt der See (der Fluß)? ..... Wie fahrt ihr hin? ..... Was kann man dort fangen? ..... Kann man dort Boote mieten? ..... Wer fängt die großen Fische? ..... Wer hat immer Pech?*

Plans for the Summer

"Say, George, can I ride home with you this afternoon?"
"Sorry; that's out. I'm in a terrible hurry.
I've got to get my uncle from the airport.
His plane gets here in half an hour."

"Now we'll soon be having our vacation."
"Yes, I've been looking forward to it for a long time.
I'm going to work this summer."
"You are? Have you got a job?"
"Sure have. I got myself one quite a while ago.
My oldest brother owns a filling station,
and he's going to let me work there.
I'll be making three marks an hour."

"What are you planning to do this vacation?"
"I haven't any idea yet.
My mother wants to go to the seashore,
but my father would rather go to the mountains.
I'm afraid that the vacation will be rather boring."

"When are you getting back?"
"As far as I know, not until the end of August."
"Well, I hope you have a fine trip."

Sommerpläne

1 „Sag mal, Georg, kann ich heute mit dir nach Hause fahren?"
2 „Nein, leider geht das nicht. Ich hab' es furchtbar eilig.
3 Ich muß meinen Onkel vom Flugplatz abholen.
4 Sein Flugzeug kommt in einer halben Stunde an."

5 „Jetzt haben wir ja bald Ferien."
6 „Ja, ich freue mich schon lange darauf.
7 Ich werde diesen Sommer arbeiten."
8 „So? Hast du denn eine Stellung?"
9 „Ja gewiß. Ich habe mir längst eine verschafft.
10 Mein ältester Bruder besitzt eine Tankstelle,
11 und da wird er mich arbeiten lassen.
12 Ich werde drei Mark die Stunde verdienen."

13 „Was hast du in den Ferien vor?"
14 „Davon habe ich noch keine Ahnung.
15 Meine Mutter will ans Meer fahren,
16 aber mein Vater möchte lieber in die Berge.
17 Ich fürchte, daß die Ferien recht langweilig sein werden."

18 „Wann kommt ihr wieder zurück?"
19 „Soviel ich weiß, erst Ende August."
20 „Na, dann wünsche ich euch glückliche Reise! . . ."

QUESTION-ANSWER PRACTICE

1
HERR KRAUS Sagen Sie mal, Herr Grimm, kann ich heute mit Ihnen nach Hause fahren?
HERR GRIMM Nein, leider geht das nicht. Ich muß einen Freund von mir vom Flugplatz abholen.

2
HERR KRAUS Dann haben Sie es sicher eilig. Wann kommt sein Flugzeug an?
HERR GRIMM In einer halben Stunde.

3
FRL. MOHLKE Freuen Sie sich nicht auf die Ferien?
FRL. BÜLOW Ja, schon lange.

4
FRL. MOHLKE Was haben Sie vor?
FRL. BÜLOW Ich werde diesen Sommer arbeiten.

5
FRL. MOHLKE Haben Sie denn eine Stellung?
FRL. BÜLOW Ja gewiß. Ich habe mir längst eine verschafft.

6
FRL. MOHLKE Wo werden Sie arbeiten?
FRL. BÜLOW In einem großen Kaufhaus in der Stadt.

7
FRL. MOHLKE Was werden Sie verdienen?
FRL. BÜLOW Fünf Mark fünfzig die Stunde.

8
HERR NAUMANN Was werden Sie diesen Sommer tun?
HERR SCHMIDT Das weiß ich noch nicht. Meine Frau will ans Meer fahren, aber meine Kinder möchten lieber in die Berge.

9
HERR NAUMANN Wann kommen Sie von Ihrer Reise zurück?
HERR SCHMIDT So viel ich weiß, erst Ende August.

10
HERR SCHMIDT Was haben Sie denn vor?
HERR NAUMANN Ich fürchte, daß die Ferien recht langweilig sein werden. Ich muß nämlich zu Hause bleiben und arbeiten.

PATTERN PRACTICE

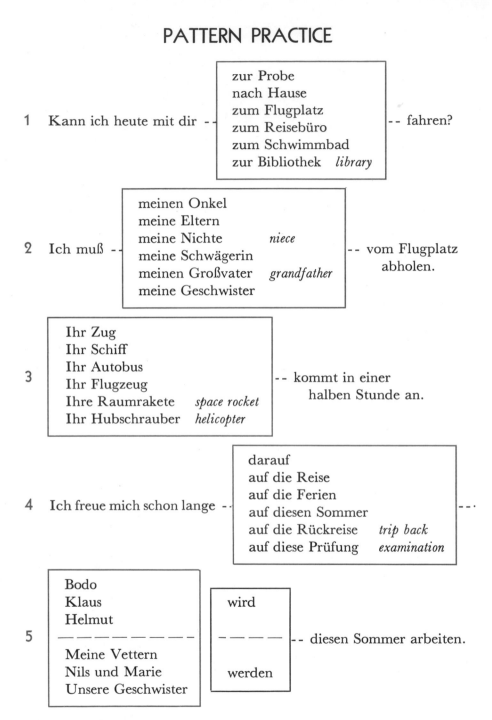

1 Kann ich heute mit dir --

zur Probe
nach Hause
zum Flugplatz
zum Reisebüro
zum Schwimmbad
zur Bibliothek *library*

-- fahren?

2 Ich muß --

meinen Onkel
meine Eltern
meine Nichte *niece*
meine Schwägerin
meinen Großvater *grandfather*
meine Geschwister

-- vom Flugplatz abholen.

3

Ihr Zug
Ihr Schiff
Ihr Autobus
Ihr Flugzeug
Ihre Raumrakete *space rocket*
Ihr Hubschrauber *helicopter*

-- kommt in einer halben Stunde an.

4 Ich freue mich schon lange --

darauf
auf die Reise
auf die Ferien
auf diesen Sommer
auf die Rückreise *trip back*
auf diese Prüfung *examination*

--.

5

Bodo Klaus Helmut	wird
Meine Vettern Nils und Marie Unsere Geschwister	werden

-- diesen Sommer arbeiten.

6 Was? Hast du denn wirklich -- [einen Combi / ein Segelboot *sailboat* / eine Stellung / eine Waldhütte / Zwillingsschwestern / eine elektrische Schreibmaschine] -- ?

- einen Combi
- ein Segelboot *sailboat*
- eine Stellung
- eine Waldhütte
- Zwillingsschwestern
- eine elektrische Schreibmaschine

7 Mein ältester Bruder wird mich -- -- arbeiten lassen.

- in seinem Café
- in seinem Hotel
- in seinem Gasthaus
- in seinem Kaufhaus
- in seiner Apotheke *pharmacy*
- in seiner Tankstelle

8 Ich werde -- -- verdienen.

- zehn Mark pro Stück
- drei Mark die Stunde
- zwanzig Mark pro Tag
- hundert Mark die Woche
- sechshundert Mark pro Monat
- zwanzigtausend Mark das Jahr

9 Was hast du -- -- vor?

- heute abend
- Samstag abend
- in den Ferien
- zum Wochenende
- heute nachmittag
- nächsten Samstag

10 Aber mein Vater möchte lieber -- --.

- ans Meer
- ins Café
- in die Stadt
- in die Berge
- auf das Land
- zur Waldhütte

Schilder	Signs
1 VORSICHT! BISSIGER HUND!	Caution! Vicious dog!
2 LEBENSGEFAHR!	Extreme Danger!
3 HOCHSPANNUNG!	High voltage!
4 RECHTS FAHREN!	Keep to the right!
5 EINBAHNSTRASSE!	One-Way Street.
6 NUR BEI GEFAHR HUPEN!	Use horn only in case of danger!

CONVERSATIONS

1 Mrs. Bieber drops in to check up on a rumor.

FRAU BIEBER Man hat mir gesagt, daß Ihr Mann sich eine wunderbare neue Stellung verschafft hat. Stimmt das?

FRAU LENZ Ja, es ist wahr. Sie wissen ja, daß seine frühere Stellung ziemlich langweilig war. Er hat gut verdient, aber die Arbeit war ihm nicht interessant genug.

FRAU BIEBER Ja, ich weiß. Aber es ist doch schon etwas, wenn man gut verdient, nicht?

FRAU LENZ O, natürlich! Aber in seiner neuen Stellung wird er noch besser verdienen, und die Arbeit wird auch viel interessanter sein.

FRAU BIEBER O, das ist großartig! Was für eine Stellung ist es denn? Werden Sie immer noch hier in Recksburg wohnen können?

FRAU LENZ Ja, gewiß. Es würde uns leid tun, wenn wir unsere Freunde hier in Recksburg nicht mehr sehen könnten. – Sie haben wohl gehört, daß Recksburg bald einen neuen großen Flugplatz bekommen soll. Und Alfred wird Direktor sein!

FRAU BIEBER Wunderbar! Sagen Sie ihm einen schönen Gruß und beste Wünsche!

2 At the class picnic.

URSEL Was hast du in den Ferien vor?
INGE Wir werden den ganzen Sommer auf Reisen sein.
URSEL O, das wird großartig sein! Wohin werdet ihr denn reisen?
INGE Nach Kalifornien. Da haben wir einen Onkel und eine Tante.
URSEL So? In welcher Stadt wohnen sie denn?
INGE Sie wohnen nicht in der Stadt. Sie wohnen auf dem Land, aber sie haben ein Sommerhaus oben in den Bergen.
URSEL Werdet ihr mit dem Wagen hinfahren?
INGE Nein. Tante Berta will, daß wir schon Ende Juni da sein sollen. Wir fliegen dahin, und dann haben wir vor, mit dem Autobus zurückzukommen. Mein Vater sagt, nur vom Bus aus kann man das Land sehen und kennenlernen.
URSEL Bist du schon einmal geflogen?
INGE Nein, noch nicht. Ich freue mich sehr darauf.
URSEL Na, glückliche Reise! Hoffentlich bekomme ich ein paar Postkarten von dir!
INGE O, gewiß. – Und viel Vergnügen am Meer! Vorsicht beim Schwimmen!

3 Ludwig Brockdorff visits a travel agency.

BROCKDORFF Verzeihung, darf ich um Auskunft bitten?
FRÄULEIN Ja gerne. Was kann ich für Sie tun?
BROCKDORFF Darf ich fragen, was eine Reise nach drüben kostet?
FRÄULEIN Was meinen Sie damit, „nach drüben"?
BROCKDORFF Nun, ich meine natürlich nach Amerika.
FRÄULEIN Ach so! Das ist nämlich nicht immer klar. Wollen Sie die Reise mit dem Flugzeug oder mit dem Schiff machen?
BROCKDORFF Ich fahre lieber mit dem Schiff. Da ist man jedenfalls sicher.
FRÄULEIN So? Meinen Sie? Dann müssen Sie mit Herrn Gierke sprechen.
BROCKDORFF Gut. Und wo finde ich Herrn Gierke?
FRÄULEIN Drei Treppen hoch – in diesem Gebäude – und dann nach hinten!

4 At Mr. Gierke's office.

GIERKE	Also Sie wollen über den „großen Teich"?
BROCKDORFF	Ja, das habe ich vor.
GIERKE	Gut. Und wann wollen Sie fahren?
BROCKDORFF	In vierzehn Tagen.
GIERKE	O nein. So schnell geht das nicht. Sie glauben, man könnte einfach losfahren?
BROCKDORFF	Ja, so hatte ich es mir vorgestellt.
GIERKE	Das geht aber nicht. Jetzt haben wir Juli. In den nächsten drei Monaten ist alles besetzt. Ich fürchte, Sie werden keinen Platz mehr finden können.
BROCKDORFF	So? Und wie wär's im Herbst?
GIERKE	Ja, im Oktober oder November werden wieder Plätze frei.
BROCKDORFF	Warum ist jetzt solcher Verkehr?
GIERKE	Ja, sehen Sie: Es gibt so viele Besucher aus Amerika, die wollen alle wieder nach Hause. – Und dann gibt es die vielen Ferienreisen – in allen Richtungen. Dafür haben wir nicht genug Schiffe. – Wann darf ich etwas für Sie bestellen?
BROCKDORFF	Sagen wir, für den fünfzehnten Oktober oder so.
GIERKE	Das wäre besser. Geht Ihre Frau auch mit?
BROCKDORFF	Nein, leider nicht. Ich muß ohne sie fahren. Wer wird sonst bei unsern Kindern bleiben? – Und sie schwärmt so für das Meer!
GIERKE	Ja, das ist schade! Aber warum gehen Sie ohne Ihre Frau?
BROCKDORFF	Ich habe mit dem Fahrrad einen Preis gewonnen, und jetzt darf ich nach Amerika gehen!
GIERKE	So, so! – Nehmen Sie Ihren Wagen mit?
BROCKDORFF	Ich besitze keinen Wagen.
GIERKE	Ach so! Und wann wollen Sie wieder zurückkommen?
BROCKDORFF	Sagen wir, vor Weihnachten. Können Sie das arrangieren?
GIERKE	Ja, ich will Ihnen einen guten Platz verschaffen. Kommen Sie doch in ein paar Tagen wieder bei uns vorbei.

BROCKDORFF Schön. Und wieviel wird das kosten?

GIERKE Machen Sie sich keine Sorgen! Tausend Mark, zwölfhundert Mark – ich habe keine Ahnung. Wir müssen sehen, ob es ein altes oder ein neues Schiff ist, ob es schnell fährt oder nicht – und ob Sie in der ersten oder in der zweiten Klasse fahren wollen.

5 Mr. Gierke has handed Mr. Brockdorff an envelope with the tickets.

BROCKDORFF Also, vielen Dank. Sie haben mir wirklich einen guten Platz verschafft.

GIERKE Aber bitte sehr! Ich hoffe, daß die Reise Ihnen gefallen wird.

BROCKDORFF Ja, ich freue mich sehr darauf. Ich werde sicher viel Interessantes zu sehen bekommen.

GIERKE Sie wissen also, was Sie zu tun haben: Sie fahren mit der Bahn am Fluß entlang bis zum Hafen. Der Zug bringt Sie bis ans Schiff.

BROCKDORFF Und drüben bringt ein Bus mich bis zum Bahnhofsplatz.

GIERKE Richtig! Und dann wird Ihr Vetter kommen und Sie abholen. – Was ich fragen wollte: Wie heißt Ihr Vetter eigentlich?

BROCKDORFF Brockdorff, ebenso wie ich. Sein Vater und mein Vater waren Brüder. Seine Eltern sind schon vor vierzig Jahren nach drüben gefahren. Er besitzt einen Bauernhof in der Nähe von Philadelphia.

GIERKE Na, schön. – Dann wünsche ich Ihnen eine gute Reise! Sehen Sie, daß Sie immer genug Geld bei sich haben! Sonst haben Sie nichts als Sorgen.

6 On the boat train. Mr. Brockdorff is at the open window. Mrs. Brockdorff and their three sons are on the platform, seeing him off.

FRAU BROCKDORFF	Hast du auch alles dabei?
HERR BROCKDORFF	Jawohl. Ich glaube, es fehlt mir nichts.
FRAU BROCKDORFF	Möchtest du nicht vielleicht noch eine Tafel Schokolade oder eine Packung Zigaretten?
HERR BROCKDORFF	Ja, aber ich kann im Augenblick keine Verkäuferin sehen.
FRAU BROCKDORFF	Wann wirst du nun drüben ankommen?
HERR BROCKDORFF	Soviel ich weiß, in zehn Tagen.
FRAU BROCKDORFF	Hoffentlich ist es auf dem Schiff nicht zu langweilig.
HERR BROCKDORFF	Durchaus nicht! Es soll jeden Nachmittag Tee und Tanz geben.
FRAU BROCKDORFF	Schade, daß ich nicht mit kann!
HERR BROCKDORFF	Und dann kann ich ja auch jeden Abend einen Film sehen.
HEINER	Was? Gibt es auch Lichtspiele auf dem Schiff?
HERR BROCKDORFF	Natürlich! Und auch ein Schwimmbad.
HEINER	Aber was tust du, wenn das Wetter schlecht ist?
HERR BROCKDORFF	Dann bleibe ich drinnen, in meinem Zimmer.
HEINER	Und wenn du unterwegs seekrank wirst?
HERR BROCKDORFF	Dann rufe ich den Schiffsarzt!
FRAU BROCKDORFF	Und dann kannst du ja auch schlafen, so lange du willst.
HERR BROCKDORFF	Ja, ich bin schon beinahe wieder müde. Bin heute morgen vor fünf aufgestanden. – Oder ich kann mich auch hinsetzen, mit einem Buch, – man hat ja so viel Zeit! –

HENNIG	Ist auf einem Bahnhof immer so viel Lärm?
HERR BROCKDORFF	Jawohl, gewöhnlich, wenn es so viel Verkehr gibt. Es kommen hier ja Züge aus allen Richtungen an. –
FRAU BROCKDORFF	Hennig, warum hast du deine Ziehharmonika nicht mitgebracht?
HENNIG	Die ist doch längst kaputt! –
FRAU BROCKDORFF	Wenn das Schiff nur keinen Unfall hat!
HERR BROCKDORFF	Keine Sorge, Emilie! Es gibt ja Boote auf dem Schiff. Und wenn etwas Ernstes passiert, können alle schnell gerettet werden! –
JÜRGEN	Vati, bekommst du auf dem Schiff auch genug zu essen?
HERR BROCKDORFF	Jawohl! Mehr als genug. Die Kellner stehen immer nur da und wollen dir helfen.
JÜRGEN	Und du darfst dir aussuchen, was du willst?
HERR BROCKDORFF	Ja, was du essen oder trinken möchtest! Ist das nicht nett?
JÜRGEN	O, da möchte ich auch mal nach Amerika!
HERR BROCKDORFF	Ja, wenn du größer bist. –
FRAU BROCKDORFF	Na, hoffentlich wird dein Vetter dich rechtzeitig abholen.
HERR BROCKDORFF	Ja, hoffentlich. Soll ich ihm etwas ausrichten?
FRAU BROCKDORFF	Nun, grüße ihn von uns. Und er soll auch einmal zu Besuch kommen.
HERR BROCKDORFF	Ja, vielleicht wird er auch einen Preis gewinnen. Und darf nach Europa kommen. –
HENNIG	Es sieht so aus, als ob der Zug bald fertig ist. Man hat das grüne Licht eben angedreht.
HERR BROCKDORFF	Ja, nun müssen wir „Auf Wiedersehen" sagen! Bleibt alle gesund!
JÜRGEN	Bring mir etwas Schönes aus Amerika mit!
HERR BROCKDORFF	Aber gewiß! Auf Wiedersehen!
FRAU BROCKDORFF	Auf Wiedersehen! Und Glückliche Reise!
HERR BROCKDORFF	Auf Wiedersehen!

7 Crisis in the parking lot.

SCHILLING Wissen Sie, was mir neulich auf einem Parkplatz passiert ist?

HELLER Ich hoffe, es war kein Unfall.

SCHILLING Nein, aber Pech habe ich gehabt, furchtbares Pech.

HELLER Wieso denn? Sagen Sie mir doch, was los war.

SCHILLING Na, ich sollte einen Herrn vom Flugplatz abholen, einen Freund von unserem Präsidenten. Ich hatte eine Stunde frei, aber ich hatte es furchtbar eilig. Denn es regnete, und ich hatte keinen Hut. Ich fuhr also schnell zum Kaufhaus Linden, ließ meinen Wagen im Parkplatz an der Straße und kaufte mir einen Hut.

HELLER So? Und Sie kamen zurück und hatten gewiß eine Reifenpanne.

SCHILLING Nein, durchaus nicht. Nach zehn Minuten komme ich wieder heraus, und da stehen rechts und links von mir zwei andere Wagen, aber so nahe, daß ich einfach nicht in meinen Wagen konnte.

HELLER Und was haben Sie da getan?

SCHILLING Was konnte ich tun? Ich setze mich also an die Straßenecke und warte. Ich hatte noch vierzig Minuten Zeit. Es kamen viele Leute vorbei, aber ich konnte ja nicht zu ihnen gehen und sagen: „Verzeihung! Ist das Ihr Wagen?" Und ich konnte auch nicht hupen, denn ich konnte ja nicht in meinen Wagen.

HELLER Aber hören Sie mal! Ist Ihr Wagen nicht ein Combi?

SCHILLING Richtig! Glücklicherweise wird es mir klar, daß mein Wagen ein Combi ist und daß er hinten offen ist. Ich habe noch eine Viertelstunde Zeit. In diesem Augenblick ist mir alles gleich – ! Ich will nur sehen, wie ich in den Combi hineinkommen kann, auf Händen und Füßen. Da stoße ich mit dem Knie an etwas – ich weiß nicht was – ich rutsche aus, ich verrenke mir den linken Arm, ich falle in den Wagen, und meine Beine stecken hinten aus dem Combi heraus. Können Sie sich vorstellen, wie das aussah? Da kommt ein hübsches Fräulein, setzt sich in den Wagen rechts neben mir und fährt los!

Sie können mir glauben: es sah so aus, als ob einer von uns beiden etwas dumm war.

HELLER Sind Sie denn noch rechtzeitig zum Flugplatz gekommen?

SCHILLING Ja, der Herr hat auf mich gewartet.

8 On the way to the movies, Hans boasts about his exciting summer plans.

ROLF Was wirst du in den Sommerferien tun?

HANS Meine Schwester und ihr Mann haben einen großen Bauernhof, und dort werde ich den ganzen Sommer sein.

ROLF Wird das nicht ein bißchen langweilig sein?

HANS Keineswegs.[1] Auf dem Bauernhof gibt es immer viel zu tun.

ROLF Hat dein Schwager viele Pferde und Kühe?

HANS Nein, gar keine. Und auch keine Schafe, keine Schweine und keine Hühner.[2] Er hat nur einen großen schwarzen Hund.

ROLF Aber was für ein Bauernhof ist das? Keine Pferde, keine Kühe – nichts!

HANS Nun, es gibt Maisfelder, Kornfelder, Bohnenfelder und Kartoffelfelder.[3]

ROLF Kann man auch fischen gehen?

HANS Ja, natürlich. In der Nähe ist ein kleiner Fluß mit Forellen.

ROLF O, das wäre schön. Ich gehe sehr gern fischen.

HANS Ich nicht. Ich finde das Fischen sehr langweilig.

ROLF Es kann aber auch sehr interessant sein. Was gibt's denn sonst auf einem Bauernhof zu tun?

HANS Mein Schwager hat vier Traktoren, einen sehr großen, einen mittelgroßen, einen kleineren und einen ganz kleinen.[4] Letzten Samstag war ich da zu Besuch, und ich habe gelernt, den kleinen zu fahren. Mein Schwager sagt, später darf ich auch den ganz großen fahren.

ROLF Und den ganzen Sommer willst du Traktoren fahren?

HANS Ja, gewiß. Warum nicht? Es macht doch wirklich viel Spaß!

ROLF Ich möchte lieber den ganzen Sommer Tennis spielen!

[1] keineswegs not in the least [2] Schweine pigs
[3] Maisfelder corn fields; Kornfelder wheat fields; Bohnenfelder bean fields; Kartoffelfelder potato fields [4] Traktoren tractors

9 Mrs. Grunk, Bärbel's neighbor, walks back from the store with her.

FRAU GRUNK Wie geht's deinem ältesten Bruder Hermann? Ich habe ihn schon lange nicht gesehen. Ist er vielleicht krank?

BÄRBEL O nein, gar nicht. Haben Sie nichts davon gehört? Hermann hat eine schöne Stellung in der Schweiz.

FRAU GRUNK Wirklich? Was tut er denn da?

BÄRBEL O, ein Onkel von uns besitzt ein Hotel in den Bergen, nicht weit von Sankt Moritz. Hermann verdient sehr gut da drüben.

FRAU GRUNK Das ist ja wunderbar. Wie ist er hingekommen? Mit dem Schiff nach Frankreich und dann weiter mit der Bahn?

BÄRBEL Nein, er hatte es furchtbar eilig. Mein Onkel wollte, daß Hermann schon am fünfundzwanzigsten Juni da sein sollte.

FRAU GRUNK Ist er dann mit dem Flugzeug nach drüben geflogen?

BÄRBEL Ja, natürlich. In acht Stunden war er da.

10 A visit to SIRIUS, the boys' hideout in the attic. Gero and Edgar are there, with their friend Peter. — There is a knock at the door.

MUTTER Hört mal, Jungs, darf ich hineinkommen?

GERO Es ist jemand da draußen. – Wer ist da?

MUTTER Ich bin es doch—Mutter!

EDGAR Na, weil du's bist, darfst du heute mal herein, zu Besuch! Aber nur einen Augenblick!

MUTTER Ich will ja gar nicht lange bleiben!

GERO Peter, lasse die Raumfahrerin in den Turm!

PETER (an der Tür) Willkommen, Frau von der Erde!

MUTTER Grüß Gott! Könnt ihr mir sagen, wo ich bin? Auf dem Mond?

PETER Sie sind eben auf dem Sirius gelandet!

MUTTER Das freut mich! Männer des Sirius! Darf ich Platz nehmen? Ich bin etwas müde von der langen Reise von der Erde.

GERO Dies ist der beste Stuhl, den wir haben. Edgar, lege den blauen Teppich vor den Stuhl. Unsere Besucherin soll sich bequem bei uns fühlen.

EDGAR Setze deinen Fuß auf unseren Teppich!

PETER Was bringen Sie mit von der Erde?

MUTTER Nur ein paar Erfrischungen. Heiße Schokolade mit Schlagsahne und etwas Apfelkuchen.

GERO Großartig! Vielen Dank! – Warum steht ihr so da und tut nichts? Los! Bringt doch die Tassen aus dem Schrank!

MUTTER Es ist etwas kalt bei euch hier oben! Ihr und euer Freund müßt ziemlich hungrig sein. Ich habe mir gedacht, ein warmes Getränk wäre gut für euch!

EDGAR Schön! Es ist hier oben aber doch nicht kalt!

MUTTER Nun! Ich hätte meine Jacke mitbringen sollen . . . So, jetzt weiß ich, warum dies „die Höhle" heißt.

GERO Warum, meinst du? Gefällt sie dir?

MUTTER Jungs, es sieht hier ja beinahe aus wie im Zoo. Wer hat denn all diese Dekorationen gemacht?

EDGAR Daran haben Gero und Peter letzten Herbst gearbeitet.

PETER Ja, aber Edgar hat mitgeholfen!

MUTTER Wann habt ihr denn Zeit dafür gehabt?

GERO An Wochenenden, wenn wir frei hatten.

MUTTER Das ist ja großartig! Da ein Elefant und ein Tiger – und hier ein Nilpferd. Und was soll das hier sein?

EDGAR Das ist doch ein Löwe!

MUTTER Ein Löwe? Na, ich weiß nicht. Das sieht doch mehr wie eine Katze aus!

GERO Oder wie ein Löwe auf dem Sirius! Die haben doch solche Körper.

MUTTER Und die Bäume? Das sind wohl auch Sirius-Bäume! – Wo habt ihr denn dies Schild gefunden, „Vorsicht! Bissiger Hund!"?

EDGAR Das hat Peter von seinem letzten Ausflug mitgebracht.

MUTTER Und dieses: „Vorsicht! Hochspannung! Lebensgefahr!"?

PETER Das hat Edgar neulich an einem Leitungsmast draußen am See gefunden. [1]

MUTTER Und das habt ihr einfach mitgenommen? Das darf man doch nicht!

GERO O, es war doch nur zum Spaß! – Edgar, drehe doch

[1] Leitungsmast power line pole

einmal das Licht da in der Ecke an. Sonst kann Mutter nicht sehen, was es da gibt.

MUTTER Das ist ja ein richtiges Krokodil. Von wem habt ihr denn das?

GERO Das hat Peters Onkel in Afrika geschossen. – Und weißt du, was dies hier ist?

MUTTER In diesem Glas? Nein, das kann ich nicht so recht erkennen.

GERO Nun, das ist eine Wasserschlange aus Venezuela.[2] – Aber hast du gesehen, was hier hängt?

MUTTER Wo?

GERO Vorsicht! Stoße nicht daran! Hier hinter dir, mitten unter der Lampe.

MUTTER Ach, wie furchtbar! Da hätte ich ja beinahe das Glas fallen lassen! Was ist denn das? Das ist ebenso klein wie ein alter Apfel und sieht doch aus wie ein richtiger Kopf.

GERO Das ist es auch.

MUTTER Aber warum ist er so klein?

GERO Das ist ein Indianerkopf. Den haben wir auch von Peters Onkel. Er hat ihn aus Südamerika zurückgebracht. Da ist er nämlich vor drei Jahren auch gewesen.[3]

MUTTER Auch aus Venezuela?

PETER Nein. Ich glaube aus den Bergen von Peru.

GERO Ist es nicht niedlich?

MUTTER Das kann ich wirklich nicht sagen! – Jetzt sollte ich wohl lieber wieder nach unten gehen! Ich muß in die Küche zurück. Ich fürchte, es wird mir hier sonst noch zu warm!

GERO Willst du nicht noch ein bißchen Musik anhören? Unsere letzten Schallplatten?

MUTTER Bedaure. Ein anderes Mal.[4] – Na, viel Vergnügen. Langweilig ist es hier sicher nicht! – Würdet ihr das Licht andrehen? Ich möchte nicht die Treppe hinunterfallen! (Geht hinaus.)

PETER Laßt uns doch auch hinuntergehen! Er ist schon halb sechs. Ich glaube, ich muß jetzt nach Hause.

[2] Schlange snake [3] vor drei Jahren three years ago [4] Mal time

TOPICS FOR REPORTS

1

Ich muß jetzt zum Flugplatz. ..... *Wen mußt du abholen?* ..... *Wann soll er ankommen?* ..... *Aus welcher Stadt kommt er?* ..... *Wieviel Stunden wird er unterwegs sein?* ..... *Glaubst du, daß er rechtzeitig ankommen wird?*

2

Ich werde diesen Sommer arbeiten. ..... *Hast du dir schon eine Stellung verschafft?* ..... *Wo wirst du arbeiten?* ..... *Wieviel Stunden in der Woche?* ..... *Wieviel wirst du verdienen?*

3

Ich weiß noch nicht, was wir in diesem Sommer tun werden. ..... *Wohin möchtest du lieber fahren, in die Berge oder ans Meer?* ..... *Was wollen deine Eltern tun?* ..... *Wo wart ihr letzten Sommer?* ..... *Wann beginnen die Ferien in diesem Jahr?* ..... *Wann werdet ihr wieder zu Hause sein?*

4

Meine Familie will eine Reise machen. ..... *Wohin fahrt ihr?* ..... *Wird das eine sehr lange Reise sein?* ..... *Wieviel Kilometer?* ..... *Wer geht mit?* ..... *Werdet ihr in eurem eigenen Wagen fahren?* ..... *Wann soll es losgehen?* ..... *Wann kommt ihr wieder zurück?*

5

Jetzt gibt es nicht weit von uns ein neues Kaufhaus. ..... *Wie heißt es?* ..... *Ist es ein kleines Kaufhaus?* ..... *Was kann man da kaufen?* ..... *Wann ist es morgens offen?* ..... *Wie spät ist es abends noch offen?* ..... *Ist es an jedem Tag noch so spät offen?* ..... *Könnt ihr zu Fuß hingehen oder müßt ihr fahren?*

Songs

Horch, was kommt von draussen 'rein

Volkslied

Volksweise

Lustig

1. Horch, was kommt von drau-ssen 'rein? Hol-la-hi! Hol-la-ho!
Wird wohl mein feins Lieb-chen sein. Hol-la-hi-a-ho!
Geht vor-bei und_ schaut nicht 'rein. Hol-la-hi! Hol-la-ho!

Wird's wohl nicht ge - we - sen sein. Hol - la - hi - a - ho!

2. Leute haben's oft gesagt, Hollahi! Hollaho!
dass ich ein feins Liebchen hab'. Hollahiaho!
Lass sie reden, schweig' fein still, Hollahi! Hollaho!
kann ja lieben, wen ich will. Hollahiaho!

3. Sagt mir, Leute, ganz gewiss, Hollahi! Hollaho!
was das für ein Lieben ist: Hollahiaho!
die ich liebe, krieg' ich nicht, Hollahi! Hollaho!
und 'ne andre mag ich nicht. Hollahiaho!

4. Wenn mein Liebchen Hochzeit hat, Hollahi! Hollaho!
hab' ich meinen Trauertag, Hollahiaho!
geh' dann in mein Kämmerlein, Hollahi! Hollaho!
trage meinen Schmerz allein. Hollahiaho!

5. Wenn ich dann gestorben bin, Hollahi! Hollaho!
trägt man mich zum Grabe hin, Hollahiaho!
setzt mir keinen Leichenstein, Hollahi! Hollaho!
pflanzt nicht drauf Vergiss-nicht-mein. Hollahiaho!

Wenns die Soldaten

Volkslied

Volksweise

Schrittmässig

1. Wenn die Sol - da - ten durch die Stadt mar - schie - ren,
öff - nen die Mäd - chen_ Fen - ster und die Tü - ren. Ei,
war - um? Ei, dar - um! Ei, war - um? Ei, dar - um! Ei, bloss wegn dem

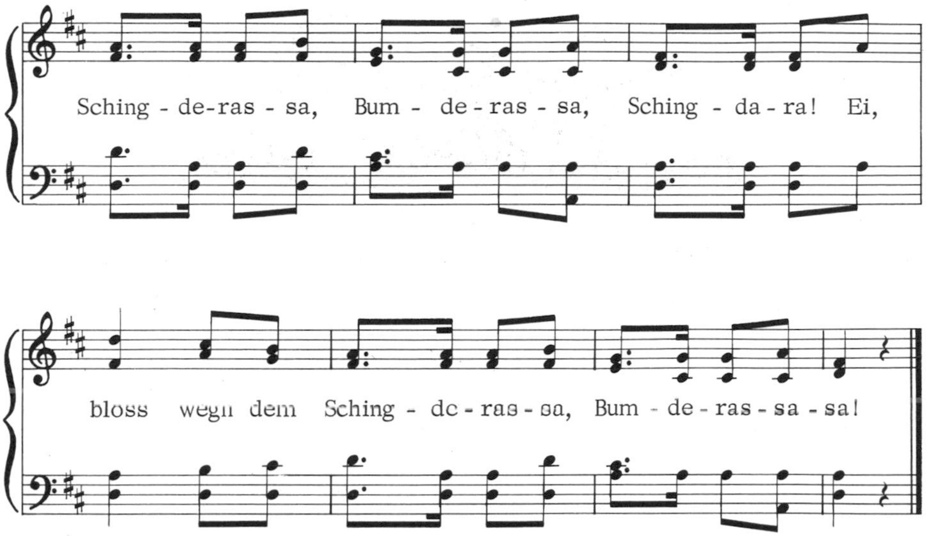
Sching - de-ras - sa, Bum - de - ras - sa, Sching - da - ra! Ei,
bloss wegn dem Sching - de - ras - sa, Bum - de - ras - sa - sa!

2. Zweifarben Tücher, Schnauzbart und Sterne
herzen und küssen die Mädchen ach, so gerne.
Ei, warum? Ei, darum! Ei, warum? Ei, darum!
Ei, bloss wegn dem Schingderassa, Bumderassa, Schingdara!
Ei, bloss wegn dem Schingderassa, Bumderassasa!
(Repeat last three lines after each verse)

3. Eine Flasche Rotwein und ein Stückchen Braten
schenken die Mädchen ihren Soldaten.
Ei, warum? *etc*.

4. Wenn im Felde blitzen Bomben und Granaten,
weinen die Mädchen um ihre Soldaten.
Ei, warum? *etc*.

5. Kommen die Soldaten wieder in die Heimat,
seins ihre Mädchen alle schon verheirat.
Ei, warum? *etc*.

Du, du liegst mir im Herzen

Volkslied | Volksweise

Mässig

1. Du, du liegst mir im Her - zen,
du, du liegst mir im Sinn; du,
du machst mir viel Schmer - zen, weisst nicht, wie

gut ich dir bin;
ja, ja,

ja, ja, weisst nicht, wie gut ich dir bin!

2. So, so, wie ich dich liebe,
so, so liebe auch mich!
Die, die zärtlichsten Triebe
fühle ich einzig für dich;
ja, ja, ja, ja, fühle ich einzig für dich.

3. Doch, doch darf ich dir trauen,
dir, dir mit leichtem Sinn?
Du, du kannst auf mich bauen,
weisst ja, wie gut ich dir bin;
ja, ja, ja, ja, weisst ja, wie gut ich dir bin!

4. Und, und wenn in der Ferne
mir, mir dein Bild erscheint,
dann, dann wünscht' ich so gerne,
dass uns die Liebe vereint;
ja, ja, ja, ja, dass uns die Liebe vereint.

Die Lorelei

H. Heine

F. Silcher

Ruhig
1. Ich weiss nicht, was soll es be - deu - ten, dass
ich __ so trau - rig bin: __ ein Mär-chen aus al - ten Zei-ten, das
kommt __ mir nicht aus dem Sinn. __ Die Luft __ ist kühl und es

dun - kelt, und ru - hig fliesst der Rhein; der
Gip - fel des Ber - ges fun - kelt im A - bend-son - nen-schein.

2. Die schönste Jungfrau sitzet dort oben wunderbar,
ihr goldnes Geschmeide blitzet, sie kämmt ihr goldenes Haar.
Sie kämmt es mit goldenem Kamme und singt ein Lied dabei;
das hat eine wundersame, gewaltige Melodei.

3. Den Schiffer im kleinen Schiffe ergreift es mit wildem Weh;
er schaut nicht die Felsenriffe, er schaut nur hinauf in die Höh.
Ich glaube, die Wellen verschlingen am Ende Schiffer und Kahn;
und das hat mit ihrem Singen die Lorelei getan.

Stille Nacht, heilige Nacht

J. Mohr | F. Gruber

Sanft und getragen

1. Stil - le Nacht, hei - li - ge Nacht! Al - les schläft,
ein - sam wacht nur das trau - te, hoch-hei - li - ge Paar.
Hol - der Kna-be im lo - cki-gen Haar, Schlaf in himm-li-scher

Ruh,
Schlaf in himm- li - scher Ruh!

2. Stille Nacht, heilige Nacht!
Hirten erst kund gemacht
durch der Engel Halleluja,
tönt es laut von fern und nah:
Christ, der Retter, ist da,
Christ, der Retter, ist da!

3. Stille Nacht, heilige Nacht!
Gottes Sohn, o wie lacht
Lieb aus deinem göttlichen Mund,
da uns schlägt die rettende Stund,
Christ, in deiner Geburt,
Christ, in deiner Geburt!

Heidenröslein

J. W. v. Goethe H. Werner

Leicht bewegt
1. Sah ein Knab' ein Rös - lein stehn, Rös - lein auf der
Hei - den, war so jung und mor - gen-schön,
lief er schnell, es nah zu sehn, sah's mit vie - len Freu - den.

Rös-lein, Rös-lein, Rös - lein rot, Rös-lein auf der Hei - den.

2. Knabe sprach: ich breche dich,
   Röslein auf der Heiden!
   Röslein sprach: ich steche dich,
   dass du ewig denkst an mich,
   und ich will's nicht leiden.
   Röslein, Röslein, Röslein rot, Röslein auf der Heiden.

3. Und der wilde Knabe brach
   's Röslein auf der Heiden!
   Röslein wehrte sich und stach,
   half ihm doch kein Weh und Ach,
   musst' es eben leiden.
   Röslein, Röslein, Röslein rot, Röslein auf der Heiden.

Ach, wie ist's möglich dann

Volkslied

F. Kücken

Mässig langsam
1. Ach, wie ist's mög-lich dann, dass ich dich las - sen kann!
Hab dich von Her- zen lieb, das glau - be mir!
Du hast die See - le mein so ganz ge - nom- men ein,

dass ich kein an - dre lieb, als dich al - lein.

2. Blau ist ein Blümelein, das heisst Vergiss-nicht-mein;
dies Blümlein leg ans Herz und denk an mich!
Stirbt Blüt und Hoffnung gleich, wir sind an Liebe reich;
denn die stirbt nie bei mir, das glaube mir!

3. Wär ich ein Vögelein, wollt' ich bald bei dir sein,
scheut' Falk und Habicht nicht, flög' schnell zu dir.
Schöss' mich ein Jäger tot, fiel' ich in deinen Schoss;
sähst du mich traurig an, gern stürb' ich dann.

Guten Abend, gut' Nacht

K. Simrock J. Brahms

Zart bewegt
Gu-ten A - bend, gut Nacht, mit Ro - sen be -
Gu-ten A - bend, gut Nacht, von Eng - lein be -

dacht, mit Näg-lein be - steckt, schlupf un - ter die Deck.
wacht, die zei - gen im Traum dir Christ-kind-leins Baum.
Mor-gen früh, wenn Gott will, wirst du wie - der ge-weckt. Mor-gen
Schlaf nun se - lig und süss, schau im Traum's Pa-ra-dies. Schlaf nun
früh, wenn Gott will, wirst du wie - der ge - weckt.
se - lig und süss, schau im Traum 's Pa - ra - dies.

Terms and Typical Constructions
German Word List

Terms and Typical Constructions

(WITH ENGLISH GUIDE-WORDS)

In the list of "Terms and Typical Constructions," the numbers tell where the term or construction can be found in the text.

The number usually refers to a Unit and to a Basic Dialogue Sentence in that unit. Thus "12.07" refers to Unit 12, Basic Dialogue Sentence 7: „Wann bist du heute morgen aufgestanden?"

However, if the term or construction appeared in a Pattern Practice, the letter "P" is used in the reference. Thus "18.P2" at the English guide-word "crazy" refers to the second Pattern Practice in Unit 18.

Some numbers refer to the Tables in various Units; these are indicated by the letter "T".

A

a	Is that a friend of yours?	**Ist das ein Freund von dir?**	3.01
	That's a friend of mine.	**Das ist eine Freundin von mir.**	3.06
	A little pale.	**Ein bißchen blaß.**	4.06
	Do you have a telephone yet?	**Habt ihr schon Fernsprecher?**	5.13
	She's coming in a week.	**Sie kommt in acht Tagen.**	6.16
about	I'm glad about that.	**Das freut mich.**	4.08
	Haven't you heard anything about it?	**Hast du denn nichts davon gehört?**	15.12
	How about the next one?	**Wie wär's mit dem nächsten?**	16.15
absent	Who is absent today?	**Wer fehlt heute?**	2.12
accident	Georg's brother had an accident.	**Georgs Bruder hat einen Unfall gehabt.**	15.16
accordion	Did you bring your accordion with you?	**Hast du deine Ziehharmonika mitgebracht?**	8.10
ache	My whole body aches.	**Es tut mir am ganzen Körper weh.**	15.04
address	Addresses.	**Adressen.**	5.00
afraid	I'm afraid that . . .	**Ich fürchte, daß . . .**	20.17
after	A few days after Christmas.	**Ein paar Tage nach Weihnachten.**	6.07
afternoon	Since yesterday afternoon.	**Seit gestern nachmittag.**	5.14
afterwards	Afterwards we'll go to the park restaurant.	**Danach gehen wir ins Park-Café.**	19.18
again	Is he all right again?	**Geht's ihm wieder gut?**	4.02
agency	Travel agency.	**Reisebüro.**	19.P9
ago	I got myself one quite a while ago.	**Ich habe mir längst eine verschafft.**	20.09
ahead	Straight ahead, down this street.	**Immer geradeaus, diese Straße entlang.**	13.02
airport	I've got to get my uncle from the airport.	**Ich muß meinen Onkel vom Flugplatz abholen.**	20.03
all	Not at all.	**Durchaus nicht!**	4.13
	Where are all of you?	**Wo seid ihr alle?**	8.01
	All the way from the street.	**Schon von der Straße aus.**	8.04
	All day.	**Den ganzen Tag.**	12.17
	It's all the same to me.	**Das ist mir gleich.**	13.09
	Let's all go to the "Green Owl."	**Kommt doch alle in die „Grüne Eule.“**	14.01
	From all directions.	**Aus allen Richtungen.**	19.09
all right	Is he all right again?	**Geht's ihm wieder gut?**	4.02
	That's all right.	**Das macht nichts.**	8.20
	I'll find it all right, I guess.	**Ich werde es schon finden.**	13.05

allowed	Sorry, we aren't allowed to.	**Leider dürfen wir das nicht.**	**9.03**
almost	My brother is nineteen, almost twenty.	**Mein Bruder ist neunzehn, beinahe zwanzig.**	**5.06**
along	Want to come along?	**Willst du mitkommen?**	**7.11**
already	Is your aunt here already?	**Ist Ihre Tante schon hier?**	**6.15**
always	Oh, why do you always want to study?	**Ach, warum wollt ihr immer arbeiten?**	**9.05**
an	I'll be making three marks an hour.	**Ich werde drei Mark die Stunde verdienen.**	**20.12**
announcer	Announcer(s).	**Ansager.**	**15.P10**
any	I don't have any brothers.	**Ich habe keinen Bruder.**	**3.11**
	I don't have any sisters, either.	**Ich habe auch keine Schwester.**	**3.12**
	She doesn't live with us any more.	**Sie wohnt nicht mehr bei uns.**	**5.17**
	She didn't have any fever this morning.	**Heute morgen hatte sie kein Fieber mehr.**	**15.07**
	At any rate.	**Jedenfalls.**	**16.08**
anybody	Can anybody else help us?	**Kann uns sonst noch jemand helfen?**	**8.12**
anything	Shall I bring anything else?	**Soll ich sonst noch etwas bringen?**	**14.10**
	Haven't you heard anything about it?	**Hast du denn nichts davon gehört?**	**15.12**
	Did he shoot anything?	**Hat er denn was geschossen?**	**17.04**
apple	I'll take apple pie.	**Ich nehme Apfelkuchen.**	**14.05**
appointment	Appointments.	**Verabredungen.**	**7.00**
April	April.	**April.**	**6.T**
are	How are you?	**Wie geht es dir (Ihnen)?**	**1.04**
	My girl cousins are twins.	**Meine Kusinen sind Zwillinge.**	**3.16**
	Their names are Liese and Lotte.	**Sie heißen Liese und Lotte.**	**3.17**
	Are you tired?	**Bist du müde?**	**4.12**
	Here they are. Behind the door.	**Hier sind sie. Hinter der Tür.**	**4.20**
	Where are you living now?	**Wo wohnt ihr jetzt?**	**5.11**
	Where are all of you?	**Wo seid ihr alle?**	**8.01**
	There are still lots of glasses up here.	**Es sind noch viele Gläser hier oben.**	**8.13**
	The refreshments are already on the table.	**Die Erfrischungen stehen schon auf dem Tisch.**	**16.19**
arm	He broke his arm.	**Er hat sich den Arm gebrochen.**	**15.20**
around	Around the corner.	**Um die Ecke.**	**13.P8**

arranged	Everything's so nicely arranged.	**Es ist alles so nett arrangiert.**	16.05
as	They're just as good as the big ones.	**Die sind ebenso gut wie die großen.**	8.16
	As usual.	**Wie gewöhnlich.**	11.02
	Just so long as they fit.	**Wenn sie nur passen.**	13.09
	Did you go fishing, as you planned?	**Seid ihr fischen gegangen, wie ihr vorhattet?**	17.06
	It looked as if it were something like a tropical island.	**Es sah so aus, als ob es eine tropische Insel wäre.**	18.17
	As far as I know, not until the end of August.	**So viel ich weiß, erst Ende August.**	20.19
ask	I have to ask my parents.	**Ich muß meine Eltern fragen.**	7.13
	May I ask for this dance?	**Darf ich um diesen Tanz bitten?**	16.14
at	How are things at home?	**Wie geht es zu Hause?**	1.10
	Not at all.	**Durchaus nicht!**	4.13
	I live at 59 Schiller Street.	**Ich wohne Schillerstraße 59.**	5.09
	Is Dora still living at your house?	**Wohnt Dora noch bei euch?**	5.16
	You see, we eat supper at six.	**Wir essen doch um sechs Uhr zu Abend.**	7.05
	At the telephone.	**Am Fernsprecher.**	10.00
	At the "Green Owl."	**In der „Grünen Eule."**	14.00
	Have a good time at the dance!	**Viel Vergnügen beim Tanz!**	16.01
	We were at a small inn at the lake.	**Wir waren in einem kleinen Gasthaus am See.**	17.07
ate		**Haben gegessen.**	16.P9
August		**August.**	6.T
aunt	Is your aunt here already?	**Ist Ihre Tante schon hier?**	6.15
Austrian		**Österreichisch.**	13.P10
autumn		**Der Herbst.**	6.T
away	Right away.	**Gleich.**	15.05
awfully	It's getting awfully hot.	**Es wird furchtbar heiß.**	16.18

B

back	My back aches.	**Es tut mir am Rücken weh.**	15.P5
	Go farther back.	**Weiter nach hinten gehen.**	8.P5
	You'll be back home again before twelve, won't you?	**Du bist vor zwölf aber wieder zu Hause, nicht?**	16.02
	And so he floated back to earth again.	**Und so schwebte er wieder zur Erde zurück.**	18.12
	When are you getting back?	**Wann kommt ihr wieder zurück?**	20.18

bad	That's too bad.	**Das ist schade!**	**1.15**
	Good and bad.	**Gut und schlecht.**	**4.00**
	Bad luck.	**Pech.**	**15.00**
band	The band couldn't be better.	**Die Kapelle könnte nicht besser sein.**	**16.06**
bar	A bar of chocolate with nuts.	**Eine Tafel Schokolade mit Nüssen.**	**14.12**
basement	In the basement.	**Im Keller.**	**8.01**
bathing suit		**Badeanzug.**	**12.P3**
be	That would be better.	**Das wäre besser.**	**7.20**
	Peter and Inge will be there, too.	**Peter und Inge werden auch da sein.**	**9.18**
	Where will you be this weekend?	**Wo bist du zum Wochenende?**	**11.01**
beans	String beans.	**Grüne Bohnen.**	**17.P8**
because	Because he had to leave it in the cavern.	**Weil er sie in der Höhle lassen mußte.**	**18.14**
bed	To lie in bed.	**Zu Bett liegen.**	**4.P9**
	She's sitting upstairs on the bed in her room.	**Sie sitzt oben im Schlafzimmer auf dem Bett.**	**12.19**
been	We've been living at 73 Beech Drive since Monday.	**Seit Montag wohnen wir Buchenweg 73.**	**5.12**
	Where on earth has Barbara been all day?	**Wo war Barbara eigentlich den ganzen Tag?**	**12.17**
before	On the day before New Year's Eve.	**Am Tag vor Silvester.**	**6.08**
behind	What's the name of the student behind you?	**Wie heißt die Schülerin da hinter dir?**	**2.10**
being	What was being shown?	**Was wurde denn gegeben?**	**18.04**
believe	I can believe that.	**Das kann ich glauben.**	**8.05**
better	She's a lot better now.	**Es geht ihr schon viel besser.**	**4.07**
bicycle	How long has Jürgen had his new bicycle?	**Seit wann hat Jürgen sein neues Fahrrad?**	**6.11**
big	Big ones or little ones?	**Große oder kleine?**	**8.14**
birthday	Don't you have a birthday soon?	**Hast du nicht bald Geburtstag?**	**6.06**
black		**Schwarz.**	**13.P4**
blouse		**Bluse.**	**7.P7**
blue		**Blau.**	**13.P4**
boat	We rented a boat in the neighborhood.	**In der Nähe haben wir uns ein Boot gemietet.**	**17.08**
body	My whole body aches.	**Es tut mir am ganzen Körper weh.**	**15.04**
book	Books.	**Bücher.**	**4.P8**
boring	I'm afraid that the vacation will be rather boring.	**Ich fürchte, daß die Ferien recht langweilig sein werden.**	**20.17**

bottle		**Flasche.**	**14.P4**
bought	They've bought a weekend cabin.	**Sie haben ein Wochenendhäuschen gekauft.**	**11.07**
bowling	To go bowling.	**Kegeln gehen.**	**9.P2**
	Bowling alley.	**Kegelbahn.**	**11.P2**
boy		**Junge.**	**2.P3**
	Boys.	**Jungens (Jungen, Jungs).**	**9.P10**
breakfast	He's in the dining room already, having breakfast.	**Der sitzt schon im Eßzimmer beim Frühstück.**	**12.06**
bring	Did you bring your accordion with you?	**Hast du deine Ziehharmonika mitgebracht?**	**8.10**
	Does anybody else want to bring records?	**Will sonst noch jemand Platten bringen?**	**8.P6**
broke	He broke his arm.	**Er hat sich den Arm gebrochen.**	**15.20**
broken	It's still broken.	**Die ist immer noch kaputt.**	**8.11**
brother	My brother is nineteen, almost twenty.	**Mein Bruder ist neunzehn, beinahe zwanzig.**	**5.06**
	I have two brothers and a sister.	**Ich habe zwei Brüder und eine Schwester.**	**3.09**
	I don't have any brothers.	**Ich habe keinen Bruder.**	**3.11**
brother-in-law		**Schwager.**	**7.T**
brought	We brought back a fine buck.	**Einen schönen Rehbock haben wir mitgebracht.**	**17.05**
brown	Light brown or dark brown?	**Hellbraun oder dunkelbraun?**	**13.08**
buck	We brought back a fine buck.	**Einen schönen Rehbock haben wir mitgebracht.**	**17.05**
building	That big building over there.	**Das große Gebäude da drüben.**	**19.03**
bus		**Autobus.**	**6.P3**
but	But we have only one girl cousin.	**Aber wir haben nur eine Kusine.**	**3.19**
	Nothing but a couple of little fish.	**Nichts als ein paar kleine Fische.**	**17.10**
buy	I've got to buy myself a new jacket.	**Ich muß mir eine neue Jacke kaufen.**	**7.15**
by	We can eat out by the river.	**Wir können draußen am Fluß essen.**	**6.18**
	You can always recognize him by his voice.	**Man kann ihn immer an seiner Stimme erkennen.**	**8.07**
	Why don't you come by our place at half past seven?	**Komm doch, bitte, um halb acht bei uns vorbei.**	**10.19**
	Can't we leave by Thursday?	**Geht's nicht schon am Donnerstag?**	**11.17**

(by)	By midnight.	**Bis Mitternacht.**	**16.P1**
	I'm really glad that we came by train.	**Ich bin doch froh, daß wir mit der Bahn gekommen sind.**	**19.07**

C

cabin	What? You have a cabin?	**Was? Ihr habt eine Waldhütte?**	**11.04**
cafeteria		**Eßsaal.**	**14.P1**
cake	And order some coffee and cake.	**Und bestellen uns Kaffee und Kuchen.**	**19.19**
call	Would you tell him to call me?	**Würden Sie ihm sagen, er soll mich anrufen?**	**10.05**
called	I'll tell him you called.	**Ich will ihm sagen, daß du angerufen hast.**	**10.07**
came	Ingrid and Elfriede came too.	**Ingrid und Elfriede sind auch gekommen.**	**14.17**
can	I just can't find my overshoes.	**Ich kann nur meine Gummischuhe nicht finden.**	**4.17**
	Can I help you?	**Darf ich dir helfen?**	**4.18**
	We can eat out by the river, couldn't we?	**Wir können doch draußen am Fluß essen.**	**6.18**
	I can believe that.	**Das kann ich glauben.**	**8.05**
	What? You can't ski?	**Was! Du kannst nicht Ski laufen?**	**9.08**
	Can't we leave by Thursday?	**Geht's nicht schon am Donnerstag?**	**11.17**
	What can I do for you?	**Was wünschen Sie, bitte?**	**13.06**
car	Our car had a flat tire.	**Unser Wagen hatte eine Reifenpanne.**	**8.19**
care	I don't care much for it.	**Dafür hab' ich nicht viel übrig.**	**9.11**
carp		**Karpfen.**	**17.P3**
cat		**Katze.**	**15.P6**
catch	What did you catch?	**Was habt ihr denn gefangen?**	**17.09**
caught	They caught him with their rays.	**Sie fingen ihn mit ihren Strahlen ab.**	**18.08**
cavern	They took him into a huge cavern.	**Sie brachten ihn in eine große Höhle.**	**18.09**
certainly	Yes, certainly.	**Ja gewiß.**	**10.11**
chair	Maybe they're under the chair?	**Sind sie vielleicht unter dem Stuhl?**	**4.19**
change	I haven't got enough change with me.	**Ich habe nicht genug Kleingeld bei mir.**	**14.13**

charming	Doesn't she look charming tonight?	**Sieht sie heute abend nicht reizend aus?**	16.12
cheap		**Billig.**	18.P1
cheese	Cheese sandwich.	**Käsebrot.**	14.09
chess	Do you know how to play chess?	**Kannst du Schach spielen?**	9.10
chicken	Chicken with rice.	**Hühnchen mit Reis.**	17.12
	Chickens.	**Hühner.**	17.P5
child	An only child.	**Ein einziges Kind.**	3.20
chimes	With the famous chimes.	**Mit dem berühmten Glokkenspiel.**	19.05
chocolate	A bar of chocolate.	**Eine Tafel Schokolade.**	14.12
Christmas	A few days after Christmas.	**Ein paar Tage nach Weihnachten.**	6.07
church		**Kirche.**	13.P8
city	Into the city.	**In die Stadt.**	7.10
	Here in the city.	**Hier in der Stadt.**	19.01
city hall		**Rathaus.**	13.P8
class	To class.	**In die Klasse.**	7.P2
clear	That wasn't quite clear.	**Das war nicht ganz klar.**	18.16
clock	The one with the high tower and the clock.	**Das mit dem hohen Turm und der Uhr.**	19.05
closed	Won't it be closed already?	**Wird sie nicht schon geschlossen sein?**	14.02
closet	In the closet.	**Im Schrank.**	12.13
clothes	Warm clothes.	**Warme Kleider.**	14.P7
coffee	We'll order some coffee and cake.	**Wir bestellen uns Kaffee und Kuchen.**	19.19
cold	Cold weather.	**Kaltes Wetter.**	6.P7
color		**Farbe.**	13.P3
come	Want to come along?	**Willst du mitkommen?**	7.11
	Watch out when you come down.	**Vorsicht, wenn du herunterkommst.**	8.08
comfortable	This shoe is very comfortable.	**Dieser Schuh ist sehr bequem.**	13.11
cool	Shall I get you a cool drink?	**Soll ich dir ein kühles Getränk bringen?**	16.20
corner	Around the corner.	**Um die Ecke.**	13.P8
cost	What do these cost?	**Was kosten diese?**	13.11
could	Could you bring us a package of licorice?	**Könnten Sie uns eine Pakkung Lakritze bringen?**	14.11
country	We were in the country.	**Wir waren auf dem Lande.**	17.15
couple	Berta has a couple of new records.	**Berta hat ein paar neue Schallplatten.**	9.15
course	Of course.	**Natürlich.**	8.15

cousin	Do you have any cousins?	**Hast du Vettern und Kusinen?**	**3.13**
	I have only one boy cousin.	**Ich habe nur einen Vetter.**	**3.14**
	Our cousin Julie is an only child.	**Unsere Kusine Julie ist ein einziges Kind.**	**3.20**
cows	Forty cows and eight horses.	**Vierzig Kühe und acht Pferde.**	**17.17**
crazy		**Verrückt.**	**18.P2**
cream	Strawberries with whipped cream.	**Erdbeeren mit Schlagsahne.**	**14.06**
cup	A cup of coffee.	**Eine Tasse Kaffee.**	**7.P7**
cute		**Niedlich.**	**16.P6**

D

dance	To dance.	**Tanzen.**	**8.P6**
	Have a good time at the dance!	**Viel Vergnügen beim Tanz!**	**16.01**
danced	A few of us danced.	**Ein paar von uns haben getanzt.**	**14.20**
dancer	She's a marvelous dancer.	**Sie ist eine ausgezeichnete Tänzerin.**	**16.13**
dark	Light brown or dark brown?	**Hellbraun oder dunkelbraun?**	**13.08**
date	What's the date today?	**Welches Datum haben wir heute?**	**6.01**
daughter		**Tochter.**	**7.T**
day	On the day before New Year's Eve.	**Am Tag vor Silvester.**	**6.08**
	He's on the road the whole day long.	**Er ist den ganzen Tag unterwegs.**	**6.13**
December		**Dezember.**	**6.T**
decorations	How do you like the decorations?	**Wie gefallen dir die Dekorationen?**	**16.04**
dentist		**Zahnarzt.**	**15.P3**
department	Where is Behrens' Department Store?	**Wo ist das Kaufhaus Behrens?**	**13.01**
desk		**Pult.**	**12.P2**
dessert		**Nachtisch.**	**12.P9**
did	Did you bring your accordion with you?	**Hast du deine Ziehharmonika mitgebracht?**	**8.10**
	When did you get up this morning?	**Wann bist du heute morgen aufgestanden?**	**12.07**
	Did you ever get to Jürgen's last night?	**Bist du gestern noch bei Jürgen gewesen?**	**14.15**
dining room		**Eßzimmer.**	**8.P1**
directions	From all directions.	**Aus allen Richtungen.**	**19.09**

disappeared	The rocket that disappeared.	**Die verschwundene Rakete.**	**18.05**
do	Do you have brothers and sisters, too?	**Hast du auch Geschwister?**	**3.10**
	Do you want to go to the movies?	**Willst du ins Kino gehen?**	**4.09**
	Where do you live?	**Wo wohnst du?**	**5.08**
	Do you know how to play chess?	**Kannst du Schach spielen?**	**9.10**
	What did you girls do?	**Was habt ihr Mädchen getan?**	**17.14**
doctor	Then you ought to go to the doctor right away.	**Da solltest du aber gleich zum Arzt gehen.**	**15.05**
dogs		**Hunde.**	**17.P5**
doing	What are you kids doing on Saturday?	**Was tut ihr am Samstag?**	**7.08**
done	Have you done your homework yet?	**Hast du deine Hausaufgaben schon gemacht?**	**10.13**
door	Here they are. Behind the door.	**Hier sind sie. Hinter der Tür.**	**4.20**
doorway	Through the doorway.	**Durch die Tür.**	**8.P5**
down	Down here in the rumpus room.	**Hier unten im Spielzimmer.**	**8.02**
	Watch out when you come down.	**Vorsicht, wenn du herunterkommst.**	**8.08**
	He tumbled down the whole flight of stairs.	**Er ist die ganze Treppe hinuntergefallen.**	**15.14**
downtown	I was downtown with her yesterday.	**Ich war gestern mit ihr in der Stadt.**	**13.16**
dress	She's bought herself a new dress.	**Sie hat sich ein neues Kleid gekauft.**	**13.15**
drink	I'd like something to eat and drink.	**Ich möchte etwas essen und trinken.**	**4.15**
	Shall I get you a cool drink?	**Soll ich dir ein kühles Getränk bringen?**	**16.20**
drive	They plan to drive there on Friday.	**Sie wollen am Freitag hinfahren.**	**11.08**
	Driving lesson.	**Fahrstunde.**	**7.P10**

E

early	Much too early.	**Viel zu früh.**	**12.08**
	She got home rather early today.	**Sie ist heute etwas früher nach Hause gekommen.**	**12.18**
earrings		**Ohrringe.**	**16.P4**
earth	So he floated back to earth again.	**So schwebte er wieder zur Erde zurück.**	**18.12**

eat	I'd like something to eat and drink.	**Ich möchte etwas essen und trinken.**	4.15
	When do you folks eat supper?	**Wann eßt ihr zu Abend?**	7.06
	Walther eats supper at six-thirty.	**Walther ißt um halb sieben zu Abend.**	7.P6
either	I don't have any sisters either.	**Ich habe auch keine Schwester.**	3.12
elephant		**Elefant.**	17.P9
else	Can anybody else help us?	**Kann uns sonst noch jemand helfen?**	8.12
end	Not until the end of August.	**Erst Ende August.**	20.19
English		**Englisch.**	13.P10
enjoy	They always enjoy dancing so much, you know.	**Sie tanzen ja immer so gerne.**	9.19
enough	I haven't got enough change with me.	**Ich habe nicht genug Kleingeld bei mir.**	14.13
evening	Good evening.	**Guten Abend.**	1.02
	I'm going over to her house this evening.	**Ich gehe heute abend zu ihr.**	9.17
ever	Have you ever seen such traffic?	**Habt ihr schon jemals solchen Verkehr gesehen?**	19.10
every	Last night every seat was taken.	**Gestern abend war jeder Platz besetzt.**	18.20
everything	Everything's so nicely arranged.	**Es ist alles so nett arrangiert.**	16.05
examination		**Prüfung.**	6.P7
exceptional	Oh, it was nothing exceptional.	**Ach, es war nichts Besonderes.**	18.03
excursion		**Ausflug.**	11.00
excuse	Excuse me.	**Verzeihung.**	2.06

F

fall	Fine fall weather, isn't it?	**Schönes Herbstwetter, nicht wahr?**	6.03
family		**Familie.**	3.00
famous	With the famous chimes.	**Mit dem berühmten Glokkenspiel.**	19.05
far	She and her husband live not far from us.	**Sie und ihr Mann wohnen nicht weit von uns.**	5.19
farm	He has a big farm.	**Der hat einen großen Bauernhof.**	17.16
farther	Farther back.	**Weiter nach hinten.**	8.P5
fascinated	I'm simply fascinated by things like that.	**Für solche Sachen schwärme ich einfach.**	18.18

father		**Vater.**	**7.T**
feel	Don't you feel like going skiing?	**Hast du nicht Lust, Ski zu laufen?**	**9.06**
	I don't feel like having breakfast today.	**Ich mag heute kein Frühstück.**	**12.11**
	Don't you feel well?	**Fühlst du dich nicht wohl?**	**15.01**
	Is Elizabeth feeling better now?	**Fühlt sich Elisabeth jetzt wieder besser?**	**15.06**
fever	She didn't have any fever this morning.	**Heute morgen hatte sie kein Fieber mehr.**	**15.07**
few	A few days after Christmas.	**Ein paar Tage nach Weihnachten.**	**6.07**
fiancé		**Bräutigam.**	**18.P6**
fiancée	His fiancée turned off the rays.	**Seine Braut drehte die Strahlen ab.**	**18.11**
field	Through the woods and over the fields.	**Durch den Wald und über die Felder.**	**17.19**
find	I just can't find my overshoes.	**Ich kann nur meine Gummischuhe nicht finden.**	**4.17**
fine	I'm fine, thank you.	**Danke, es geht mir gut.**	**1.06**
	He's just fine, thanks.	**Danke, es geht ihm ausgezeichnet.**	**4.03**
	Fine fall weather, isn't it?	**Schönes Herbstwetter, nicht wahr?**	**6.03**
	We'll have a fine view from there.	**Von dort haben wir eine schöne Aussicht.**	**19.20**
finger		**Finger.**	**15.P7**
finished	I've just finished.	**Ich bin eben damit fertig geworden.**	**10.15**
first		**erst-**	**6.T**
fish	Nothing but a couple of little fish.	**Nichts als ein paar kleine Fische.**	**17.10**
	Did you go fishing, as you planned?	**Seid ihr fischen gegangen, wie ihr vorhattet?**	**17.06**
fit	Just so long as they fit.	**Wenn sie nur passen.**	**13.09**
flat	Our car had a flat tire.	**Unser Wagen hatte eine Reifenpanne.**	**8.19**
float	So he floated back to earth again.	**So schwebte er wieder zur Erde zurück.**	**18.12**
flu		**Influenza.**	**15.P2**
fly	A man was flying through space toward Venus.	**Ein Mann flog durch den Weltraum zur Venus.**	**18.06**
food	Food always tastes so good in the open air.	**Das Essen schmeckt im Freien immer so gut.**	**6.19**
foot	He sprained his foot doing it.	**Dabei hat er sich den Fuß verrenkt.**	**15.15**

for	I don't care much for it.	**Dafür hab' ich nicht viel übrig.**	9.11
	Rudi's been waiting for you in his car a long time.	**Rudi wartet schon lange im Wagen auf dich.**	12.03
	She's been on the telephone for the last half hour.	**Seit einer halben Stunde sitzt sie am Telefon.**	12.20
	May I ask for this dance?	**Darf ich um diesen Tanz bitten?**	16.14
forest		**Wald.**	6.P5
fortunately	Yes, fortunately.	**Ja, glücklicherweise.**	10.14
forward	I've been looking forward to it for a long time.	**Ich freue mich schon lange darauf.**	20.06
found	I'm sure we'd never have found a parking place.	**Wir hätten sicher keinen Parkplatz finden können.**	19.08
fourth		**viert-**	6.T
fox		**Fuchs.**	17.P3
free	Are you free this evening?	**Bist du heute abend frei?**	10.12
French		**Französisch.**	13.P10
frequently		**Häufig.**	9.T
Friday		**Freitag.**	8.T
friend	Is that a friend of yours?	**Ist das ein Freund von dir?**	3.01
	That's a friend of mine.	**Das ist eine Freundin von mir.**	3.06
from	She and her husband live not far from us.	**Sie und ihr Mann wohnen nicht weit von uns.**	5.19
	All the way from the street.	**Schon von der Straße aus.**	8.04
	Where from?	**Woher?**	8.T
	I've got to get my uncle from the airport.	**Ich muß meinen Onkel vom Flugplatz abholen.**	20.03
front	In front of you.	**Vor dir.**	2.P3
fun	The whole thing will be lots of fun.	**Die Sache wird viel Spaß machen.**	11.19
fur	Fur coat.	**Pelzmantel.**	16.P4

G

games	Sports and games.	**Sport und Spiel.**	9.00
German		**Deutsch.**	13.P10
get	I'm terribly sorry to get here so late.	**Es tut mir furchtbar leid, daß ich so spät komme.**	8.18
	When did you get up this morning?	**Wann bist du heute morgen aufgestanden?**	12.07
	Did you ever get to Jürgen's last night?	**Bist du gestern noch bei Jürgen gewesen?**	14.15
	Perhaps she didn't get ready on time.	**Vielleicht ist sie nicht rechtzeitig fertig geworden.**	16.09
	Shall I get you a cool drink?	**Soll ich dir ein kühles Getränk bringen?**	16.20

	What did you get to eat?	**Was habt ihr zu essen bekommen?**	17.11
	Then you ought to get there very early.	**Dann solltest du aber sehr früh hingehen.**	18.19
	I've got to get my uncle from the airport.	**Ich muß meinen Onkel vom Flugplatz abholen.**	20.03
	His plane gets here in half an hour.	**Sein Flugzeug kommt in einer halben Stunde an.**	20.04
	Hurry up, it's getting late!	**Mach schnell, es wird spät!**	12.02
girl		**Mädchen.**	2.P3
give	Shall I give him a message?	**Soll ich ihm etwas ausrichten?**	10.04
glad	I'm glad about that.	**Das freut mich.**	4.08
glass	A glass of milk.	**Ein Glas Milch.**	14.09
	There are still lots of glasses up here.	**Es sind noch viele Gläser hier oben.**	8.13
	Where in the world are my glasses?	**Wo steckt denn meine Brille?**	12.P3
gloves		**Handschuhe.**	4.P8
go	Do you want to go to the movies?	**Willst du ins Kino gehen?**	4.09
	Do you have to go home already?	**Mußt du schon nach Hause?**	7.04
	Why don't you tell him to go on without me?	**Sag ihm doch, er soll ohne mich fahren.**	12.04
	Let's all go to the "Green Owl."	**Kommt doch alle in die „Grüne Eule."**	14.01
	Did you go fishing?	**Seid ihr fischen gegangen?**	17.06
	Don't you feel like going skiing?	**Hast du nicht Lust, Ski zu laufen?**	9.06
	What's it going to be?	**Was soll es sein, bitte?**	14.08
	I'm going to work this summer.	**Ich werde diesen Sommer arbeiten.**	20.07
good	Good and bad.	**Gut und schlecht.**	4.00
	Whenever the weather's good.	**Wenn das Wetter schön ist.**	6.14
	Food always tastes so good in the open air.	**Das Essen schmeckt im Freien immer so gut.**	6.19
	Did you all have a good time?	**Habt ihr alle viel Spaß gehabt?**	14.18
	Have a good time at the dance!	**Viel Vergnügen beim Tanz!**	16.01
Good-bye		**Auf Wiedersehen.**	1.19
got	We've got four boy cousins.	**Wir haben vier Vettern.**	3.18
	Then I've got to hurry.	**Da muß ich schnell machen.**	7.03
	She got home rather early today.	**Sie ist heute etwas früher nach Hause gekommen.**	12.18
gotten	Hasn't Arthur gotten down yet?	**Ist Arthur noch nicht heruntergekommen?**	12.05

grand	That would be grand.	**Das wäre großartig.**	**11.09**
granddaughter		**Enkelin.**	**7.T**
grandfather		**Großvater.**	**7.T**
grandmother		**Großmutter.**	**7.T**
grandparents		**Großeltern.**	**7.T**
grandson		**Enkel.**	**7.T**
gray		**Grau.**	**13.P4**
green		**Grün.**	**13.P4**
guy	He's a nice guy.	**Er ist ein netter Kerl.**	**3.05**

H

had	How long has Jürgen had his new bicycle?	**Seit wann hat Jürgen sein neues Fahrrad?**	**6.11**
	But our car had a flat tire.	**Aber unser Wagen hatte eine Reifenpanne.**	**8.19**
	Georg's brother had an accident with his car.	**Georgs Bruder hat einen Unfall mit dem Wagen gehabt.**	**15.16**
	Because he had to leave it in the cavern.	**Weil er sie in der Höhle lassen mußte.**	**18.14**
hair		**Haar.**	**8.P3**
half	We don't eat until half past six.	**Wir essen erst um halb sieben.**	**7.07**
	In a half hour.	**In einer halben Stunde.**	**10.P8**
	Two and a half.	**Zweieinhalb.**	**13.P9**
hall	City hall.	**Rathaus.**	**13.P8**
ham		**Schinken.**	**17.P8**
handbag		**Tasche.**	**4.P8**
handkerchief		**Taschentuch.**	**13.P7**
hang	Why, they're hanging in the closet in your room.	**Die hängen doch im Schrank in deinem Zimmer.**	**12.13**
happen	What happened to Klaus?	**Was ist denn dem Klaus passiert?**	**15.10**
harbor	To the harbor or to the museum?	**An den Hafen oder ins Museum?**	**19.12**
has	He has two sisters.	**Er hat zwei Schwestern.**	**3.15**
	Hasn't Arthur gotten down yet?	**Ist Arthur noch nicht heruntergekommen?**	**12.05**
hat		**Hut.**	**8.P3**
have	I don't have any brothers.	**Ich habe keinen Bruder.**	**3.11**
	We have only one girl cousin.	**Wir haben nur eine Kusine.**	**3.19**
	Do you have a telephone yet?	**Habt ihr schon Fernsprecher?**	**5.13**
head	Don't hit your head on the lamp.	**Stoße deinen Kopf nicht an der Lampe!**	**8.09**

headache	I've had a headache for the past two days.	**Schon seit zwei Tagen hab' ich Kopfweh.**	15.03
hear	You know, you can hear the noise all the way from the street.	**Man kann den Lärm ja schon von der Straße aus hören.**	8.04
heard	Haven't you heard anything about it?	**Hast du denn nichts davon gehört?**	15.12
helicopter		**Hubschrauber.**	20.P3
Hello		**Guten Tag.**	1.03
help	Can I help you?	**Darf ich dir helfen?**	4.18
	Helped with it.	**Dabei mitgeholfen.**	16.P9
her	Her name's Else.	**Sie heißt Else.**	2.11
	There next to her.	**Da neben ihr.**	2.P8
	I don't know her.	**Ich kenne sie nicht.**	3.07
	She and her husband live not far from us.	**Sie und ihr Mann wohnen nicht weit von uns.**	5.19
	I'm going over to her house this evening.	**Ich gehe heute abend zu ihr.**	9.17
	Doesn't it look wonderful on her?	**Steht es ihr nicht glänzend?**	13.18
here	He isn't here yet.	**Er ist noch nicht hier.**	2.14
	There are still lots of glasses up here.	**Er sind noch viele Gläser hier oben.**	8.13
hers	A friend of hers.	**Ein Freund von ihr.**	3.P7
herself	She's bought herself a new dress.	**Sie hat sich ein neues Kleid gekauft.**	13.15
high	The one with the high tower.	**Das mit dem hohen Turm.**	19.04
him	There behind him.	**Da hinter ihm.**	2.P8
	I don't know him.	**Ich kenne ihn nicht.**	3.02
	Shall I give him a message?	**Soll ich ihm etwas ausrichten?**	10.04
	They caught him with their rays.	**Sie fingen ihn mit ihren Strahlen ab.**	18.08
hippopotamus		**Nilpferd.**	17.P9
his	His name is Heinrich.	**Er heißt Heinrich.**	2.09
	A friend of his.	**Ein Freund von ihm.**	3.P7
	How long has Jürgen had his new bicycle?	**Seit wann hat Jürgen sein neues Fahrrad?**	6.11
	You can always recognize him by his voice.	**Man kann ihn immer an seiner Stimme erkennen.**	8.07
	Fritz and his sister are coming too.	**Fritz und seine Schwester werden auch kommen.**	11.11
	Georg's brother had an accident with his car.	**Georgs Bruder hat einen Unfall mit dem Wagen gehabt.**	15.16
hit	Don't hit your head on the lamp.	**Stoße deinen Kopf nicht an der Lampe!**	8.19

home	How are things at home?	**Wie geht es zu Hause?**	1.10
	I'd like to go home.	**Ich möchte gerne nach Hause gehen.**	4.10
homework	Have you done your homework yet?	**Hast du deine Hausaufgaben schon gemacht?**	10.13
honk	I'll wait inside until you honk.	**Ich werde drinnen warten, bis du hupst.**	10.20
hope	I certainly hope it won't be raining then.	**Hoffentlich regnet es dann nicht.**	6.20
	I hope you have a fine trip.	**Dann wünsche ich euch glückliche Reise.**	20.20
horn	Horn blowing.	**Hupen.**	8.P3
horse	Forty cows and eight horses.	**Vierzig Kühe und acht Pferde.**	17.17
hot	It's getting awfully hot.	**Es wird furchtbar heiß.**	16.18
hotel	I must have left it at the hotel.	**Den muß ich wohl im Hotel gelassen haben.**	19.14
hour	In a half hour.	**In einer halben Stunde.**	10.P8
	I'll be making three marks an hour.	**Ich werde drei Mark die Stunde verdienen.**	20.12
house	Is Dora still living at your house?	**Wohnt Dora noch bei euch?**	5.16
	At their house.	**Bei ihnen.**	5.P3
	At the boys' house.	**Bei den Jungen.**	6.P8
how	How are you?	**Wie geht es dir?**	1.04
	How old are you?	**Wie alt bist du?**	5.07
	How long has Jürgen had his new bicycle?	**Seit wann hat Jürgen sein neues Fahrrad?**	6.11
	You really ought to learn how.	**Das solltest du eigentlich lernen.**	9.09
huge	They took him into a huge cavern.	**Sie brachten ihn in eine große Höhle.**	18.09
humid		**Schwül.**	16.P8
hungry	It's just that I'm so hungry.	**Ich bin nur so hungrig.**	4.14
hunting	I was out hunting with my father.	**Ich war mit meinem Vater auf der Jagd.**	17.03
hurry	Then I've got to hurry.	**Da muß ich schnell machen.**	7.03
	I'm in a terrible hurry.	**Ich hab' es furchtbar eilig.**	20.02
husband	She and her husband live not far from us.	**Sie und ihr Mann wohnen nicht weit von uns.**	5.19

I

I	I'm sorry.	**Das tut mir leid.**	1.17
	I don't have any brothers.	**Ich habe keinen Bruder.**	3.11

ice cream		**Eis.**	**14.P6**
ice-skates	Have you seen my ice-skates?	**Hast du meine Schlittschuhe gesehen?**	**12.12**
idea	I haven't any idea yet.	**Davon habe ich noch keine Ahnung.**	**20.14**
if	Yes, if I may.	**Ja, wenn ich bitten darf.**	**16.16**
	It seemed as if it were something like a tropical island.	**Es sah so aus, als ob es eine tropische Insel wäre.**	**18.17**
ignition		**Zündung.**	**18.P3**
imagine	It's the way I've always imagined it.	**So hab' ich's mir immer vorgestellt.**	**19.02**
in	In front of you.	**Vor dir.**	**2.P3**
	Lie in bed.	**Zu Bett liegen.**	**4.P9**
	She's coming in a week (for a visit)	**Sie kommt in acht Tagen zu Besuch.**	**6.16**
	In the kitchen.	**In der Küche.**	**6.P8**
	In the basement.	**Im Keller.**	**8.01**
	On Friday at six in the morning.	**Am Freitag früh um sechs Uhr.**	**11.16**
	She looks quite pretty in it.	**Sie sieht recht hübsch darin aus.**	**13.19**
	We were in the country at Erika's uncle's.	**Wir waren bei Erikas Onkel auf dem Land.**	**17.15**
	How do you like it here in the city?	**Wie gefällt es euch hier in der Stadt?**	**19.01**
infection	She had a slight infection.	**Sie hatte eine kleine Entzündung.**	**15.09**
information	We can ask for information there.	**Dort können wir um Auskunft bitten.**	**19.16**
inn	We were at a small inn at the lake.	**Wir waren in einem kleinen Gasthaus am See.**	**17.07**
inside	I'll wait inside until you honk.	**Ich werde drinnen warten, bis du hupst.**	**10.20**
interesting	Was there anything interesting on?	**Gab's da etwas Interessantes?**	**18.02**
into	Heinz and I are going into the city Saturday.	**Heinz und ich gehen Samstag in die Stadt.**	**7.10**
	He ran into a tree.	**Er ist gegen einen Baum gefahren.**	**15.18**
island	A tropical island.	**Eine tropische Insel.**	**18.17**

J

jacket	I've got to buy myself a new jacket.	**Ich muß mir eine neue Jacke kaufen.**	**7.15**
January		**Januar.**	**6.T**

job	Have you got a job?	**Hast du denn eine Stellung?**	**20.08**
juice	Orange juice.	**Orangensaft.**	**14.P4**
July		**Juli.**	**6.T**
June		**Juni.**	**6.T**
just	He's just fine, thanks.	**Danke, es geht ihm ausgezeichnet.**	**4.03**
	I just can't find my overshoes.	**Ich kann nur meine Gummischuhe nicht finden.**	**4.17**
	They're just as good as the big ones.	**Die sind ebenso gut wie die großen.**	**8.16**
	I've just finished.	**Ich bin eben damit fertig geworden.**	**10.15**
	Just so long as they fit.	**Wenn sie nur passen.**	**13.09**

K

keys		**Schlüssel.**	**4.P8**
kids		**Jungs, Mädels.**	**14.P8**
kilometer	Fifty kilometers from here.	**Fünfzig Kilometer von hier.**	**11.05**
kitchen	In the kitchen.	**In der Küche.**	**6.P8**
know	I don't know him.	**Ich kenne ihn nicht.**	**3.02**
	I don't know what our number is.	**Ich weiß nicht, welche Nummer wir haben.**	**5.15**
	She's married, you know.	**Sie ist nämlich verheiratet.**	**5.18**
	We don't know yet.	**Das wissen wir noch nicht.**	**7.09**
	Sorry, but I don't know how to yet.	**Das kann ich leider noch nicht.**	**9.07**
	Oh, now I know.	**O, jetzt weiß ich's.**	**12.16**
	How should I know that?	**Wie soll ich das wissen?**	**17.02**
known		**Gewußt.**	**15.P8**

L

lake	On the lake.	**Am See.**	**11.05**
lamp	Don't hit your head on the lamp.	**Stoße deinen Kopf nicht an der Lampe!**	**8.09**
land	Where did the space traveler land?	**Wo landete denn der Raumfahrer?**	**18.15**
last	Do you know where I was last Saturday?	**Weißt du, wo ich letzten Samstag war?**	**17.01**
	Last night every seat was taken.	**Gestern abend war jeder Platz besetzt.**	**18.20**
late	I'm terribly sorry to get here so late.	**Es tut mir furchtbar leid, daß ich so spät komme.**	**8.18**
	It's getting late.	**Es wird spät.**	**12.02**

lazy		**Faul.**	**4.P5**
leads	That leads into the town-hall restaurant.	**Die geht in den Ratskeller.**	**19.06**
learn	You really ought to learn how.	**Das solltest du eigentlich lernen.**	**9.09**
leave	When do we leave?	**Wann werden wir losfahren?**	**11.15**
	Because he had to leave it in the cavern.	**Weil er sie in der Höhle lassen mußte.**	**18.14**
	I left them in the car.	**Ich hab' sie im Wagen gelassen.**	**12.16**
left	It's on the left side there.	**Dort ist es auf der linken Seite.**	**13.04**
	Around the corner to the left.	**Links um die Ecke.**	**13.P8**
	The small door to the left.	**Die kleine Tür links.**	**19.06**
leg		**Bein.**	**15.P7**
lemonade		**Limonade.**	**14.P4**
lesson	Dancing lesson, driving lesson.	**Tanzstunde, Fahrstunde.**	**7.P10**
let	Let's just try on this pair.	**Wir wollen einmal dieses Paar anprobieren.**	**13.10**
	Let's all go to the "Green Owl."	**Kommt doch alle in die „Grüne Eule"!**	**14.01**
	He's going to let me work there.	**Da wird er mich arbeiten lassen.**	**20.11**
library		**Bibliothek.**	**7.P2**
licorice	Could you bring us a package of licorice?	**Könnten Sie uns eine Packung Lakritze bringen?**	**14.11**
lie	To lie in bed.	**Zu Bett liegen.**	**4.P9**
light	Light brown or dark brown?	**Hellbraun oder dunkelbraun?**	**13.08**
	To the third traffic light.	**Bis zur dritten Verkehrsampel.**	**13.03**
	Would you please turn on the light?	**Würden Sie, bitte, das Licht andrehen?**	**18.P3**
like	I'd like to go home.	**Ich möchte gerne nach Hause gehen.**	**4.10**
	Sit down wherever you like.	**Setz dich, wohin du willst.**	**8.17**
	How do you like the dress?	**Wie gefällt dir das Kleid?**	**13.17**
	How do you like the decorations?	**Wie gefallen dir die Dekorationen?**	**16.04**
	Don't you feel like going skiing?	**Hast du nicht Lust, Ski zu laufen?**	**9.06**
	I don't feel like having breakfast today.	**Ich mag heute kein Frühstück.**	**12.11**

(like)	My cousin Berta has one like that, too.	**Meine Kusine Berta hat auch so eins.**	13.20
	That's the reason you're standing like that!	**Deshalb steht ihr so da!**	17.20
	I'm simply fascinated by things like that.	**Für solche Sachen schwärme ich einfach.**	18.18
limp	He's limping badly.	**Der hinkt ja so.**	15.11
listen	When can we listen to them?	**Wann können wir sie uns anhören?**	9.16
little	She still looks a little pale.	**Sie sieht immer noch ein bißchen blaß aus.**	4.06
	Big ones or little ones?	**Große oder kleine?**	8.14
	Nothing but a couple of little fish.	**Nichts als ein paar kleine Fische.**	17.10
	Little planet.	**Planetchen.**	18.P7
live	Where do you live, Miss Bieber?	**Wo wohnen Sie, Frl. Bieber?**	5.10
living room		**Wohnzimmer.**	4.P10
long	How long has Jürgen had his new bicycle?	**Seit wann hat Jürgen sein neues Fahrrad?**	6.11
	He's on the road the whole day long.	**Er ist den ganzen Tag unterwegs.**	6.13
	Rudi's been waiting for you in his car a long time.	**Rudi wartet schon lange im Wagen auf dich.**	12.03
	There haven't been any of those around for a long time, you know.	**Die gibt's doch schon längst nicht mehr!**	14.07
	Long white gloves.	**Lange weiße Handschuhe.**	16.P4
	I've been looking forward to it for a long time.	**Ich freue mich schon lange darauf.**	20.06
look	She still looks a little pale.	**Sie sieht immer noch ein bißchen blaß aus.**	4.06
	To look at TV.	**Fernsehen.**	8.P6
	Doesn't it look wonderful on her?	**Steht es ihr nicht glänzend?**	13.18
lost	Have you lost them again?	**Hast du sie wieder mal verloren?**	12.15
lot	She's a lot better now, thank you.	**Es geht ihr schon viel besser, danke.**	4.07
	There are still lots of glasses up here.	**Es sind noch viele Gläser hier oben.**	8.13
	The whole thing will be lots of fun.	**Die Sache wird viel Spaß machen.**	11.19
	A lot of monkeys.	**Eine Menge Affen.**	17.P9
luck	Bad luck.	**Pech.**	15.00
lunch		**Mittagessen.**	12.P9

M

make	I'll be making three marks an hour.	**Ich werde drei Mark die Stunde verdienen.**	20.12
man	A man was flying through space toward Venus.	**Ein Mann flog durch den Weltraum zur Venus.**	18.06
manager		**Direktor**	15.P3
many	Many thanks.	**Vielen Dank.**	10.08
map	Have you still got the city map with you?	**Hast du noch den Stadtplan bei dir?**	19.13
March		**März.**	6.T
mark	This pair is only thirty marks.	**Dieses Paar kostet nur dreißig Mark.**	13.12
married	She's married, you know.	**Sie ist nämlich verheiratet.**	5.18
marvelous	She's a marvelous dancer.	**Sie ist eine ausgezeichnete Tänzerin.**	16.13
matter	What's the matter?	**Was ist denn los?**	4.11
	What's the matter, Tilo?	**Was fehlt dir denn, Tilo?**	4.16
May		**Mai.**	6.T
may	May I speak to Alfred, please?	**Kann ich bitte Alfred sprechen?**	10.02
	May I ask for this dance?	**Darf ich um diesen Tanz bitten?**	16.14
maybe	Maybe he's sick?	**Ist er vielleicht krank?**	2.15
me	Me? Tired? Not at all!	**Ich? Müde? Durchaus nicht!**	
	Would you tell him to call me?	**Würden Sie ihm sagen, er soll mich anrufen?**	10.05
	It's all the same to me.	**Das ist mir gleich.**	13.09
	I don't have enough change with me.	**Ich habe nicht genug Kleingeld bei mir.**	14.13
	Can you help me out?	**Kannst du mir aushelfen?**	14.14
	He's going to let me work there.	**Da wird er mich arbeiten lassen.**	20.11
men	"Men of the Deep"	**„Männer der Tiefe"**	10.18
message	Shall I give him a message?	**Soll ich ihm etwas ausrichten?**	10.04
midnight		**Mitternacht.**	16.P1
midsummer	Not until midsummer.	**Erst mitten im Sommer.**	6.10
milk	Just a cheese sandwich and a glass of milk.	**Nur ein Käsebrot und ein Glas Milch.**	14.09
million		**Eine Million.**	5.T
mine	He's a friend of mine.	**Das ist ein Freund von mir.**	3.03
minute	It's ten minutes to six.	**Es ist zehn Minuten vor sechs.**	7.02
Miss		**Fräulein [Frl.]**	1.03
Mom		**Mutti.**	16.03

moment	One moment, please.	**Einen Augenblick, bitte.**	**10.11**
Monday		**Montag.**	**5.12**
money		**Geld.**	**14.P7**
moon	The Marsmen were waiting behind the moon.	**Die Marsleute warteten hinter dem Mond.**	**18.07**
moonlet		**Möndchen.**	**18.P7**
more	She doesn't live with us any more.	**Sie wohnt nicht mehr bei uns.**	**5.17**
morning		**Morgen.**	**1.01**
	Tomorrow morning.	**Morgen früh.**	**10.P8**
	When did you get up this morning?	**Wann bist du heute morgen aufgestanden?**	**12.07**
mother		**Mutter.**	**7.T**
motorcycle		**Motorrad.**	**6.P2**
mountain	My father would rather go to the mountains.	**Mein Vater möchte lieber in die Berge.**	**20.16**
movie	Do you want to go to the movies?	**Willst du ins Kino gehen?**	**4.09**
	Space-travel movie.	**Raumfahrtfilm.**	**18.00**
much	I don't care much for it.	**Dafür hab' ich nicht viel übrig.**	**9.11**
	They always enjoy dancing so much, you know.	**Sie tanzen ja immer so gerne.**	**9.19**
	Much too early.	**Viel zu früh.**	**12.08**
	Very much.	**Sehr gut.**	**16.05**
museum	To the harbor or to the museum?	**An den Hafen oder ins Museum?**	**19.12**
mushrooms	Roast venison with mushrooms.	**Rehbraten mit Pfifferlingen.**	**17.13**
music	Music book.	**Notenbuch.**	**7.P9**
	When can we hear some music again?	**Wann können wir mal wieder Musik hören?**	**9.14**
must	I must have left it at the hotel.	**Den muß ich wohl im Hotel gelassen haben.**	**19.14**
my	My name's Karl.	**Ich heiße Karl.**	**2.02**
	My cousins are twins.	**Meine Kusinen sind Zwillinge.**	**3.16**
	My brother is nineteen, almost twenty.	**Mein Bruder ist neunzehn, beinahe zwanzig.**	**5.06**
	My brother Kurt and my sister-in-law.	**Mein Bruder Kurt und meine Schwägerin.**	**11.06**
	My whole body aches.	**Es tut mir am ganzen Körper weh.**	**15.04**
	I was out hunting with my father.	**Ich war mit meinem Vater auf der Jagd.**	**17.03**
	I've got to get my uncle from the airport.	**Ich muß meinen Onkel vom Flugplatz abholen.**	**20.03**

myself	I've got to buy myself a new jacket.	**Ich muß mir eine neue Jacke kaufen.**	7.15

N

name	Names.	**Namen.**	2.00
necklace		**Halskette.**	16.P4
neighborhood	We rented a boat in the neighborhood.	**In der Nähe haben wir uns ein Boot gemietet.**	17.08
nephew		**Neffe.**	7.T
never		**Nie.**	9.T
new	New Year's Eve.	**Silvester.**	6.08
	How long has Jürgen had his new bicycle?	**Seit wann hat Jürgen sein neues Fahrrad?**	6.11
	I've got to buy myself a new jacket.	**Ich muß mir eine neue Jacke kaufen.**	7.15
	Berta has a couple of new records.	**Berta hat ein paar neue Schallplatten.**	9.15
	She's bought herself a new dress.	**Sie hat sich ein neues Kleid gekauft.**	13.15
next	What's the name of the student next to you?	**Wie heißt der Schüler da neben dir?**	2.08
	Next Saturday.	**Nächsten Sonnabend.**	11.P10
	How about the next one?	**Wie wär's mit dem nächsten?**	16.15
nice	He's a nice guy.	**Er ist ein netter Kerl.**	3.05
	She's very nice.	**Sie ist sehr nett.**	3.08
nicely	Everything's so nicely arranged.	**Es ist alles so nett arrangiert.**	16.05
niece		**Nichte.**	7.T
night	We were at the Little Theater Saturday night.	**Wir waren Samstag abend in den „Kammerspielen."**	18.01
	Last night every seat was taken.	**Gestern abend war jeder Platz besetzt.**	18.20
no	No, that's Ida.	**Nein, das ist Ida.**	2.19
noise	You know, you can hear the noise all the way from the street.	**Man kann den Lärm ja schon von der Straße aus hören.**	8.04
noon	At noon.	**Zu Mittag.**	7.P1
not	Not so good.	**Nicht so gut!**	1.14
	Not at all.	**Durchaus nicht!**	4.13
	Not until midsummer.	**Erst mitten im Sommer.**	6.10
notebook		**Heft.**	7.P9
nothing	Nothing but a couple of little fish.	**Nichts als ein paar kleine Fische.**	17.10
	It was nothing exceptional.	**Es war nichts Besonderes.**	18.03

November		**November.**	6.T
now	She's a lot better now, thank you.	**Es geht ihr schon viel besser, danke.**	4.07
	Where are you living now?	**Wo wohnt ihr jetzt?**	5.11
	Is Elisabeth feeling better now?	**Fühlt sich Elisabeth jetzt wieder besser?**	15.06
number	I don't know what our number is.	**Ich weiß nicht, welche Nummer wir haben.**	5.15
nurse		**Krankenschwester.**	15.P3
nut	A bar of chocolate with nuts.	**Eine Tafel Schokolade mit Nüssen.**	14.12

O

o'clock		**Uhr.**	5.P10
October		**Oktober.**	6.T
of	Is that a friend of yours?	**Ist das ein Freund von dir?**	3.01
	Today is the third of November.	**Heute ist der dritte November.**	6.02
	A cup of coffee.	**Eine Tasse Kaffee.**	7.P7
	Where are all of you?	**Wo seid ihr alle?**	8.01
	There are still lots of glasses up here.	**Es sind noch viele Gläser hier oben.**	8.13
	What sort of plates are you bringing?	**Was für Teller bringst du?**	8.14
	Berta has a couple of new records.	**Berta hat ein paar neue Schallplatten.**	9.15
	A few of us danced.	**Ein paar von uns haben getanzt.**	14.20
	He went head first out of the car.	**Dabei ist er aus dem Wagen gestürzt.**	15.19
off	We're off until Tuesday, you know.	**Wir haben ja bis Dienstag frei.**	11.10
	His fiancée turned off the rays.	**Seine Braut drehte die Strahlen ab.**	18.11
office	Post Office.	**Die Post.**	13.P1
	Tourist Office.	**Das Verkehrsbüro.**	19.15
officials		**Beamten.**	15.P10
often		**Oft**	9.T
oh	Oh, I'm sorry.	**O, das tut mir leid.**	1.17
	Oh, why do you always want to study?	**Ach, warum wollt ihr immer arbeiten?**	9.05
	Oh, at home, as usual.	**Na, zu Hause, wie gewöhnlich.**	11.02
OK	OK, I'll take them.	**Gut. Diese will ich nehmen.**	13.13
old	How old is your sister?	**Wie alt ist deine Schwester?**	5.04
oldest	My oldest brother owns a a filling station.	**Mein ältester Bruder besitzt eine Tankstelle.**	20.10

on	On the day before New Year's Eve.	**Am Tag vor Silvester.**	6.08
	He's on the road the whole day long.	**Er ist den ganzen Tag unterwegs.**	6.13
	What are you kids doing on Saturday?	**Was tut ihr am Samstag?**	7.08
	Don't hit your head on the lamp.	**Stoße deinen Kopf nicht an der Lampe!**	8.09
	On the lake.	**Am See.**	11.05
	On their bicycles.	**Mit dem Fahrrad.**	11.12
	Come on down!	**Komm doch herunter!**	12.01
	She's sitting upstairs on the bed in her room.	**Sie sitzt oben im Schlafzimmer auf dem Bett.**	12.19
	She's been on the telephone for the last half hour.	**Seit einer halben Stunde sitzt sie am Telefon.**	12.20
	It's on the left side there.	**Dort ist es auf der linken Seite.**	13.04
	Well, let's just try on this pair.	**So. Wir wollen einmal dieses Paar anprobieren.**	13.10
	Doesn't it look wonderful on her?	**Steht es ihr nicht glänzend?**	13.18
	On weekdays it's open until ten.	**Sie ist an Wochentagen bis zehn Uhr offen.**	14.03
	He slipped on a rug.	**Er ist auf einem Teppich ausgerutscht.**	15.13
	Perhaps she didn't get ready on time.	**Vielleicht ist sie nicht rechtzeitig fertig geworden.**	16.09
	The refreshments are already on the table.	**Die Erfrischungen stehen schon auf dem Tisch.**	16.19
	Over there on the corner.	**Dort an der Ecke.**	19.11
		Eins.	5.01
one	I have only one boy cousin.	**Ich habe nur einen Vetter.**	3.14
	We have only one girl cousin.	**Wir haben nur eine Kusine.**	3.19
	One moment, please.	**Einen Augenblick, bitte.**	10.11
	My cousin Berta has one like that, too.	**Meine Kusine Berta hat auch so eins.**	13.20
	How about the next one?	**Wie wär's mit dem nächsten?**	16.15
	The one with the high tower.	**Das mit dem hohen Turm.**	19.04
ones	Big ones or little ones?	**Große oder kleine?**	8.14
	The little ones, of course.	**Die kleinen, natürlich.**	8.15
only	We have only one girl cousin.	**Wir haben nur eine Kusine.**	3.19
	This pair is only thirty marks.	**Dieses Paar kostet nur dreißig Mark.**	13.12
	Our cousin Julie is an only child.	**Unsere Kusine Julie ist ein einziges Kind.**	3.20

open	In the open air.	**Im Freien.**	**6.19**
	On weekdays it's open until ten.	**Sie ist an Wochentagen bis zehn Uhr offen.**	**14.03**
	Openface sandwiches.	**Butterbrote.**	**17.P8**
opera		**Oper.**	**10.P5**
or	Big ones or little ones?	**Große oder kleine?**	**8.14**
	To the harbor or to the museum?	**An den Hafen oder ins Museum?**	**19.12**
orange juice		**Orangensaft.**	**14.P4**
orchestra	Orchestra practice.	**Orchesterprobe.**	**7.P1**
order	We'll order some coffee and cake.	**Wir bestellen uns Kaffee und Kuchen.**	**19.19**
other	There on the other side.	**Da auf der anderen Seite.**	**19.15**
ought	You really ought to learn how.	**Das solltest du eigentlich lernen.**	**9.09**
our	Our cousin Julie is an only child.	**Unsere Kusine Julie ist ein einziges Kind.**	**3.20**
	Our car had a flat tire.	**Unser Wagen hatte eine Reifenpanne.**	**8.19**
	Wouldn't you like to watch TV at our house?	**Wollt ihr nicht bei uns fernsehen?**	**9.02**
out	Wouldn't you like to take a ride out in the country with us then?	**Möchten Sie dann nicht mit uns hinausfahren?**	**6.17**
	Out by the river.	**Draußen am Fluß.**	**6.18**
	Couldn't we pick out some things together?	**Könnten wir nicht zusammen etwas aussuchen?**	**7.16**
	Watch out, Karl!	**Vorsicht, Karl!**	**8.08**
	Out here.	**Heraus.**	**12.P8**
	He went head first out of the car.	**Dabei ist er aus dem Wagen gestürzt.**	**15.19**
outdoors	Do you want to come along outdoors?	**Willst du mit ins Freie?**	**10.P5**
over	I'm going over to her house this evening.	**Ich gehe heute abend zu ihr.**	**9.17**
	Over here.	**Herüber.**	**12.P8**
	Please have a seat over there.	**Bitte, nehmen Sie da Platz.**	**13.08**
	Over the cat.	**Über die Katze.**	**15.P6**
	Do you see Marianne over there?	**Siehst du Marianne da drüben?**	**16.11**
	Through the woods and over the fields.	**Durch den Wald und über die Felder.**	**17.19**
overshoe	I just can't find my overshoes.	**Ich kann nur meine Gummischuhe nicht finden.**	**4.17**
owl		**Eule.**	**14.00**
own	My oldest brother owns a filling station.	**Mein ältester Bruder besitzt eine Tankstelle.**	**20.10**

P

package	Could you bring us a package of licorice?	**Könnten Sie uns eine Pakkung Lakritze bringen?**	**14.11**
pair	A pair of shoes.	**Ein Paar Schuhe.**	**13.07**
pale	She still looks a little pale.	**Sie sieht immer noch ein bißchen blaß aus.**	**4.06**
parents		**Eltern.**	**7.T**
park	Why don't we go to the city park first?	**Warum gehen wir nicht zuerst in den Stadtpark?**	**19.17**
parking	I'm sure we'd never have found a parking place.	**Wir hätten sicher keinen Parkplatz finden können.**	**19.08**
past	We don't eat until half past six.	**Wir essen erst um halb sieben.**	**7.07**
	I've had a headache for the past two days.	**Schon seit zwei Tagen hab' ich Kopfweh.**	**15.03**
pen	Fountain pen.	**Füllhalter.**	**14.P7**
pencil		**Bleistift.**	**7.P9**
people		**Leute.**	**18.P8**
perhaps	Perhaps she didn't get ready on time.	**Vielleicht ist sie nicht rechtzeitig fertig geworden.**	**16.09**
pharmacy		**Apotheke.**	**20.P7**
piano	Piano lesson.	**Klavierstunde.**	**7.P10**
	Georg played the piano.	**Georg hat Klavier gespielt.**	**14.19**
pick	Couldn't we pick out some things together?	**Könnten wir nicht zusammen etwas aussuchen?**	**7.16**
pie	I'll take apple pie.	**Ich nehme Apfelkuchen.**	**14.05**
piece	Piece of apple pie.	**Stück Apfelkuchen.**	**16.P10**
place	Why don't you come by our place at half past seven?	**Komm doch, bitte, um halb acht bei uns vorbei.**	**10.19**
	Parking place.	**Parkplatz.**	**19.08**
plan	They plan to drive there on Friday.	**Sie wollen am Freitag hinfahren.**	**11.08**
	Tomorrow afternoon I'm planning to go shopping.	**Morgen nachmittag will ich Einkäufe machen.**	**7.14**
	Did you go fishing, as you planned?	**Seid ihr fischen gegangen, wie ihr vorhattet?**	**17.06**
	What are you planning to do this vacation?	**Was hast du in den Ferien vor?**	**20.13**
plane	His plane gets here in half an hour.	**Sein Flugzeug kommt in einer halben Stunde an.**	**20.04**
planet	Little planet.	**Planetchen.**	**18.P7**
plans	Appointments and Plans.	**Verabredungen und Pläne.**	**7.00**
	Plans for the Summer.	**Sommerpläne.**	**20.00**
plate	What sort of plates are you bringing?	**Was für Teller bringst du?**	**8.14**

platter		**Platte.**	**14.P6**
play	Don't you want to play tennis?	**Wollt ihr nicht Tennis spielen?**	**6.04**
	Play rehearsal.	**Theaterprobe.**	**7.P10**
played	Georg played the piano.	**Georg hat Klavier gespielt.**	**14.19**
please	May I speak to Alfred, please?	**Kann ich bitte Alfred sprechen?**	**10.02**
pole	Telephone pole.	**Telefonstange.**	**15.P4**
policemen		**Polizisten.**	**15.P10**
pool	Swimming pool.	**Schwimmbad.**	**8.P1**
Pop		**Vati.**	**4.P7**
Post Office		**Post.**	**13.P1**
postage stamps		**Briefmarken.**	**14.P7**
pretty	That's pretty unusual, isn't it?	**Das ist ziemlich ungewöhnlich, nicht?**	**10.16**
	She looks quite pretty in it.	**Sie sieht recht hübsch darin aus.**	**13.19**
prize	He won a prize recently.	**Er hat neulich einen Preis gewonnen.**	**9.13**
probably		**Wohl.**	**17.P10**

Q

quarter	How about quarter to two?	**Geht es um dreiviertel zwei?**	**7.17**
	A quarter after eight.	**Um viertel nach acht.**	**12.08**
quite	She looks quite pretty in it.	**Sie sieht recht hübsch darin aus.**	**13.19**
	That wasn't quite clear.	**Das war nicht ganz klar.**	**18.16**
	I got myself one quite a while ago.	**Ich habe mir längst eine verschafft.**	**20.09**

R

rabbits		**Kaninchen.**	**17.P3**
racket		**Tennisschläger.**	**7.P9**
radio		**Radio.**	**18.P3**
railroad	At the square in front of the railroad station.	**Am Bahnhofsplatz.**	**19.09**
rain	I certainly hope it won't be raining then.	**Hoffentlich regnet es dann nicht.**	**6.20**
ran	He ran into a tree.	**Er ist gegen einen Baum gefahren.**	**15.18**
rate	At any rate, I haven't seen them yet.	**Ich habe sie jedenfalls noch nicht gesehen.**	**16.08**

rather	She got home rather early today.	**Sie ist heute etwas früher nach Hause gekommen.**	**12.18**
	I'd rather have strawberries with whipped cream.	**Ich nehme lieber Erdbeeren mit Schlagsahne.**	**14.06**
	Where would you rather go?	**Wohin möchtet ihr lieber?**	**19.12**
	I'm afraid that the vacation will be rather boring.	**Ich fürchte, daß die Ferien recht langweilig sein werden.**	**20.17**
rays	They caught him with their rays.	**Sie fingen ihn mit ihren Strahlen ab.**	**18.08**
read	To read.	**Lesen.**	**11.P9**
ready	Perhaps she didn't get ready on time.	**Vielleicht ist sie nicht rechtzeitig fertig geworden.**	**16.09**
really	Really?	**Wirklich?**	**4.11**
	You really ought to learn how.	**Das solltest du eigentlich lernen.**	**9.09**
	Supposed to be really terrific.	**Soll ganz toll sein.**	**10.18**
	I'm really glad that we came by train.	**Ich bin doch froh, daß wir mit der Bahn gekommen sind.**	**19.07**
reason	That's the reason you're standing like that	**Deshalb steht ihr so da.**	**17.20**
recently	He won a prize recently.	**Er hat neulich einen Preis gewonnen.**	**9.13**
recognize	You can always recognize him by his voice.	**Man kann ihn immer an seiner Stimme erkennen.**	**8.07**
record		**Schallplatte.**	**7.P9**
	Berta has a couple of new records.	**Berta hat ein paar neue Schallplatten.**	**9.15**
recovery	I wish him a speedy recovery.	**Gute Besserung!**	**1.18**
red		**Rot.**	**8.P3**
refreshments	The refreshments are already on the table.	**Die Erfrischungen stehen schon auf dem Tisch.**	**16.19**
rehearsal	I've got rehearsal until two.	**Bis vierzehn Uhr hab' ich noch Probe.**	**7.18**
rented	We rented a boat in the neighborhood.	**In der Nähe haben wir uns ein Boot gemietet.**	**17.08**
rescued	How was he rescued?	**Wie wurde er wieder gerettet?**	**18.10**
restaurant	That leads into the town-hall restaurant.	**Die geht in den Ratskeller.**	**19.06**
	Afterwards we'll go to the park restaurant.	**Danach gehen wir ins Park-Café.**	**19.18**
returned	I returned at eight o'clock.	**Ich bin um acht Uhr zurückgekommen.**	**14.P10**
rice	Chicken with rice.	**Hühnchen mit Reis.**	**17.12**

ride	Wouldn't you like to take a ride out in the country with us then?	**Möchten Sie dann nicht mit uns hinausfahren?**	**6.17**
	To ride on a motorcycle.	**Motorrad fahren.**	**6.P2**
	They'll ride with us.	**Sie werden mit uns fahren.**	**11.13**
	Did you go riding?	**Seid ihr reiten gegangen?**	**17.18**
right	Is he all right again?	**Geht's ihm wieder gut?**	**4.02**
	That's right.	**Das stimmt.**	**8.02**
	That's all right.	**Das macht nichts.**	**8.20**
	Right away.	**Gleich.**	**12.P8**
	Right!	**Richtig!**	**19.16**
	Around the corner to the right.	**Rechts um die Ecke.**	**13.P8**
ring		**Ring.**	**16.P4**
river	We can eat out by the river, couldn't we?	**Wir können doch draußen am Fluß essen.**	**6.18**
road	He's on the road the whole day long.	**Er ist den ganzen Tag unterwegs.**	**6.13**
roast	Roast venison with mushrooms.	**Rehbraten mit Pfifferlingen.**	**17.13**
rocket	The rocket that disappeared.	**Die verschwundene Rakete.**	**18.05**
roller	To go roller-skating.	**Rollschuh laufen.**	**6.P2**
room	Living room.	**Wohnzimmer.**	**4.P10**
	An evening in the rumpus room.	**Ein Abend im Spielzimmer.**	**8.00**
	Dining room.	**Eßzimmer.**	**8.P1**
	Why, they're hanging in the closet in your room.	**Die hängen doch im Schrank in deinem Zimmer.**	**12.13**
rug	He slipped on a rug.	**Er ist auf einem Teppich ausgerutscht.**	**15.13**
rumpus room	Right down here in the rumpus room.	**Hier unten im Spielzimmer.**	**8.02**

S

sailboat		**Segelboot.**	**11.P3**
same	It's all the same to me.	**Das ist mir gleich.**	**13.09**
sandwich	Just a cheese sandwich and a glass of milk.	**Nur ein Käsebrot und ein Glas Milch.**	**14.09**
	Openface sandwiches.	**Butterbrote.**	**17.P8**
Saturday		**Samstag, Sonnabend.**	**8.T**
sausage		**Wurst.**	**17.P8**
say	Say, is that a friend of yours?	**Sag mal, ist das ein Freund von dir?**	**3.01**
	Paul says she's sick.	**Paul sagt, sie ist krank.**	**2.17**
	What did the doctor say?	**Was hat der Arzt gesagt?**	**15.08**
	I'll say!	**Und wie!**	**17.19**

school	To go to school.	**Zur Schule gehen.**	**4.P9**
schoolyard		**Schulhof.**	**14.P1**
seashore	My mother wants to go to the seashore.	**Meine Mutter will ans Meer fahren.**	**20.15**
seasons		**Jahreszeiten.**	**6.00**
seat	Just have a seat.	**Setz dich doch hin.**	**8.20**
	Last night every seat was taken.	**Gestern abend war jeder Platz besetzt.**	**18.20**
secretary		**Sekretärin.**	**3.P2**
see	Good-bye, see you tomorrow.	**Auf Wiedersehen, bis morgen.**	**1.20**
	They have bought a weekend cabin, you see.	**Sie haben nämlich ein Wochenendhäuschen gekauft.**	**11.07**
	You really ought to see that again.	**Das solltest du doch noch einmal sehen.**	**11.P9**
	Do you see Marianne over there?	**Siehst du Marianne da drüben?**	**16.11**
	Have you seen my ice-skates?	**Hast du meine Schlittschuhe gesehen?**	**12.12**
seemed	It seemed as if it were something like a tropical island.	**Es sah so aus, als ob es eine tropische Insel wäre.**	**18.17**
seldom		**Selten.**	**9.T**
September		**September.**	**6.T**
serious	I hope it wasn't anything serious.	**Hoffentlich war's nichts Ernstes.**	**15.17**
set	TV set.	**Fernsehapparat.**	**18.P3**
shall	Shall I give him a message?	**Soll ich ihm etwas ausrichten?**	**10.04**
ships		**Schiffe.**	**19.P3**
shirt		**Hemd.**	**13.P6**
shoe	This shoe is very comfortable.	**Dieser Schuh ist sehr bequem.**	**13.11**
	A pair of shoes.	**Ein Paar Schuhe.**	**13.07**
shoot	Did he shoot anything?	**Hat er denn was geschossen?**	**17.04**
shopping	To go shopping.	**Einkäufe machen.**	**6.P2**
shorts	Swimming shorts.	**Badehose.**	**12.P3**
should	How should I know that?	**Wie soll ich das wissen?**	**17.02**
shoulder	Shoulder blade.	**Schulterblatt.**	**15.P7**
shown	What was being shown?	**Was wurde denn gegeben?**	**18.04**
sick	Werner's sick today.	**Werner ist heute krank.**	**1.16**
side	It's on the left side there.	**Dort ist es auf der linken Seite.**	**13.04**
	On the other side.	**Auf der anderen Seite.**	**19.15**
sign	Traffic signs.	**Verkehrszeichen.**	**19.11**

simply	I'm simply fascinated by things like that.	**Für solche Sachen schwärme ich einfach.**	18.18
since	We've been living at 73 Beech Drive since Monday.	**Seit Montag wohnen wir Buchenweg dreiundsiebzig.**	5.12
	Since spring.	**Seit dem Frühling.**	6.12
sister		**Schwester.**	7.T
sister-in-law		**Schwägerin.**	7.T
sisters	I don't have any sisters, either.	**Ich habe auch keine Schwester.**	3.12
	He has two sisters.	**Er hat zwei Schwestern.**	3.15
	Brothers and sisters.	**Geschwister.**	7.T
sit	Sit down wherever you like.	**Setz dich, wohin du willst.**	8.17
	She's sitting upstairs on the bed in her room.	**Sie sitzt oben im Schlafzimmer auf dem Bett.**	12.19
size		**Größe.**	13.07
skating	To go roller-skating.	**Rollschuh laufen.**	6.P2
ski	Don't you feel like going skiing?	**Hast du nicht Lust, Ski zu laufen?**	9.06
skirt		**Rock.**	13.P7
sleepy		**Schläfrig.**	4.P5
slight	She had a slight infection.	**Sie hatte eine kleine Entzündung.**	15.09
slipped	He slipped on a rug.	**Er ist auf einem Teppich ausgerutscht.**	15.13
small	We were at a small inn at the lake.	**Wir waren in einem kleinen Gasthaus am See.**	17.07
	The small door to the left.	**Die kleine Tür links.**	19.06
snow		**Schnee.**	6.P7
so	Not so good.	**Nicht so gut!**	1.14
	How so?	**Wieso?**	1.15
	Is that so?	**So?**	2.07
	I thought so.	**Das hab' ich mir gedacht.**	8.03
	They always enjoy dancing so much, you know.	**Sie tanzen ja immer so gerne.**	9.19
	I think so, too.	**Das mein' ich auch.**	11.20
	So long as they fit.	**Wenn sie nur passen.**	13.09
	Don't you think so?	**Findest du nicht auch?**	16.17
sofa		**Sofa.**	4.P10
some	Couldn't we pick out some things together?	**Könnten wir nicht zusammen etwas aussuchen?**	7.16
	When can we hear some music again?	**Wann können wir mal wieder Musik hören?**	9.14
something	I'd like something to eat and drink.	**Ich möchte etwas essen und trinken.**	4.15
sometimes		**Manchmal.**	9.T

son		**Sohn.**	7.T
soon	Don't you have a birthday soon?	**Hast du nicht bald Geburtstag?**	6.06
	Now we'll soon be having our vacation.	**Jetzt haben wir ja bald Ferien.**	20.05
sorry	I'm sorry.	**Das tut mir leid.**	1.17
	Sorry, I don't have time to.	**Leider hab' ich keine Zeit dazu.**	6.05
	I'm terribly sorry to get here so late.	**Es tut mir furchtbar leid, daß ich so spät komme.**	8.18
	I'm sorry, Alfred's not home.	**Alfred ist leider nicht zu Hause.**	10.03
	I'm sorry, Max.	**Ich bedaure, Max.**	16.15
sort	What sort of plates are you bringing?	**Was für Teller bringst du?**	8.14
space	A man was flying through space toward Venus.	**Ein Mann flog durch den Weltraum zur Venus.**	18.06
speak	May I speak to Alfred, please?	**Kann ich bitte Alfred sprechen?**	10.02
	May I speak to Karlheinz?	**Ist Karlheinz zu sprechen?**	10.10
spite	In spite of everything.	**Trotzdem.**	17.P10
sports	Sports and Games.	**Sport und Spiel.**	9.00
sprained	He sprained his foot doing it.	**Dabei hat er sich den Fuß verrenkt.**	15.15
spring	Since spring.	**Seit dem Frühling.**	6.12
square	At the square in front of the railroad station.	**Am Bahnhofsplatz.**	19.09
stairs	He tumbled down the whole flight of stairs.	**Er ist die ganze Treppe hinuntergefallen.**	15.14
stamps		**Briefmarken.**	14.P7
standing	That's the reason you're standing like that!	**Deshalb steht ihr so da!**	17.20
station	Station wagon.	**Combi.**	6.P3
	Railroad station.	**Bahnhof.**	13.P1
	At the square in front of the railroad station.	**Am Bahnhofsplatz.**	19.09
	My oldest brother owns a filling station.	**Mein ältester Bruder besitzt eine Tankstelle.**	20.10
stay	To stay.	**Bleiben.**	6.P6
	We've got to stay home and study.	**Wir müssen zu Hause bleiben und arbeiten.**	9.04
still	She still looks a little pale.	**Sie sieht immer noch ein bißchen blaß aus.**	4.06
	Is Dora still living at your house?	**Wohnt Dora noch bei euch?**	5.16
	Rolf und Heidemarie still haven't gotten here.	**Rolf und Heidemarie sind noch nicht gekommen.**	16.07

store	Where is Behrens' Department Store?	**Wo ist das Kaufhaus Behrens?**	13.01
straight	Keep straight ahead, down this street.	**Immer geradeaus, diese Straße entlang.**	13.02
strawberries		**Erdbeeren.**	14.06
street	I live at 59 Schiller Street.	**Ich wohne Schillerstraße neunundfünfzig.**	5.09
	You know, you can hear the noise all the way from the street.	**Man kann den Lärm ja schon von der Straße aus hören.**	8.04
student	What's the name of the student next to you?	**Wie heißt der Schüler da neben dir?**	2.08
	What's the name of the student behind you?	**Wie heißt die Schülerin da hinter dir?**	2.10
	German students take in the city.	**Deutsche Schüler erleben die Großstadt.**	19.00
study	We've got to stay home and study.	**Wir müssen zu Hause bleiben und arbeiten.**	9.04
	Study (room).	**Arbeitszimmer.**	12.P2
stupid		**Dumm.**	18.P2
such	Have you ever seen such traffic?	**Habt ihr schon jemals solchen Verkehr gesehen?**	19.10
suit	Bathing suit.	**Badeanzug.**	12.P3
summer		**Sommer.**	6.T
	I'm going to work this summer.	**Ich werde diesen Sommer arbeiten.**	20.07
Sunday		**Sonntag.**	8.T
supper		**Abendessen.**	12.P9
	You see, we eat supper at six.	**Wir essen doch um sechs Uhr zu Abend.**	7.05
supposed	Supposed to be really terrific.	**Soll ganz toll sein.**	10.18
sure	Sure, Mom. Don't worry.	**Jawohl, Mutti. Keine Sorge!**	16.03
	I'm sure we'd never have found a parking place.	**Wir hätten sicher keinen Parkplatz finden können.**	19.08
	Sure have. I got myself one quite a while ago.	**Ja gewiß. Ich habe mir längst eine verschafft.**	20.09
surely	I'd surely like to.	**Ich möchte schon gerne.**	7.12
	I surely would.	**Aber gewiß.**	10.18
sweater		**Pullover.**	13.P6
Swedish		**Schwedisch.**	13.P10
swimming	To go swimming.	**Schwimmen gehen.**	6.P2
	Swimming pool.	**Schwimmbad.**	8.P1
	Swimming shorts.	**Badehose.**	12.P3
Swiss		**Schweizerisch.**	13.P10

T

table	The refreshments are already on the table.	**Die Erfrischungen stehen schon auf dem Tisch.**	**16.19**
	Tables.	**Tische.**	**8.P4**
tackle	Fishing tackle.	**Fischgerät.**	**17.P2**
take	Wouldn't you like to take a ride out in the country with us then?	**Möchten Sie dann nicht mit uns hinausfahren?**	**6.17**
	I'm supposed to take her something to eat.	**Ich soll ihr etwas zu essen bringen.**	**10.P7**
	Okay. I'll take them.	**Gut. Diese will ich nehmen.**	**13.13**
	Last night every seat was taken.	**Gestern abend war jeder Platz besetzt.**	**18.20**
tastes	Food always tastes so good in the open air.	**Das Essen schmeckt im Freien immer so gut.**	**6.19**
tea		**Tee.**	**14.P4**
teacher		**Lehrer, Lehrerin.**	**2.P5**
telephone	Do you have a telephone yet?	**Habt ihr schon Fernsprecher?**	**5.13**
	She's been on the telephone for the last half hour.	**Seit einer halben Stunde sitzt sie am Telefon.**	**12.20**
	Telephone pole.	**Telefonstange.**	**15.P4**
television	Wouldn't you like to watch TV at our house?	**Wollt ihr nicht bei uns fernsehen?**	**9.02**
tell	Tell me, Inge, where are you living now?	**Sag mal, Inge, wo wohnt ihr jetzt?**	**5.11**
	Would you tell him to call me?	**Würden Sie ihm sagen, er soll mich anrufen?**	**10.05**
	Why don't you tell him to go on without me?	**Sag ihm doch, er soll ohne mich fahren.**	**12.04**
tennis	Don't you want to play tennis?	**Wollt ihr nicht Tennis spielen?**	**6.04**
terrible	I'm in a terrible hurry.	**Ich hab' es furchtbar eilig.**	**20.02**
terribly	I'm terribly sorry.	**Es tut mir furchtbar leid.**	**8.18**
terrific	Supposed to be really terrific.	**Soll ganz toll sein.**	**10.18**
thank	I'm fine, thank you.	**Danke, es geht mir gut.**	**1.06**
	Thank you, Mr. Schröder.	**Danke schön, Herr Schröder.**	**1.13**
thanks	Many thanks, Mrs. Kropp.	**Vielen Dank, Frau Kropp.**	**10.08**
that	That's too bad.	**Das ist schade!**	**1.15**
	Is that so?	**So?**	**2.07**
	Isn't that Lotte?	**Ist das nicht Lotte?**	**2.18**
	I'm glad about that.	**Das freut mich.**	**4.08**
	Yes, that's right.	**Ja, das stimmt.**	**8.02**

(that)	My cousin Berta has one like that, too.	**Meine Kusine Berta hat auch so eins.**	13.20
	That's the reason you're standing like that!	**Deshalb steht ihr so da!**	17.20
	I'm simply fascinated by things like that.	**Für solche Sachen schwärme ich einfach.**	18.18
	I'm really glad that we came by train.	**Ich bin doch froh, daß wir mit der Bahn gekommen sind.**	19.07
	I'm afraid that the vacation will be rather boring.	**Ich fürchte, daß die Ferien recht langweilig sein werden.**	20.17
the	What's the name of the student behind you?	**Wie heißt die Schülerin da hinter dir?**	2.10
	What's the name of the student next to you?	**Wie heißt der Schüler da neben dir?**	2.09
	How's the doctor's wife?	**Wie geht es der Frau Doktor?**	4.05
	Do you want to go to the movies?	**Willst du ins Kino gehen?**	4.09
	Maybe they're under the chair?	**Sind sie vielleicht unter dem Stuhl?**	4.19
	Here they are. Behind the door.	**Hier sind sie. Hinter der Tür.**	4.20
	On the day before New Year's Eve.	**Am Tag vor Silvester.**	6.08
	He's on the road the whole day long.	**Er ist den ganzen Tag unterwegs.**	6.13
	Heinz and I are going into the city Saturday.	**Heinz und ich gehen Samstag in die Stadt.**	7.10
	An evening in the rumpus room.	**Ein Abend im Spielzimmer.**	8.00
	Don't hit your head on the lamp.	**Stoße deinen Kopf nicht an der Lampe!**	8.09
	"Men of the Deep."	**„Männer der Tiefe."**	10.18
theater		**Theater.**	10.P5
their	Their names are Liese and Lotte.	**Sie heißen Liese und Lotte.**	3.17
	At their house.	**Bei ihnen.**	5.P3
	They caught him with their rays.	**Sie fingen ihn mit ihren Strahlen ab.**	18.08
then	What is your name then?	**Wie heißt du denn?**	2.07
	I certainly hope it won't be raining then.	**Hoffentlich regnet es dann nicht.**	6.20
	Oh, then I've got to hurry.	**O, da muß ich schnell machen.**	7.03

	Then you ought to go to the doctor right away.	**Da solltest du aber gleich zum Arzt gehen.**	15.05
there	There are still lots of glasses up here.	**Es sind noch viele Gläser hier oben.**	8.13
	Peter and Inge will be there, too.	**Peter und Inge werden auch da sein.**	9.18
	They plan to drive there on Friday.	**Sie wollen am Freitag hinfahren.**	11.08
	It's on the left side there.	**Dort ist es auf der linken Seite.**	13.04
	Please have a seat over there.	**Bitte, nehmen Sie da Platz.**	13.08
	There haven't been any of those around for a long time, you know.	**Die gibt's doch schon längst nicht mehr!**	14.07
	I did get over there at eight o'clock.	**Ich bin noch um acht Uhr hingegangen.**	14.16
	Do you see Marianne over there?	**Siehst du Marianne da drüben?**	16.11
	Was there anything interesting on?	**Gab's da etwas Interessantes?**	18.02
	Over there on the corner.	**Dort an der Ecke.**	19.11
	We'll have a fine view from there.	**Von dort haben wir eine schöne Aussicht.**	19.20
these	What do these cost?	**Was kosten diese?**	13.11
thing	The whole thing will be lots of fun.	**Die Sache wird viel Spaß machen.**	11.19
	Couldn't we pick out some things together?	**Könnten wir nicht zusammen etwas aussuchen?**	7.16
	I'm simply fascinated by things like that.	**Für solche Sachen schwärme ich einfach.**	18.18
think	I think so, too.	**Das mein' ich auch.**	11.20
	Don't you think so?	**Findest du nicht auch?**	16.17
third		**dritt-**	6.T
this	With this train.	**Mit diesem Zug.**	6.P3
	This evening.	**Heute abend.**	9.17
	Hello. This is Karlheinz.	**Hallo! Hier Karlheinz.**	10.01
	When did you get up this morning?	**Wann bist du heute morgen aufgestanden?**	12.07
	Keep straight ahead, down this street.	**Immer geradeaus, diese Straße entlang.**	13.02
	Let's just try on this pair.	**Wir wollen einmal dieses Paar anprobieren.**	13.10
	This shoe is very comfortable.	**Dieser Schuh ist sehr bequem.**	13.11
	May I ask for this dance?	**Darf ich um diesen Tanz bitten?**	16.14

(this)	I'm going to work this summer.	**Ich werde diesen Sommer arbeiten.**	**20.07**
thought	I thought so.	**Das hab' ich mir gedacht.**	**8.02**
thousand		**Tausend.**	**5.T**
through	Through the doorway.	**Durch die Tür.**	**8.P5**
	Through the woods and over the fields.	**Durch den Wald und über die Felder.**	**17.19**
	A man was flying through space toward Venus.	**Ein Mann flog durch den Weltraum zur Venus.**	**18.06**
Thursday		**Donnerstag.**	**8.T**
tie	Necktie.	**Schlips.**	**13.P6**
time	Sorry, I don't have time to.	**Leider hab' ich keine Zeit dazu.**	**6.05**
	What time is it?	**Wieviel Uhr ist es?**	**7.01**
	Rudi's been waiting for you in his car a long time.	**Rudi wartet schon lange im Wagen auf dich.**	**12.03**
	Did you all have a good time?	**Habt ihr alle viel Spaß gehabt?**	**14.18**
	Have a good time at the dance!	**Viel Vergnügen beim Tanz!**	**16.01**
	Perhaps she didn't get ready on time.	**Vielleicht ist sie nicht rechtzeitig fertig geworden.**	**16.09**
tire	But our car had a flat tire.	**Aber unser Wagen hatte eine Reifenpanne.**	**8.19**
tired	Are you tired?	**Bist du müde?**	**4.12**
title	"The rocket that disappeared" was the title of the film.	**„Die verschwundene Rakete" hieß der Film.**	**18.05**
to	Next to you.	**Neben dir.**	**2.08**
	Do you want to go to the movies?	**Willst du ins Kino gehen?**	**4.09**
	To school.	**Zur Schule.**	**4.P9**
	It's ten minutes to six.	**Es ist zehn Minuten vor sechs.**	**7.02**
	To the airport.	**Zum Flugplatz.**	**7.P2**
	To class.	**In die Klasse.**	**7.P2**
	I'm terribly sorry to get here so late.	**Es tut mir furchtbar leid, daß ich so spät komme.**	**8.18**
	Where to?	**Wohin?**	**8.T**
	When can we listen to them?	**Wann können wir sie uns anhören?**	**9.16**
	I'm going over to her house this evening.	**Ich gehe heute abend zu ihr.**	**9.17**
	To the third traffic light.	**Bis zur dritten Verkehrsampel.**	**13.03**
	To the left.	**Links.**	**13.P8**

	Then you ought to go to the doctor right away.	**Da solltest du aber gleich zum Arzt gehen.**	**15.05**
	What happened to Klaus?	**Was ist denn dem Klaus passiert?**	**15.10**
	What did you get to eat?	**Was habt ihr zu essen bekommen?**	**17.11**
	To the harbor or to the museum?	**An den Hafen oder ins Museum?**	**19.12**
	Why don't we go to the city park first?	**Warum gehen wir nicht zuerst in den Stadtpark?**	**19.17**
	Afterwards we'll go to the park restaurant.	**Danach gehen wir ins Park-Café.**	**19.18**
today	Werner's sick today.	**Werner ist heute krank.**	**1.16**
together	Couldn't we pick out some things together?	**Könnten wir nicht zusammen etwas aussuchen?**	**7.16**
	Over there on the corner there are six traffic signs all together.	**Dort an der Ecke sind sechs Verkehrszeichen auf einmal.**	**19.11**
tomorrow	Good-bye, see you tomorrow.	**Auf Wiedersehen, bis morgen.**	**1.19**
	Day after tomorrow.	**Übermorgen.**	**6.P10**
	Tomorrow afternoon.	**Morgen nachmittag.**	**7.14**
	Tomorrow morning.	**Morgen früh.**	**10.P8**
tonight	Good-bye, see you tonight.	**Auf Wiedersehen, bis heute abend.**	**1.20**
too	I'm fine too, thank you.	**Danke sehr, es geht mir auch gut.**	**1.09**
	Do you have brothers and sisters, too?	**Hast du auch Geschwister?**	**3.10**
	I think so, too.	**Das mein' ich auch.**	**11.20**
	That's too bad.	**Das ist schade!**	**1.15**
	Much too early.	**Viel zu früh.**	**12.08**
took	They took him into a huge cavern.	**Sie brachten ihn in eine große Höhle.**	**18.09**
toothache		**Zahnweh.**	**15.P2**
tourist	There's the Tourist Office.	**Da ist ja das Verkehrsbüro.**	**19.15**
toward	A man was flying through space toward Venus.	**Ein Mann flog durch den Weltraum zur Venus.**	**18.06**
tower	The one with the high tower and the clock.	**Das mit dem hohen Turm und der Uhr.**	**19.04**
town hall	Town-hall restaurant.	**Ratskeller.**	**19.06**
tractors		**Traktoren.**	**17.P5**
traffic	To the third traffic light.	**Bis zur dritten Verkehrsampel.**	**13.03**
	Have you ever seen such traffic?	**Habt ihr schon jemals solchen Verkehr gesehen?**	**19.10**

train	With this train.	**Mit diesem Zug.**	6.P3
	I'm really glad that we came by train.	**Ich bin doch froh, daß wir mit der Bahn gekommen sind.**	19.07
travel agency		**Reisebüro.**	19.P9
traveling	Kurt will still be traveling on Wednesday.	**Kurt ist Mittwoch noch auf Reisen.**	11.18
tree	He ran into a tree.	**Er ist gegen einen Baum gefahren.**	15.18
trip	I hope you have a fine trip.	**Dann wünsche ich euch glückliche Reise.**	20.20
	Trip back.	**Rückreise.**	20.P4
	Weekend trips.	**Ausflüge am Wochenende.**	17.00
tropical	It seemed as if it were something like a tropical island.	**Es sah so aus, als ob es eine tropische Insel wäre.**	18.17
trousers		**Hose.**	13.P6
trout		**Forelle.**	17.P3
try	Let's just try on this pair.	**Wir wollen einmal dieses Paar anprobieren.**	13.10
Tuesday		**Dienstag.**	8.T
tumbled	He tumbled down the whole flight of stairs.	**Er ist die ganze Treppe hinuntergefallen.**	15.14
turned	His fiancée turned off the rays.	**Seine Braut drehte die Strahlen ab.**	18.11
turtle		**Schildkröte.**	17.P3
twins	My cousins are twins.	**Meine Kusinen sind Zwillinge.**	3.16
two	He has two sisters.	**Er hat zwei Schwestern.**	3.15
	I've got rehearsal until two.	**Bis vierzehn Uhr hab' ich noch Probe.**	7.18
	Size forty-two.	**Größe zwoundvierzig.**	13.07
	Two and a half.	**Zweieinhalb.**	13.P9
typewriter		**Schreibmaschine.**	12.P2

U

umbrella		**Regenschirm.**	14.P7
uncle		**Onkel.**	7.T
under	Maybe they're under the chair?	**Sind sie vielleicht unter dem Stuhl?**	4.19
until	Not until midsummer.	**Erst mitten im Sommer.**	6.10
	I've got rehearsal until two.	**Bis vierzehn Uhr hab' ich noch Probe.**	7.18
	I'll wait inside until you honk.	**Ich werde drinnen warten, bis du hupst.**	10.20
unusual	That's pretty unusual, isn't it?	**Das ist ziemlich ungewöhnlich, nicht?**	10.16

up	There are still lots of glasses up here.	**Es sind noch viele Gläser hier oben.**	8.13
	Hurry up!	**Mach schnell!**	12.02
	When did you get up this morning?	**Wann bist du heute morgen aufgestanden?**	12.07
	Come up here right away!	**Komm doch gleich herauf!**	12.P8
upstairs		**Oben.**	8.P2
usual	At home, as usual.	**Zu Hause, wie gewöhnlich.**	11.02
usually		**Gewöhnlich.**	9.T

V

vacation	Now we'll soon be having our vacation.	**Jetzt haben wir ja bald Ferien.**	20.05
	What are you planning to do this vacation?	**Was hast du in den Ferien vor?**	20.13
vegetables		**Gemüse.**	12.P9
venison	Venison with mushrooms.	**Rehbraten mit Pfifferlingen.**	17.13
very	She's very nice.	**Sie ist sehr nett.**	3.08
view	We'll have a fine view from there.	**Von dort haben wir eine schöne Aussicht.**	19.20
voice	You can always recognize him by his voice.	**Man kann ihn immer an seiner Stimme erkennen.**	8.07

W

wagon	Kurt has a station wagon now, you know.	**Kurt hat ja jetzt einen Combi.**	11.14
wait	I'll wait inside until you honk.	**Ich werde drinnen warten, bis du hupst.**	10.20
	Rudi's been waiting for you in his car a long time.	**Rudi wartet schon lange im Wagen auf dich.**	12.03
	The Marsmen were waiting behind the moon.	**Die Marsleute warteten hinter dem Mond.**	18.07
walk	To go for a walk.	**Spazieren gehen.**	8.P5
want	Do you want to go to the movies?	**Willst du ins Kino gehen?**	4.09
	Don't you want to play tennis?	**Wollt ihr nicht Tennis spielen?**	6.04
	My mother wants to go to the seashore.	**Meine Mutter will ans Meer fahren.**	20.15
warm	It's quite warm in here, don't you think so?	**Es ist hier recht warm, findest du nicht auch?**	16.17
was	I was downtown with her yesterday.	**Ich war gestern mit ihr in der Stadt.**	13.16

(was)	Was there anything interesting on?	**Gab's da etwas Interessantes?**	18.02
	What was being shown?	**Was wurde denn gegeben?**	18.04
	How was he rescued?	**Wie wurde er wieder gerettet?**	18.10
watch	Watch out, Karl!	**Vorsicht, Karl!**	8.08
	Wouldn't you like to watch TV at our house?	**Wollt ihr nicht bei uns fernsehen?**	9.02
watches		**Uhren.**	8.P10
way	You know, you can hear the noise all the way from the street.	**Man kann den Lärm ja schon von der Straße aus hören.**	8.04
	It's the way I've always imagined it.	**So hab' ich's mir immer vorgestellt.**	19.02
wear	You know, she's wearing a new dress tonight.	**Sie trägt nämlich heute ein neues Kleid.**	16.10
weather	Fine fall weather, isn't it?	**Schönes Herbstwetter, nicht wahr?**	6.03
	Whenever the weather's good.	**Wenn das Wetter schön ist.**	6.14
Wednesday		**Mittwoch.**	8.T
week	She's coming in a week.	**Sie kommt in acht Tagen.**	6.16
weekday	On weekdays it's open until ten.	**Sie ist an Wochentagen bis zehn Uhr offen.**	14.03
weekend	Where will you be this weekend?	**Wo bist du zum Wochenende?**	11.01
well	He's well again.	**Er ist wieder gesund.**	4.04
	Well, she still looks a little pale.	**Na, sie sieht immer noch ein bißchen blaß aus.**	4.06
	My brother can play very well.	**Mein Bruder kann sehr gut spielen.**	9.12
	Well, let's just try on this pair.	**So, wir wollen einmal dieses Paar anprobieren.**	13.10
	Don't you feel well?	**Fühlst du dich nicht wohl?**	15.01
	Well, I don't know what's the matter with me.	**Nun, ich weiß nicht, was mit mir los ist.**	15.02
	Well, well. That's the reason you're standing like that!	**Ach so. Deshalb steht ihr so da!**	17.20
were	We were at a small inn at the lake.	**Wir waren in einem kleinen Gasthaus am See.**	17.07
what	What's your name?	**Wie heißt du?**	2.01
	What's the matter?	**Was ist denn los?**	4.11
	I don't know what our number is.	**Ich weiß nicht, welche Nummer wir haben.**	5.15
	What's the date today?	**Welches Datum haben wir heute?**	6.01

	What time is it?	**Wieviel Uhr ist es?**	**7.01**
	What are you kids doing on Saturday?	**Was tut ihr am Samstag?**	**7.08**
	What sort of plates are you bringing?	**Was für Teller bringst du?**	**8.14**
	What? You can't ski?	**Was! Du kannst nicht Ski laufen?**	**9.08**
	What do these cost?	**Was kosten diese?**	**13.11**
	I don't know what's the matter with me.	**Ich weiß nicht, was mit mir los ist.**	**15.02**
when	When is Gisela's birthday?	**Wann hat Gisela Geburtstag?**	**6.09**
	Watch out, Karl, when you come down.	**Vorsicht, Karl, wenn du herunterkommst.**	**8.08**
	When can we hear some music again?	**Wann können wir mal wieder Musik hören?**	**9.14**
	When he gets home.	**Wenn er nach Hause kommt.**	**10.06**
	When did you get up this morning?	**Wann bist du heute morgen aufgestanden?**	**12.07**
whenever	Whenever the weather's good.	**Wenn das Wetter schön ist.**	**6.14**
where	Where is Fritz Neumeier?	**Wo ist Fritz Neumeier?**	**2.13**
	Where to?	**Wohin?**	**8.T**
	Where from?	**Woher?**	**8.T**
	Do you know where I was last Saturday?	**Weißt du, wo ich letzten Samstag war?**	**17.01**
	Where would you rather go, to the harbor or to the museum?	**Wohin möchtet ihr lieber, an den Hafen oder ins Museum?**	**19.12**
wherever	Sit down wherever you like.	**Setz dich, wohin du willst.**	**8.17**
while	I got myself one quite a while ago.	**Ich habe mir längst eine verschafft.**	**20.09**
whipped	I'd rather have strawberries with whipped cream.	**Ich nehme lieber Erdbeeren mit Schlagsahne.**	**14.06**
white		**Weiß.**	**13.P6**
who	Who is absent today?	**Wer fehlt heute?**	**2.12**
	Who is calling, please?	**Wer dort, bitte?**	**10.09**
whole	He's on the road the whole day long.	**Er ist den ganzen Tag unterwegs.**	**6.13**
	The whole thing will be lots of fun.	**Die Sache wird viel Spaß machen.**	**11.19**
	My whole body aches.	**Es tut mir am ganzen Körper weh.**	**15.04**
	He tumbled down the whole flight of stairs.	**Er ist die ganze Treppe hinuntergefallen.**	**15.14**
whom		**Wen, wem.**	**8.T**

why	Why not?	**Warum nicht?**	2.15
	Oh, why do you always want to study?	**Ach, warum wollt ihr immer arbeiten?**	9.05
	Why, they're hanging in the closet in your room.	**Die hängen doch im Schrank in deinem Zimmer.**	12.13
wife	How's the doctor's wife?	**Wie geht's der Frau Doktor?**	4.05
will	Peter and Inge will be there, too.	**Peter und Inge werden auch da sein.**	9.18
	Where will you be this weekend?	**Wo bist du zum Wochenende?**	11.01
	The whole thing will be lots of fun.	**Die Sache wird viel Spaß machen.**	11.19
	They'll ride with us.	**Sie werden mit uns fahren.**	11.13
	I'll find it all right, I guess.	**Ich werde es schon finden.**	13.05
	We'll have a fine view from there.	**Von dort haben wir eine schöne Aussicht.**	19.20
window		**Fenster.**	12.P2
winter		**Winter.**	6.T
wish	Best wishes to the family.	**Schönen Gruß zu Hause.**	1.12
with	She doesn't live with us any more.	**Sie wohnt nicht mehr bei uns.**	5.17
	Did you bring your accordion with you?	**Hast du deine Ziehharmonika mitgebracht?**	8.10
	They'll ride with us.	**Sie werden mit uns fahren.**	11.13
	I was downtown with her yesterday.	**Ich war gestern mit ihr in der Stadt.**	13.16
	I don't know what's the matter with me.	**Ich weiß nicht, was mit mir los ist.**	15.02
	Georg's brother had an accident with his car.	**Georgs Bruder hat einen Unfall mit dem Wagen gehabt.**	15.16
	I was out hunting with my father.	**Ich war mit meinem Vater auf der Jagd.**	17.03
	Have you still got the city map with you?	**Hast du noch den Stadtplan bei dir?**	19.13
	Can I ride home with you this afternoon?	**Kann ich heute mit dir nach Hause fahren?**	20.01
without	Why don't you tell him to go on without me?	**Sag ihm doch, er soll ohne mich fahren.**	12.04
won	He won a prize recently.	**Er hat neulich einen Preis gewonnen.**	9.13
wonderful	Wonderful. When do we leave?	**Wunderbar. Wann werden wir losfahren?**	11.15
	Doesn't it look wonderful on her?	**Steht es ihr nicht glänzend?**	13.18

woods	Would you like to go along to our cabin in the woods?	**Möchtest du mit zur Waldhütte?**	11.03
	Through the woods and over the fields.	**Durch den Wald und über die Felder.**	17.19
work	I'm going to work this summer.	**Ich werde diesen Sommer arbeiten.**	20.07
worry	Don't worry!	**Keine Sorge!**	16.03
would	That would be better.	**Das wäre besser.**	7.20
	Would you tell him to call me?	**Würden Sie ihm sagen, er soll mich anrufen?**	10.05
	Would you like to go along?	**Möchtest du mit?**	11.03
written		**Geschrieben.**	15.P8

Y

years	She's only four years old.	**Sie ist nur vier Jahre alt.**	5.05
yellow		**Gelb.**	13.P4
yes	Yes, he's a friend of mine.	**Ja, das ist ein Freund von mir.**	3.03
	Yes indeed.	**O ja!**	6.19
	Yes, certainly.	**Ja gewiß.**	10.11
	Yes, if I may.	**Ja, wenn ich bitten darf.**	16.16
yesterday	Since yesterday afternoon.	**Seit gestern nachmittag.**	5.14
	Day before yesterday.	**Vorgestern.**	6.P10
yet	He isn't here yet.	**Er ist noch nicht hier.**	2.14
	Do you have a telephone yet?	**Habt ihr schon Fernsprecher?**	5.13
	We don't know yet.	**Das wissen wir noch nicht.**	7.09
	Have you done your homework yet?	**Hast du deine Hausaufgaben schon gemacht?**	10.13
	At any rate I haven't seen them yet.	**Ich habe sie jedenfalls noch nicht gesehen.**	16.08
	I haven't any idea yet.	**Davon habe ich noch keine Ahnung.**	20.14
your	What's your name?	**Wie heißt du?**	2.01
	What is your name, please?	**Wie heißen Sie, bitte?**	2.03
	What's your friend's name?	**Wie heißt dein Freund?**	3.04
	What's your friend's name?	**Wie heißt deine Freundin?**	3.07
	Is your aunt here already, Mrs. Ebert?	**Ist Ihre Tante schon hier, Frau Ebert?**	6.15
	Don't hit your head on the lamp.	**Stoße deinen Kopf nicht an der Lampe!**	8.09
yours	Is that a friend of yours?	**Ist das ein Freund von dir?**	3.01

Z

zero		**Null.**	5.T

Namen

JUNGENS

Albert	Erich	Gustav	Karl	Peter
Arthur	Ernst	Hanns	Klemens	Philipp
August	Erwin	Hans	Karl-Heinz	Reinhold
Augustin	Eugen	Hansel	Karl-Theodor	Richard
Axel	Ewald	Heiner	Klaus	Robert
Benno	Felix	Heinrich	Konrad	Rolf
Bruno	Franz	Heinz	Kurt	Rudi
Christoph	Friedrich	Hermann	Leopold	Rudolf
Detlev	Fritz	Hubert	Lothar	Stefan
Dieter	Georg	Hugo	Ludwig	Theodor
Dietrich	Gerhard	Jakob	Manfred	Thomas
Eberhard	Gero	Joachim	Max	Viktor
Eckhart	Gert	Johann	Moritz	Walter
Edgar	Gottfried	Julius	Oskar	Wilhelm
Eduard	Gregor	Jürg	Otto	Willi
Emil	Günther	Jürgen	Paul	Wolfgang

MÄDCHEN

Agnes	Doris	Helene	Klara	Monika
Alberta	Dorothea	Helga	Klaudia	Olga
Amalie	Elfriede	Henriette	Laura	Paula
Anna	Elisabeth	Hilde	Liese	Petra
Anneliese	Elsbeth	Hildegard	Lieselotte	Rosa
Annemarie	Erika	Inge	Lili	Rosmarie
Annette	Erna	Ingeborg	Lore	Renate
Barbara	Friedel	Ingrid	Lottchen	Thekla
Bärbel	Friederike	Irmgard	Lotte	Trine
Berta	Gerda	Jenny	Luise	Trude
Betty	Gertrud	Julia	Marianne	Trudi
Brigitta	Gisela	Jutta	Marie	Ulrike
Cäcilie	Grete	Karin	Marta	Ursel
Christel	Grete-Marie	Kätchen	Martha	Ursula
Christine	Gudrun	Käte	Melanie	Ute
Dora	Hannelore	Katharina	Melitta	Waltraud

German Word List

A

ab off, down
abdrehen turn off
der **Abend** evening
das **Abendessen** evening meal
das **Abendkleid** evening dress
abends in the evening
aber but, however
abgedreht turned off
abgeflogen departed (*by plane*)
abgestürzt fallen off
abholen go and get
ach Oh; (*often*) I'm sorry, that's too bad
acht eight
in **acht Tagen** in a week
vor **acht Tagen** a week ago
achtzehn eighteen
achtzehnt- eighteenth
achtzig eighty
die **Adresse** [**Adressen**] address
der **Affe** [**Affen**] ape, monkey
Afrika Africa
ah ah!
die **Ahnung** idea, notion
all all; every
allein alone
alles all, everything
als as; than, but; when
also well then, so, so then
alt old
ältest- oldest
am = **an dem**
Amerika America
an at, alongside, on
ander- other
andrehen turn on
angedreht turned on
angerufen called up
anhören listen to
ankommen arrive
anprobieren try on
das **Anprobierzimmer** trying-on room
anrufen call up
ans = **an das**
der **Ansager** announcer
der **Anzug** suit
der **Apfelkuchen** apple pie
die **Apotheke** pharmacy
die **Arbeit** work, job
arbeiten work, study
das **Arbeitszimmer** study, workroom
der **Arm** [**Arme**] arm
das **Armband** bracelet
die **Armbanduhr** wrist watch
arrangieren arrange
der **Arzt** doctor, physician
Asien Asia
Aspirin aspirin
auch also
auch nicht not either
auf on, on top of, to
auf einmal all at once, suddenly
die **Aufgabe** [**Aufgaben**] assignment
aufgestanden gotten up
aufs = **auf das**
der **Aufschnitt** cold cuts
aufstehen get up
der **Augenblick** moment, instant
der **August** August
aus out, out of
der **Ausflug** [**Ausflüge**] picnic, outdoor party
der **Ausgang** exit
ausgeholfen helped out

ausgerutscht slipped, skidded
ausgezeichnet excellent
aushelfen help out
die **Auskunft** information
ausrichten give a message, do an errand
aussehen [**aussieht, aussah**] look, seem, appear
die **Aussicht** view
aussuchen pick out, select
Australien Australia
das **Auto** car, auto
der **Autobus** bus
der **Autoschlüssel** car key

B

der **Badeanzug** [**Badeanzüge**] bathing suit
die **Badehose** [**Badehosen**] swimming trunks
Badesachen bathing things
das **Badezimmer** bathroom
die **Bahn** railroad
der **Bahnhof** railroad station
der **Bahnhofsplatz** square at the station
bald soon
der **Ball** ball
der **Bauernhof** farm
der **Baum** [**Bäume**] tree
Beamter official, officer
bedauern regret, be sorry
beginnen begin
bei with, at the house of, near
beide both, two
beim = **bei dem**
das **Bein** [**Beine**] leg
beinahe almost, nearly
bekommen get
bequem comfortable
der **Berg** [**Berge**] hill, mountain
berühmt famous
besitzen own, possess
besonder- special
besser better
die **Besserung** recovery
best- best
bestellen order
der **Besuch** visit
besuchen visit
der **Besucher** visitor
die **Besucherin** visitor
das **Bett** [**Betten**] bed
die **Bibliothek** library
das **Bild** [**Bilder**] picture
billig cheap
bin am
bis until, by (a certain time)
ein **bißchen** a little, a little bit
bissig vicious
du **bist** you are
bitte please; please take some; you're welcome
bitten ask for, request
blaß pale
blau blue
bleiben stay, remain
der **Bleistift** pencil
die **Bluse** [**Blusen**] blouse
die **Bohne** [**Bohnen**] bean
Bohnenfelder bean fields
das **Boot** [**Boote**] boat
der **Bote** messenger
brachte brought
braun brown
die **Braut** fiancée
der **Bräutigam** fiancé
der **Brief** letter
die **Briefmarke** [**Briefmarken**] postage stamp
der **Briefträger** postman
die **Brille** glasses
bringen bring; take (to)
das **Brötchen** roll
der **Bruder** [**Brüder**] brother
Bst! Shh!
das **Buch** [**Bücher**] book
die **Buche** [**Buchen**] beech
der **Buchstabe** [**Buchstaben**] letter (of alphabet)
der **Bus** bus
die **Butter** butter
das **Butterbrot** [**Butterbrote**] openface sandwich

C

das **Café** café, coffee shop
der **Combi** station wagon
die **Companie** Company

D

da there
dabei along with that, in so doing
dafür for that
dagegen against that
dahin to that place, away
die **Dame** [**Damen**] lady
damit with that
danach after that, to that
der **Dank** thanks
danke thank you; no thanks
dann then
daran about that, on that, there
darauf on that, toward that
darf be allowed to, can
darin in it, inside
das the, that
daß that
das **Datum** [**Daten**] date
davon about that, of that
dazu for that, to do that, about the fact (that)
dein your
Dekorationen decorations
dem to the, for the, the
den the
denn then; tell me! (*in questions*)
der the; he, that one; (*sometimes*) of the
des of the
deshalb that's why, therefore
deutsch German
Deutschland Germany
die **Deutschlehrerin** German teacher
dich you
die the; she, that one; they, those
das **Dienstmädchen** housemaid
Dienstag Tuesday
dies this, these
diesmal this time
dir you, for you
der **Direktor** manager, principal
doch though, indeed, however, on the contrary
Donnerstag Thursday
dort there, over there
der **Doktor** doctor
Dr. = **Doktor**
draußen outside
dreht . . . ab turns off
dreht . . . an turns on
drei three
dreißig thirty
dreiviertel three quarters; quarter of (an hour on the clock)
dreizehn thirteen
dreizehnt- thirteenth
drinnen inside, indoors
dritt- third
drüben over there, across
du you
dumm stupid
dunkel dark
durch through
durchaus entirely, absolutely; at all
dürfen be allowed to; can; may

E

eben just, exactly
ebenso just as
die **Ecke** corner
eigen own
eigentlich really, actually
es **eilig haben** be in a hurry
ein a; one
einfach simply
der **Eingang** entrance
Einkäufe purchases
einmal once, sometime; even; one order of
auf **einmal** at once, all at once
eins one
einzig single, only
das **Eis** ice; ice cream
der **Elefant** elephant
elf eleven
Eltern parents
das **Ende** end
englisch English
der **Enkel** [**Enkel**] grandson
die **Enkelin** [**Enkelinnen**] granddaughter
entlang along
die **Entzündung** inflammation, infection
er he; it
Erdbeeren strawberries
die **Erde** earth
der **Erdmann** earth-man
Erfrischungen refreshments
die **Erfrischungsbude** refreshment stand

die **Erkältung** cold
erkennen recognize
erleben experience, get to know
ernst serious
erst first; only, not before
es it; things in general
das **Essen** food, meal
essen eat
der **Eßsaal** dining hall, cafeteria
das **Eßzimmer** dining room
etwas something, anything; somewhat
euch you; for you
die **Eule** [**Eulen**] owl
eur- your
Europa Europe

F

fahren [**fährt**] travel, go
der **Fahrer** driver
das **Fahrrad** [**Fahrräder**] bicycle
die **Fahrstunde** driving lesson
die **Fahrt** trip, journey
fährt travels, goes
fallen [**fällt**] fall
fand found
fangen . . . ab catch, intercept
die **Farbe** [**Farben**] color
das **Farbfernsehen** color TV
faul lazy
der **Februar** February
fehlen be absent, be wrong (with)
das **Feld** [**Felder**] field
das **Fenster** window
Ferien vacation, holidays
die **Ferienreise** vacation trip
fernsehen look at TV
das **Fernsehen** TV
der **Fernsprecher** telephone
fertig ready, finished
das **Fieber** fever
der **Film** film, movie
finden find; regard, consider
fingen caught
der **Finger** [**Finger**] finger
der **Fisch** [**Fische**] fish
fischen fish
das **Fischgerät** fishing tackle
die **Flasche** [**Flaschen**] bottle
fliegen fly
die **Flocke** [**Flocken**] flake
flog flew
der **Flugplatz** airport
das **Flugzeug** [**Flugzeuge**] airplane
der **Fluß** river
der **Flußpark** river park
die **Forelle** [**Forellen**] trout
die **Frage** [**Fragen**] question
fragen ask
Frankreich France
die **Frau** [**Frauen**] lady, wife; Mrs.
das **Fräulein** young woman; Miss
frei free, without other appointments
das **Freie** out-of-doors
Freitag Friday
freuen please, make happy
sich **freuen auf** look forward to
der **Freund** [**Freunde**] friend (boy or man)
die **Freundin** [**Freundinnen**] friend (girl or woman)
Friedenstraße Peace Street
Frl. = **Fräulein** Miss
froh happy
der **Fruchtsaft** fruit juice
früh early; in the forenoon
der **Frühling** spring
das **Frühlingskind** one with a spring birthday
das **Frühlingswetter** spring weather
das **Frühstück** breakfast
frühstücken have breakfast
der **Fuchs** fox
fühlen feel
fuhr traveled, took a trip
der **Führerschein** driver's license
der **Füllhalter** fountain pen
fünf five
fünfzehn fifteen
fünfzehnt- fifteenth
fünfzig fifty
für for, for the sake of
was **für** what kind of, what (a)
furchtbar terrible, frightful
fürchten fear, be afraid
der **Fuß** [**Füße**] foot
der **Fußball** football; soccer

G

es **gab** there was
ganz whole, entire, all; entirely
gar at all

das **Gasthaus** inn
gearbeitet worked, studied
das **Gebäude** building
geben give
gebracht brought
gebrochen broken
der **Geburtstag** birthday
gedacht thought
die **Gefahr** danger
gefahren traveled, gone
gefallen [**gefällt**] please, appeal to
gefallen fallen
gefangen caught
geflogen flown
gefragt asked
gefreut pleased, made happy
gefrühstückt had breakfast
gefunden found
gegangen gone
gegeben given
gegen against
gegessen eaten
gehabt had
gehen go, walk, (things) are going
das **Gehen** walking
geholfen helped
gehört heard
gekauft bought
gekommen come, arrived
gekostet cost
gelandet landed
gelassen left
gelb yellow
das **Geld** money
gelernt learned
gelesen read
gemacht made, done
gemietet rented
das **Gemüse** vegetable
genommen taken
genug enough
geradeaus straight ahead
gerettet rescued
gern, gerne gladly, willingly, would like to
gerufen called
gesagt said
das **Geschäft** store, business
geschlafen slept
geschlossen shut, closed
geschmeckt tasted (good)
geschossen shot
geschrieben written
Geschwister brothers and sisters
gesehen seen
gespielt played
gesprochen spoken, talked
gestern yesterday
gestürzt fallen head first, tumbled
gesund healthy
getan done
getanzt danced
das **Getränk** [**Getränke**] drink
gewartet waited
gewesen been
gewinnen win
gewiß certain, sure; of course; yes indeed
gewöhnlich usual
gewohnt lived
gewonnen won
geworden become, gotten
gewußt known
gibt gives
es **gibt** there is, there are
ging went
glänzend brilliant
das **Glas** [**Gläser**] glass
glauben believe, think
gleich right away; the same; similar
das **Glockenspiel** clock with bells, chimes
glücklich happy, fortunate
glücklicherweise fortunately
Gott God
grau gray
groß big, great
großartig splendid, great
Großeltern grandparents
die **Größe** [**Größen**] size
die **Großmutter** [**Großmütter**] grandmother
die **Großstadt** big city
der **Großvater** [**Großväter**] grandfather
grün green
der **Gruß** [**Grüße**] greeting, good wish
grüßen greet, say Hello to
Grüß Gott! Hello
der **Gummischuh** [**Gummischuhe**] overshoe
gut good, well

H

das **Haar** hair
haben have
haben . . . vor intend, plan
der **Hafen** harbor
halb half
halb vier 3:30
Hallo Hello (*on telephone*)
die **Halskette** necklace
die **Hand** [**Hände**] hand
der **Handschuh** [**Handschuhe**] glove
hängen hang
die **Harmonika** harmonica, accordion
du **hast** you have
hat has
hatte had
hätte would have
häufig frequently
das **Haus** [**Häuser**] house
nach **Hause** home, toward home
zu **Hause** at home
Hausaufgaben homework assignments
das **Häuschen** little house
der **Hausschuh** [**Hausschuhe**] slipper
das **Heft** notebook
heiß hot
heißen be called, be named
das **heißt** that means
helfen help
hell bright
das **Hemd** [**Hemden**] shirt
herauf up here
heraus out here
der **Herbst** autumn
das **Herbstwetter** autumn weather
herein in here; come in!
der **Herr** [**Herren**] gentleman; master; Mr.
herüber over here
herunter down here
heute today
hier here
hieß was called, was named
hilf help
hin away, to some other place; there, to there
hinauf upward
hinaus out, out of town
hinbringen take there
hinein in
hinfahren travel there
hinfallen fall down
hingehen go there
hinken limp
hinkommen get there
hinlaufen walk there
hinlegen put there
hinsetzen put there
hinstürzen fall, plunge
hinten backwards
hinter behind, back of
hinunter down
hoch high
die **Hochspannung** high voltage
hoffen hope
hoffentlich let's hope (so)
hoh- high
die **Höhle** cave
hören hear, listen
die **Hose** [**Hosen**] trousers
das **Hotel** [**Hotels**] hotel
das **Hotelzimmer** hotel room
hübsch pretty
der **Hubschrauber** helicopter
das **Huhn** [**Hühner**] chicken
das **Hühnchen** young chicken
der **Hund** [**Hunde**] dog
hundert hundred
hungrig hungry
die **Hupe** automobile horn
hupen blow the horn
der **Hut** [**Hüte**] hat
die **Hütte** [**Hütten**] cabin, shack

I

ich I
ihm him, for him
ihn him
Ihnen you, for you
ihnen them, for them
Ihr your
ihr their
ihr you (*plural*)
ihr her, for her
im = in dem
immer always
in in, into
der **Indianer** Indian

die **Influenza** flu
ins = **in das**
die **Insel** island
interessant interesting
ist is

J

ja yes; of course, you know
die **Jacke** [**Jacken**] coat, jacket
die **Jagd** hunt, hunting trip
das **Jahr** [**Jahre**] year
die **Jahreszeit** [**Jahreszeiten**] season
der **Januar** January
jawohl yes indeed, Yes Sir!
jed- each, every, any
jedenfalls anyhow
jemals ever, any time
jemand somebody, anybody
jetzt now
der **Juli** July
der **Junge** [**Jungens**] boy; die **Jungen** young people
Jungs kids (= boys)
der **Juni** June

K

der **Kaffee** coffee
kalt cold
kam came
Kammerspiele "Little Theater"
das **Kaninchen** rabbit
kann can, am/is able to
die **Kapelle** band
kaputt out of order, no good, "busted"
der **Karpfen** carp
die **Karte** [**Karten**] ticket, card
das **Kartoffelfeld** potato field
der **Käse** cheese
das **Käsebrot** cheese sandwich
die **Katze** [**Katzen**] cat
kaufen buy
das **Kaufhaus** department store
die **Kegelbahn** bowling alley
kegeln bowl
kein not any, none, no; (isn't) a
keineswegs not in the least, by no means
Keks cookies
der **Keller** basement, cellar
der **Kellner** waiter
die **Kellnerin** [**Kellnerinnen**] waitress
kennen be acquainted with, know
kennenlernen get acquainted with
das **Kilometer** kilometer (= about $\frac{2}{3}$ mile)
das **Kind** [**Kinder**] child
das **Kino** movie
die **Kirche** church
klar clear
die **Klasse** [**Klassen**] class
das **Klavier** piano
die **Klavierstunde** piano lesson
das **Kleid** [**Kleider**] dress
Kleider clothes
klein little, small
das **Kleingeld** change, pocket money
das **Knie** knee
kommen come
können can, be able, know how to
konnte could, was able to
könnte could, would be able to
das **Konzert** concert
der **Kopf** head
das **Kopfweh** headache
das **Kornfeld** [**Kornfelder**] wheat field
der **Körper** body
kosten cost
krank sick
das **Krankenhaus** hospital
die **Krankenschwester** nurse
das **Krokodil** crocodile
die **Küche** kitchen
der **Kuchen** cake, pastry
der **Küchenschrank** kitchen cupboard
die **Kuh** [**Kühe**] cow
kühl cool
der **Kühlschrank** refrigerator
Kunden customers
die **Kusine** [**Kusinen**] (girl) cousin

L

die **Lakritze** licorice
die **Lampe** lamp, light
das **Land** country, land
landen land
lang long, for a long time
längst for a very long time
langweilig tiresome, boring
der **Lärm** noise

lassen let
laufen run; go (skating); go on foot
der **Läufer** bellboy
die **Lebensgefahr** extreme danger
legen put; put to sleep, put to bed
der **Lehrer** teacher
die **Lehrerin** [**Lehrerinnen**] teacher
leid unhappy
leider unfortunately
der **Leitungsmast** power-line pole
lernen learn, get to know
letzt- last
Leute people
das **Licht** [**Lichter**] light
das **Lichtspiel** movie
das **Lichtspielhaus** movie theater
lieb pleasant, dear
lieber rather, (like) more
liegen be, be lying down
ließ left
die **Limonade** lemonade
link- left
links on the left
los going on; happening; get started; moving
der **Löwe** [**Löwen**] lion
das **Löwenhaus** lion house
die **Löwin** lioness
Lust haben want to, feel like (doing)

M

machen make, do
das **Mädchen** girl
das **Mädel** [**Mädels**] kid (girl)
mag want, like; may, can
der **Mai** May
der **Mais** corn, maize
das **Maisfeld** [**Maisfelder**] field of corn
mal now; this time
das **Mal** time
-mal time: **zweimal** twice; **siebzehnmal** seventeen times
man they, people, you, somebody, anybody
manchmal sometimes
der **Mann** [**Männer**] man; husband
die **Mark** mark (= 25 cents)
der **Mars** Mars (the planet, the Roman god)
das **Marsfräulein** young lady from Mars
Marsleute Martians, Marsmen
der **Marsmann** Martian
die **Marsrakete** Mars rocket
der **März** March
das **Meer** the open sea
mehr more, any more
mein my
meinen think, believe
die **Menge** [**Mengen**] crowd, lot of
mich me
mieten rent
die **Milch** milk
die **Minute** [**Minuten**] minute
mir me, for me
mit with, along
mitbringen bring along
mitgebracht brought along
mitkommen come along
der **Mittag** noon, midday
das **Mittagessen** noonday meal, lunch
mittelgroß medium large
mitten in the middle of, right among
die **Mitternacht** midnight
der **Mittwoch** Wednesday
möchte would like to
modern modern
der **Monat** [**Monate**] month
der **Mond** moon
das **Möndchen** moonlet
der **Montag** Monday
der **Morgen** morning
morgen tomorrow
morgen früh tomorrow morning
der **Motor** [**Motoren**] motor
das **Motorrad** [**Motorräder**] motorbike
müde tired
das **Museum** museum
die **Musik** music
muß have to, must; **muß nicht** don't have to
müssen have to, must
die **Mutter** [**Mütter**] mother
Mutti "Mom"

N

'n = **Guten** (*informal*)
Na Well . . .
nach after, following, in the direction of, toward, according to

der **Nachmittag** afternoon
nächst- next
die **Nacht** night
der **Nachtisch** dessert
nahe near
die **Nähe** vicinity
der **Name** [**Namen**] name
nämlich you see, you must understand, didn't you know that . . .?
natürlich of course, naturally
neben right next to, alongside, in the next (seat, house, room) to
nebenan alongside, next door, close by
der **Neffe** [**Neffen**] nephew
nehmen take
nein no
nett nice
das **Netz** net
neu new
neulich recently
neun nine
neunzehn nineteen
neunzig ninety
nicht not, n't
die **Nichte** [**Nichten**] niece
nichts nothing, not anything
nie never
niedlich cute
das **Nilpferd** hippopotamus
nimmt takes
noch still, yet
noch nicht not yet
Nordamerika North America
normal normal
die **Note** [**Noten**] music notes
das **Notenbuch** music book
der **November** November
das **Novemberwetter** November weather
null zero
die **Nummer** [**Nummern**] number
nun now; Well . . .
nur only, just
der **Nuß** [**Nüsse**] nut

O

O oh, Oh
ob if, whether
als **ob** as if, as though
oben upstairs, up there
oder or
offen open
oft often
ohne without
der **Ohrring** [**Ohrringe**] earring
der **Oktober** October
der **Omnibus** [**Omnibusse**] bus
der **Onkel** uncle
die **Oper** opera
der **Orangensaft** orange juice
das **Orchester** orchestra
die **Orchesterprobe** orchestra practice
österreichisch Austrian

P

paar few, couple of, several
das **Paar** pair
die **Packung** [**Packungen**] package, pack
der **Park** park
das **Park-Café** coffee shop in a park
der **Parkplatz** parking space
passen fit
passieren happen
das **Pech** bad luck
der **Pelzmantel** fur coat
persönlich personally
Peru Peru
der **Pfennig** pfennig (= 1/100 Mark = ¼ cent)
das **Pferd** [**Pferde**] horse
Pfifferlinge (small) mushrooms
der **Plan** [**Pläne**] plan; map
der **Planet** planet
das **Planetchen** little planet
die **Platte** [**Platten**] phonograph record; platter of food
der **Platz** [**Plätze**] seat (in a theater), available chair, public square in a city
die **Polizei** police force
der **Polizist** [**Polizisten**] policeman
die **Post** post office
die **Postkarte** [**Postkarten**] postcard
der **Präsident** president
der **Preis** prize
die **Probe** rehearsal, practice
der **Professor** [**Professoren**] professor
die **Prüfung** [**Prüfungen**] examination
das **Publikum** public, audience
der **Pullover** sweater
das **Pult** desk
der **Punsch** punch

R

das **Radio** radio
die **Rakete** rocket
das **Rathaus** city hall
der **Rathausplatz** City Hall Square
der **Rathausturm** city hall spire
der **Ratskeller** town-hall restaurant
der **Raumfahrer** space traveler
die **Raumfahrerin** space traveler
der **Raumfahrtfilm** space travel movie
die **Raumrakete** space rocket
der **Raumwagen** space car
recht right; all right, OK; quite
rechts to the right
rechtzeitig on time, punctual
der **Regenschirm** umbrella
das **Regenwetter** rainy weather
es **regnet** it's raining
der **Rehbock** [**Rehböcke**] male deer
der **Rehbraten** venison
die **Reifenpanne** flat tire
der **Reis** rice
die **Reise** [**Reisen**] trip
das **Reisebüro** travel agency
reisen take a trip
reiten ride on horseback
reizend charming
retten rescue
richtig correct, right
die **Richtung** [**Richtungen**] direction
der **Ring** ring
der **Rock** [**Röcke**] skirt
der **Rollschuh** [**Rollschuhe**] roller-skate
rot red
der **Rücken** back
die **Rückreise** trip back
rufen call, shout
rufen . . . an call up
rutschen . . . aus skid

S

's = es
die **Sache** [**Sachen**] thing, matter
sagen say, tell
sah . . . aus looked, appeared
der **Samstag** Saturday
Sankt Saint
das **Schach** chess
schade too bad, a shame
die **Schallplatte** [**Schallplatten**] phonograph record
schießen shoot
das **Schiff** [**Schiffe**] ship
das **Schild** [**Schilder**] sign
die **Schildkröte** turtle
der **Schinken** ham
schlafen [**schläft**] sleep
schläfrig sleepy
das **Schlafzimmer** bedroom
die **Schlagsahne** whipped cream
die **Schlange** snake
schlecht bad
der **Schlips** necktie
der **Schlittschuh** [**Schlittschuhe**] ice-skate
der **Schlittschuhschrank** cupboard for skates
der **Schlüssel** key
schmecken taste (good)
der **Schnee** snow
schnell quick, fast
die **Schokolade** chocolate
schon already, simply
schön fine, very good, beautiful
der **Schrank** [**Schränke**] closet, cupboard
schreiben write
die **Schreibmaschine** typewriter
der **Schuh** [**Schuhe**] shoe
die **Schule** school
der **Schüler** student, pupil
die **Schülerin** [**Schülerinnen**] student, pupil
der **Schulhof** schoolyard
der **Schultag** school day
die **Schulter** [**Schultern**] shoulder
das **Schulterblatt** shoulder blade
der **Schutzmann** policeman
der **Schwager** brother-in-law
die **Schwägerin** sister-in-law
schwärmen be enthusiastic about
schwarz black
schweben hover, drift
schwedisch Swedish
das **Schwein** [**Schweine**] pig
die **Schweiz** Switzerland
schweizerisch Swiss
die **Schwester** [**Schwestern**] sister; nurse
schwimmen swim
die **Schwimmerin** [**Schwimmerinnen**] swimmer

das **Schwimmbad** [**Schwimmbäder**] swimming pool
der **Schwimmpreis** swimming prize
schwül humid, sultry
sechs six
sechzehn sixteen
sechzehnt- sixteenth
der **See** lake
seekrank seasick
das **Segelboot** sailboat
sehen [**sieht, sah**] look, see
sehen . . . aus look, appear
sehr very, very much
ihr **seid** you are
sein be
sein his, its
seit since; **seit acht Tagen** for a week
die **Seite** [**Seiten**] side; page
die **Sekretärin** secretary
selten seldom
der **Senator** senator
der **September** September
setzen put, set
sich himself, herself, itself, yourself, yourselves, themselves
sicher sure, certainly; safe
sie she, her; they, them
Sie you
sieben seven
siebt- seventh
siebzehn seventeen
siebzig seventy
sieht looks, sees
sieht . . . aus looks, appears
Silvester New Year's Eve
sind are
sitzen sit
Skandinavien Scandinavia
Ski laufen go skiing
so so; this way, thus; like this
das **Sofa** sofa
der **Sohn** [**Söhne**] son
solch such
sollen be supposed to, ought to, should; be said to
der **Sommer** summer
Sommerferien summer vacation
das **Sommerhaus** summer house
der **Sommermonat** [**Sommermonate**] summer month
der **Sommerplan** [**Sommerpläne**] summer plan
der **Sonnabend** Saturday
der **Sonntag** Sunday
sonntags on Sunday
sonst otherwise, else
die **Sorge** [**Sorgen**] worry
soviel as much as, so much
der **Spaß** fun
spät late
später later
spazieren walk or ride for pleasure
das **Spiel** [**Spiele**] game, play
spielen play
das **Spielzimmer** game room
der **Sport** sport
der **Sportpark** sports park, athletic field
sprechen speak; consult, talk to
die **Stadt** city
der **Stadtpark** municipal park
der **Stadtplan** map of a city
stecken stick; be (hidden)
stehen stand; be becoming
es **steht** it says
die **Stellung** job, position
die **Stimme** [**Stimmen**] voice
stimmt is correct
stoßen [**stößt**] hit, bump
der **Strafzettel** traffic ticket
der **Strahl** [**Strahlen**] ray, beam
die **Straße** [**Straßen**] street
die **Straßenecke** street corner
das **Stück** [**Stücke**] piece
die **Stufe** [**Stufen**] step
der **Stuhl** [**Stühle**] chair
die **Stunde** [**Stunden**] hour
stürzen fall, plunge
suchen hunt, look for
Südamerika South America

T

die **Tafel** slab, bar; blackboard
der **Tag** [**Tage**] day
die **Tankstelle** filling station
die **Tante** [**Tanten**] aunt
der **Tanz** dance
tanzen dance
der **Tänzer** dancer
die **Tänzerin** dancer

die **Tanzstunde** dancing lesson
die **Tasche** [**Taschen**] handbag; pocket
das **Taschentuch** handkerchief
die **Tasse** [**Tassen**] cup
das **Tausend** thousand
der **Tee** tea
der **Teich** pond
das **Telefon** telephone
telefonieren telephone
die **Telefonnummer** telephone number
die **Telefonstange** telephone pole
das **Telegramm** telegram
die **Temperatur** temperature
der **Teller** plate
das **Tennis** tennis
der **Tennispreis** tennis prize
der **Tennisschläger** tennis racket
der **Tennisschuh** [**Tennisschuhe**] tennis shoe
das **Tennisspiel** tennis match
der **Teppich** rug
das **Theater** theater
die **Theaterprobe** play rehearsal
das **Thermometer** thermometer
tief deep
der **Tiger** tiger
der **Tisch** [**Tische**] table
das **Tischtelefon** table telephone
die **Tochter** [**Töchter**] daughter
toll wild, terrific
tropisch tropical
tragen [**trägt**] wear
der **Traktor** [**Traktoren**] tractor
die **Treppe** [**Treppen**] stair
trinken drink
trotzdem in spite of that, anyhow
tun do
die **Tür** [**Türen**] door, doorway
der **Turm** tower

U

über over, above; about
übermorgen day after tomorrow
etwas **übrig haben für** be fond of
die **Uhr** [**Uhren**] o'clock; clock, watch
um around; at; for
und and
der **Unfall** accident
ungewöhnlich unusual
uns us, for us; each other
unser our
unten below, downstairs
unter under, below; lower
unterwegs on the go
unverheiratet unmarried

V

der **Vater** father
Vati "Dad, Pop"
Venezuela Venezuela
die **Venus** Venus
Venusleute inhabitants of Venus
die **Verabredung** [**Verabredungen**] appointment, date
verdienen earn
das **Vergnügen** pleasure, good time
verheiratet married
der **Verkäufer** salesclerk
die **Verkäuferin** salesclerk
der **Verkehr** traffic
die **Verkehrsampel** traffic light
das **Verkehrsbüro** tourist office
das **Verkehrszeichen** traffic sign
verlieren lose
verloren lost
verrenken sprain, wrench
verschaffen get
verschwunden disappeared, vanished
verstehen understand
die **Verzeihung** pardon
der **Vetter** [**Vettern**] boy cousin
viel a lot, much
viele many
vielleicht maybe, perhaps
vier four
viert- fourth
das **Viertel** quarter
die **Viertelstunde** quarter of an hour
vierzehn fourteen
vierzig forty
vom = **von dem**
von from, of, about
vor in front of; ago; **vor acht Tagen** a week ago; **vor der Stadt** out in the suburbs
vorbei past
vorbeikommen visit, drop in on
vorgestellt imagined

vorgestern day before yesterday
vorhaben intend, plan
vorher beforehand, ahead of time
der **Vormittag** the morning, forenoon
vorne in front
die **Vorsicht** caution
Vorsicht! watch out, be careful
vorstellen imagine

W

der **Wagen** car, automobile
wahr true
der **Wald** [**Wälder**] woods
die **Waldhütte** cabin in the woods
wann when
war was
wäre would be
waren were
warm warm
warten wait
warum why
was what, whatever; something, anything
was fur what kind of, what (a)
das **Wasser** water
die **Wasserschlange** water snake
der **Wassertank** water tank
der **Weg** way, path
weg away
das **Weh** pain
Weihnachten Christmas
der **Weihnachtstag** a day at Christmas time
weil because
weiß white
weiß know
weit far
weiter farther
welch which
der **Weltraum** space
wem for whom, to whom
wen whom
wenn if, whenever
wer who, whoever
werden get, become; will; be
wessen whose
das **Wetter** weather
wie how, as, so
wieder again, back
Auf **Wiederhören** Good-bye (*on telephone or radio*)
wiedersehen see again
Auf **Wiedersehen** Good-bye
wieso why, how can that be
wieviel how much
wie viele how many
will want to, agree to, promise to
Willkommen Welcome
der **Winter** winter
der **Wintermonat** [**Wintermonate**] winter month
das **Winterwetter** winter weather
wir we
wird gets, becomes; will; is
wirklich really; actual, real
wissen know
wo where
die **Woche** [**Wochen**] week
das **Wochenende** weekend
das **Wochenendhaus** weekend house
das **Wochenendhäuschen** little weekend house
der **Wochentag** weekday, day of the week
wofür for what
woher from where
wohin to where
wohl well; probably, I suppose
wohnen live (reside)
die **Wohnung** [**Wohnungen**] place to live, apartment
das **Wohnzimmer** living room
wollen want to, agree to, promise to
wunderbar wonderful
wünschen wish
wurde was, got, became
würde would
die **Wurst** sausage
wußte knew

Z

die **Zahl** [**Zahlen**] number
der **Zahnarzt** dentist
das **Zahnweh** toothache
zehn ten
die **Zeit** time
der **Zeitungsjunge** newspaper boy
die **Ziehharmonika** accordion
ziemlich rather; pretty
die **Zigarette** [**Zigaretten**] cigarette

das **Zimmer** room
der **Zoo** zoo
zu to, at; too
zuerst at first
der **Zug** [**Züge**] railroad train
zum = zu dem
die **Zündung** ignition
zur = zu der
zurück back, again
zurückkommen return
zusammen together
zwanzig twenty
zwanzigst- twentieth
zwei two
zweieinhalb two and a half
zweimal twice
zweit- second
Zwillinge twins
der **Zwillingsbruder** twin brother
die **Zwillingsschwester** twin sister
zwischen between, among
zwo two
zwölf twelve
zwölft- twelfth

JUNGENS

Albert	Erich	Gustav	Karl	Peter
Arthur	Ernst	Hanns	Klemens	Philipp
August	Erwin	Hans	Karl-Heinz	Reinhold
Augustin	Eugen	Hansel	Karl-Theodor	Richard
Axel	Ewald	Heiner	Klaus	Robert
Benno	Felix	Heinrich	Konrad	Rolf
Bruno	Franz	Heinz	Kurt	Rudi
Christoph	Friedrich	Hermann	Leopold	Rudolf
Detlev	Fritz	Hubert	Lothar	Stefan
Dieter	Georg	Hugo	Ludwig	Theodor
Dietrich	Gerhard	Jakob	Manfred	Thomas
Eberhard	Gero	Joachim	Max	Viktor
Eckhart	Gert	Johann	Moritz	Walter
Edgar	Gottfried	Julius	Oskar	Wilhelm
Eduard	Gregor	Jürg	Otto	Willi
Emil	Günther	Jürgen	Paul	Wolfgang

MÄDCHEN

Agnes	Doris	Helene	Klara	Monika
Alberta	Dorothea	Helga	Klaudia	Olga
Amalie	Elfriede	Henriette	Laura	Paula
Anna	Elisabeth	Hilde	Liese	Petra
Anneliese	Elsbeth	Hildegard	Lieselotte	Rosa
Annemarie	Erika	Inge	Lili	Rosmarie
Annette	Erna	Ingeborg	Lore	Renate
Barbara	Friedel	Ingrid	Lottchen	Thekla
Bärbel	Friederike	Irmgard	Lotte	Trine
Berta	Gerda	Jenny	Luise	Trude
Betty	Gertrud	Julia	Marianne	Trudi
Brigitta	Gisela	Jutta	Marie	Ulrike
Cäcilie	Grete	Karin	Marta	Ursel
Christel	Grete-Marie	Kätchen	Martha	Ursula
Christine	Gudrun	Käte	Melanie	Ute
Dora	Hannelore	Katharina	Melitta	Waltraud